悲情島國
四百年

曾逸昌　編著

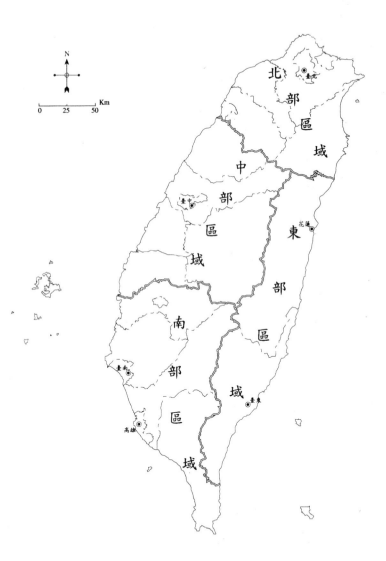

北部區域

中部區域

東部區域

南部區域

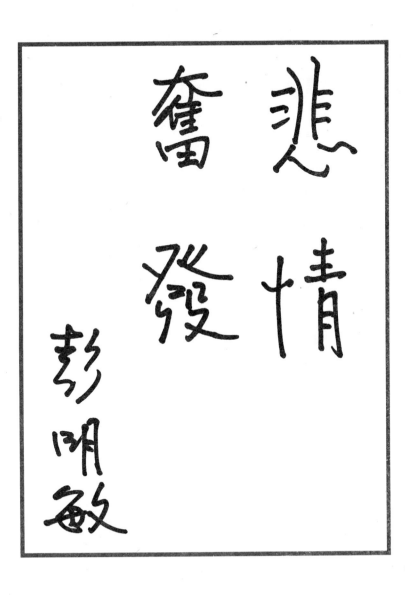

悲情

奮發

彭明敏

逸昌兄

台灣愛

許介鱗

丁丑仲夏

尤　序

　　回顧臺灣四百年來的歷史，是一部辛酸的血淚史。在荷蘭人、鄭成功、滿清帝王、日本軍閥及國民黨等外來政權的統治下，台灣人只有任人宰割與踐踏，其中雖不乏憤怒與反抗，但終究不敵統治者的武力鎮壓。儘管如此，卻沒有一個外來政權能將臺灣完全同化，爭取出頭天做主人的行動前仆後繼，就是這點韌性與骨氣帶來了可歌可泣的歷史，留予後人追思感念。

　　本書作者曾逸昌先生為美國肯塔基大學傳播系的碩士，關懷台灣步履艱辛的命運，以豐富的學養與敏銳的思維，詳述四百年來台灣人民在列強爭奪的隙縫中求生存的困境，嚴辭批評外來政權對物產的掠奪與思想的箝制，尤其自國民黨政府高舉反共復國的旗幟後，很多建設都被漠視，例如民主政治的打壓、交通建設的落後、水土環境的破壞等等，結果現在都成為這一代台灣人必須背負的包袱。作者以統治者的更易為主軸，顯現臺灣歷史發展的全貌，並期許所有認同臺灣的人共同衝破歷史累積下來的黑暗與腐敗，其立意之深，實為用心良苦。

　　面對一九九七年香港大限，兩岸關係詭譎多變，台灣的前途正站在一個轉捩點上，如何妥善處理兩岸關係及提升產業競爭力，在國際舞臺上邁開大步，在在都是我們責無旁貸的任

務。歷史殷鑒不遠，反省過去展望未來，期待全體國民能有共識，建立屬於台灣人的精神與特性，揮別悲情創造希望，共同為這塊土地的和諧繁榮努力奮鬥。

尤　清

1997.4.16

李　序

　　自從一九八八年，戰後在台灣的蔣氏王朝退下政治舞台，
台灣言論、出版的禁制解放後，以「二二八事件」以及嗣後的
各白色恐怖事件為主軸的台灣島國悲情歷史，就逐漸一一掙脫
近半世的桎梏牢籠，從陰暗的角落走出，重見美麗島的天日。
不僅類似「無花果」或「超級國民」一類的文學或電影，一再
出現；使悲情島國的歷史真實，重新呈現在台灣子民之前；而
且連李登輝總統在與日本名作家司馬遼太郎之對談中，也坦率
地道出台灣長年來一直是外來政權統治下的悲情島嶼，喟嘆生
為台灣人的悲哀，說來令人痛楚難過。

　　雖然，隨著時代的變遷而時移勢轉，近年來，「二二八事
件」已經獲得平反，當時受害人之名譽受到洗清，其本人或家
屬也受到政府的補（賠）償；但是，令人遺憾的，一般台灣人
民，卻普遍地對台灣的悲情島國歷史，欠缺應有的理解。事實
上，由學者專家以比較嚴謹誠實的態度、學術冷靜客觀的立
場，去理解研究的有關這方面著作；也嫌貧乏欠缺。為此，我
常感嘆何以願矢志投入研究悲情島國歷史的人，如此稀少，也
常期待能看到這方面之書能陸續出版。因此當我從最高法院推
事葉賽鶯獲悉，苗栗專攻傳播與戲劇的曾逸昌先生，在專心撰

寫「悲情島國四百年」一書時，感到相當溫馨與喜悅。因為曾蒙饋贈其鉅著「文化發展與建設史綱」（厚達一千一百餘頁），深知他不但對台灣歷史、文化、政治、社會各方面，都有登堂窺奧之深入研究；而且深愛台灣猶逾自己。著筆落墨必具誠心誠意；於是竟生先睹為快之率性。倖蒙曾先生不棄，先擲文稿供閱；讀後受益良多、銘刻肺腑，對永恆的故鄉與祖國——台灣，加深了不少新底認識、理解、愛惜與感情；也啟向廣大讀者推薦心意。

此書在時間上，從古台灣時期，經荷蘭治台、明鄭經營、滿清接替、日本殖民，乃至戰後國民黨政權來台迄今，前前後後貫串了台灣四百年以上悲情島國底歷史；在空間上，將台灣淪為悲情島國的政治、社會、財經、文化，乃至海島移民之民族性等原因，錯綜複雜地聯結出來，以共尋繹理析。最後，並附錄了台灣尋求自主獨立之重要文獻，以為悲情島國之「終章」，展露出作者不著痕跡地畫龍點睛，尤令人印象深刻。這是值得一讀、也值得蒐藏的一本書。

李鴻禧識於鶯齋

1997.4.18

自　序

　　茲在自序之前，首先要向台灣民主運動先知、國際法權威
彭明敏教授；台大法學院院長、總統府國策顧問許介鱗教授；
曾任監委、立委，和現任台北縣縣長尤清博士；以及台大憲法
學權威李鴻禧教授，在百忙中寵賜提字，鴻文爲序，深致謝
忱。

　　民國七十七年一月中旬，本人由海外留學回國時，給我一
個非常強烈的印象是，我的祖國——台灣，究竟發生了什麼
〝天翻地覆〞的大事，怎麼到處都掛有聳人聽聞的抗議白布條
呢？怎麼到處都有遊行示威呢？也怎麼到處都是一排排的鎮暴
警察呢？在電視上所看到的，不管是中央或地方的民意代表，
怎麼都捲起袖子動起「武」來了呢？經過一、兩個月的調適
後，才漸漸的習慣這種〝過渡時期新的民主表達方式〞。這是
過去戒嚴時代所無法想像的。就在這種社會、政治環境大變革
的時代裏，由於我讀的是大眾傳播系，基於所謂的〝新聞鼻〞
的驅使，我就把當時的報章、雜誌或一些所出版的書籍，加以
收集、整理。其後，由於我在文化單位忙於公務，無法全力以
赴的加以詳細整理，但零星的資料收集工作仍在持續進行。經
過這幾年，在全民的強烈要求，以及國民黨政府的大力革新

下，國會全面改選了，安維秘書退出了校園，二二八事件以及
一些其他的冤案、假案、錯案也逐漸的平反，有家歸不得的黑
名單被撕毀了，總統、副總統、省長、台北市長、高雄市長也
民選了，蔣氏王朝也結束了……。由於在當時沒有把所整理的
資料以及一些個人的看法加以適時的發表，這些資料，時間一
過，就好像〝廢物〞一樣。孰知於民國八十五年的下半年，我
在偶然的機會下，出版了一千一百四十八頁的「文化發展與建
設史綱」一書中，有九十餘頁在介紹台灣文化發展時，所涉及
到的有關荷蘭時代、鄭氏王朝時期、滿清時代、日據時代以及
國民黨時代的一些政治性的發展，而又想起了在民國七十七、
八年以來，在李總統登輝先生的領導下，有關國民黨在台灣
「寧靜」大革命的寶貴資料，把它加以串連、整理，使它〝起
死回生〞而完成了這個極具有歷史價值的「悲情島國四百年」
一書外，在此「主權在民」的大時代裏，筆者無不希望全體國
民──不管是原住民或是後移居者，大家均有〝認識本土〞必
要的同時，也有責任與義務一起走出「悲情」，共創美麗未來
的莊嚴使命及其神聖任務。

　　　　　　　　　　　　　　　　　　　曾逸昌謹識
　　　　　　　　　　　　　　　　　　　1997 年 8 月

悲情島國四百年

目　錄

第三章　鄭氏王朝時期

第四章　滿清時期

第五章　日據時代

第六章　國民黨時代

前　言

　　在臺灣的文化和思想發展的歷史中，充滿著苦難的血與淚，其中還有漫長的沈默與憤怒的控訴，其情形，有如爲什麼「中華民國在臺灣」的李登輝總統，兼 K(Kuomintang) 黨主席，於民國八十三年（西元 1994 年）三月，會向其日籍朋友，著名小說家司馬遼太郎，坦白、公開慨嘆「生爲臺灣人的悲哀」呢？在這方面，曾經引起衆多人的揣測。有人認爲，這和海峽兩岸有著密切的關係。然而又有更多的人，從其它各種不同的角度，來加以探討。事實上，會造成這個違背「蒼天用海峽區隔的苦心」，以及「衆人吃，衆人騎，無法尊嚴活著」的歷史宿命，應當以更寬廣或是以更具建設性的概念來加以詮釋爲：生爲一個美麗之島的島民，總要負擔一些或是全部，不和本島全體人民自我命運之決定或是與臺灣根本無關的一些歷史事件結果，其情形有如，滿清和荷蘭的澎湖之役，滿清和日本的甲午戰爭，美日的太平洋戰爭……等，使之當代的臺灣人民，永遠都處在兩難之間，而且不論選擇那一邊，均會付出一些代價的同時，這個「命運之島」也一再的被扭曲、改造，而無法順其自然的發展。

　　當四百多年前，葡萄牙人航向日本途中，船長 Linschoten，

經過臺灣海峽時，看到沃野連綿和青蔥翠碧的山脈，忍不住的驚讚而高呼 IIha Formosa！福爾摩沙！美麗之島。在西元一五五四年（明‧嘉靖三十三年）時，在 Lopo Homen 所繪製的地圖裏，這個〝I. Formosa〞地名就被首次出現在歐洲地圖之中。臺灣氣候四季如春、雨量豐富、峰巒層疊、溪谷縱橫、森林密佈、沃野千里、溪流清澈、海水蔚藍，有成群的動物在原野上奔馳，有千萬隻的鳥兒在空中翱翔，還有更多的魚兒在海中悠游。臺灣確實是個美麗之島。四百年來，從中國大陸，抱著政治理想或經濟期許之人，一波波的冒險東來，過著披荊斬棘、櫛風沐雨、胼手胝足、勤儉傳家、以及建設鄉國的理想，辛勤工作，以期能夠過著幸福與快樂的生活。在這種臺灣人民樂觀奮鬥「日出而作，日入而息」的努力，加上得天獨厚的地理環境下應該是如此的，但它反映在民間的歌謠中，有如心酸酸、望你早歸、補破網、望春風、黃昏的故鄉……等，是多麼的哀怨與悲悽。

　　為什麼四百年來，在「臺海見聞錄」中，被滿清乾隆時官員董天工所稱的「臺灣，古毘舍耶國」之人民，會有如此悲慘的遭遇？又為什麼會有清代名臣藍鼎元謂：「臺民之喜亂，如蛾撲燈；死者在前，投者不已。」嗣後又有「三年一小反，五年一大反」的說法？又為什麼會有臺民先聖先賢毀家抒難或奮不顧身的高舉著「生為臺灣人，死為臺灣魂」的旗幟，堅決的反抗不認同這塊土地的暴政和外族統治呢？回顧臺灣任人羞辱、賤踏、出賣、宰割的歷史，不勝令人悲歎！根據美麗島雜誌第一卷、第一期指出，「命運之島（Island of Destiny）是澳

洲人高達（W. G. Goddard）寫臺灣的一本書的書名。『命運』
二字，不禁爲之心酸。本省耆老蔡培火先生在『與日本本國民
書』中的標題──『祇是莫明所以的命運』來詮釋充滿悲劇性
臺灣島民的命運。」①荷蘭（1624-1662）38 年，臺灣是一頭好
的「乳牛」，而漢人只是一個近於農奴的地位而已！鄭氏（1662-
1683）21 年，臺灣純粹是一塊「遺民血淚之土，愛國傳統之
地」。滿清（1683-1895）212 年，滿清政府理臺初期，臺灣是被
隔離的孤島，移民與其家屬只能隔著臺灣海峽，悵望飲泣，並
忍受著清初不人道不合理的制度。雖然自「牡丹社事件」（清
同治十二年，西元一八七三年，日本假藉原住民殺戮琉球人，
興兵犯臺）後，清廷對臺灣的照顧，開始變爲積極。光緒十一
年（西元 1885 年）九月五日，臺灣從福建省的「臺灣道」昇爲
臺灣省，而頗得民心的首任臺灣巡撫劉銘傳，在他主政期間，
嚴整軍紀，精勤吏治，並努力建設臺灣之鐵路、郵政、電訊、
電燈等先進設備。可惜的是，自牡丹社事件之後的二十四年，
以及建立「臺灣省」僅九年以來，臺灣又被迫落入日本手中
（1895-1945）長達五十年之久，而淪爲亡國之民。中華民國
（1945-1949）四年間，卻又經歷了，（行政院院長郝柏村在離該
事件四十五年後，在立法院答覆質詢時的嚴正表示）──當時
政府對二二八事件慘劇的爆發是「難辭其咎」的。在臺灣的中
華民國方面，當國民黨政府尙未撤退來臺的前一年，即於民國
三十七年（西元 1948 年）時，就公佈了「戒嚴法」，直到蔣經
國總統即將離開人世前的民國七十六年七月十五日，宣佈解嚴
以來，臺灣人民除了漫長的過著三十八年的戒嚴生活外，還要

無時無不面臨著兩代蔣總統所遺留下來的歷史包袱。然自第一位臺灣人的總統上任以來，不管在憲政上，或是在民國八十年（西元 1991 年）四月三十日，所宣告的終止動員戡亂臨時條款上，整個的臺灣正呈現出一種「無名」的革命或改革之中。從上述臺灣脫離中國大陸政權控制長達一百五十餘年，而脫離間四度易主以及目前在部份人士對「大陸熱」的炒作下、國民黨政府強調分裂分治的事實中、以及不少臺灣人民自我爭取主宰命運的悲痛歷史裡，尤其是國際情勢的強烈影響下，在民國八十四年（西元 1995 年），也就是在二次世界大戰「終戰」五十年時，對於有形、無形之兩岸關係，正面臨著杜鵑不啼，等牠啼！以及杜鵑不啼，逗牠啼！的狀態，說明了往後臺灣歷史文化的複雜性和它的多元性外，也期望著海峽兩岸之人，有足夠的智慧，來解決這個歷史性的問題。

壹、臺灣的地理位置，及其地形、生態

一、地理位置方面：

　　有關台灣的地形形成方面，被推論為，在四、五萬年前的冰河時代末期，由於氣候變遷、冰河融解、海面上升，漸漸與中國大陸分離，直到大約在一萬年前左右，才逐漸形成和現今形狀大略相當的島嶼。臺灣，四周環繞著海深不過一百公尺的大陸棚，但有三千九百五十公尺的美麗高山。在世界的地理位置上，台灣是亞洲中部大陸外緣島弧最大的島嶼外，也是世界最大陸地（亞洲大陸）和世界最大海洋（太平洋）的接觸點。

這個位於地球陸半球和水半球分界點，以及是歐亞大陸塊和太平洋海盆交接帶的台灣。在它的東邊有浩瀚太平洋（在離台灣東海岸二十公里處有三千公尺的深海）、西鄰中國（在寬約二百四十公里的台灣海峽中，在它的最狹處，位於台中沿岸至福建泉州晉江附近，僅有一百三十公里）、南鄰菲律賓（呂宋島約 350 公里）、北鄰日本（沖繩縣的與那國島 120 公里）以及韓國等。在經緯度上，極東是基隆市棉花嶼東端，東經一百二十二度六分二十五秒。極西是澎湖縣花嶼西端，東經一百十九度十八分三秒。極南是屏東縣鵝鑾鼻南方巴士海峽海上十四公里的七星岩南端，北緯二十一度四十五分二十五秒。極北是基隆市彭佳嶼北端，北緯二十五度三十七分五十三秒。東西跨經度二度四十八分二十二秒，南北跨緯度三度五十二分二十八秒，南北迴歸線橫貫中部。

台灣本島，由北部的富貴角，到南部的鵝鑾鼻，約三百八十五公里；東西最寬的地方，是口湖鄉西端，到豐濱鄉的貓公，約一百四十三公里，而呈現出中間肥兩頭尖的「蕃薯」形狀。

台灣除本島外，尚有基隆的彭佳嶼和花瓶嶼，宜蘭的龜山島，台東的綠島（火燒島）、蘭嶼及小蘭嶼（紅頭嶼、小紅頭嶼），和屏東的七星岩等七個島嶼。台灣本島的面積是 35759.5 平方公里，屬島為 74.8 平方公里，共計 35834.3 平方公里。澎湖本島是 64.2 平方公里，屬島有六十三個，其面積為 62.6 平方公里。台澎計七十二個島嶼，總面積為 35961.2 平方公里。

二、地形、生態方面：

　　台灣面積，雖然只有約三萬六千平方公里，但自然景觀卻相當複雜，有高山、火山、丘陵、切割台地、盆地、平原、海岸、沙洲、珊瑚礁以及火山島等各種地形。台灣在一百公尺以上的山地，約佔全島面積的三分之二，其中三千公尺以上的高峰竟有四十八座（或被細分為超過兩百座）之多。主峰玉山海拔三千九百五十公尺，冬季積雪，晶瑩如玉，雄偉瑰麗，氣象萬千，不僅是全島的最高峰，也是中國大陸東南沿海，以及北起日本，南至菲律賓諸島的最高峰。在河川方面，主要河川有十九條，次要河川有三十二條。在氣候方面，台灣屬於熱帶和亞熱帶的交界地帶，有北回歸線橫穿中部而過，平地年平均溫度約攝氏二十二度，降雨量約二千五百公厘。在長約三百八十五公里，寬約一百四十三公里的小島上，由於地形陡峭，氣候上自高山，下至海岸，有寒帶、溫帶、亞熱帶以及熱帶的變化，因而產生了苔原、針葉林、闊葉林以及熱帶雨林等分佈於不同高度的植被。在野生動物方面，有各種的哺乳類、鳥類、爬蟲類、兩棲類、魚類以及蝴蝶等。至於，在住民方面，也相當的複雜，有南島語系的原住民，有來自大陸的閩南人、客家人、外省人，以及近年來一些來台歸化的外國人等。

貳、臺灣名稱的由來

　　有關「台灣」名稱的由來方面，目前尚無定論，有人說是從「東番記」的台員轉化而來，其情形根據《台灣隨筆》敘述：「台灣於古無考，惟明季蒲田與周嬰著《遠遊篇》，載

〈東番記〉一篇，稱台灣爲台員，南音也。」外，又根據伊藤潔所著的「臺灣」一書中指出，「原來『Taiwan』是，曾經居住在臺南附近的原住民希拉亞 (Siraya) 族，稱外來者或客人爲『Taian』或『Tayan』訛成『Taiwan』。聽到這話的漢族系移住民付與『臺員』、『大灣』等，日本人付與『大宛』、『大冤』等的漢字。後來變成指示島名的固有名詞，而『臺灣』成爲慣用詞是明朝萬曆年間（西元 1573-1620 年）的事。附帶的說荷蘭人亦寫成『Taioan』。」②由上述可知，「臺灣」是從原住民所稱呼的「客人」演變而來。

參、臺灣和大陸之關係

　　臺灣和大陸之間究竟何時就發生了關係？至今仍無定論。有人嘗試把它追溯到春秋戰國與秦漢時代，但都缺乏有利的論證：

　　㈠在宋代的「太平御覽」卷七八〇東夷傳中，引用三國時代的吳國丹陽太守•沈瑩所寫的「臨海水土志」云：「夷州在臨海東南、去郡二千里、土地無霜、草木不死、四面是山、衆山夷所居。山頂有越王射的正白，乃是石也。此夷各號爲王，分割土地人民，各自別異。人皆髡頭穿耳，女人不穿耳。作室居、種荆爲藩郭。土地饒沃、旣生五穀、又多魚肉……」的記載。

　　㈡「吳志」孫權傳云：「夷州亶州在海中，長老傳言，秦始皇遣方士徐福將童男童女數千人入海，求蓬萊及仙藥，止此

不還……。」

(三)隋書「流求傳」有云：「流求是東方海上的島嶼，在大業年間（七世紀初），隋煬帝派遣朱寬、陳稜二將，數次到達流求國，征討流求住民，並把數千名不馴服的男女捕回中國。」

從上述的記載中，無法斷定夷州、流求，就是指現今的臺灣。到了宋元時，對於臺灣和澎湖方面，就有比較清楚的說法與描述，而把臺灣或北臺灣稱為「小琉球」，在南臺灣方面，則被對岸的福建沿海居民稱為「毗舍耶」。

一、有關澎湖的記載方面

(一)南宋樓鑰撰「玫瑰集」卷八十八汪大猷行狀條云：「乾道七年（西元 1171 年）四月起，知泉州，……郡實瀕海，中有沙洲數萬畝，號平湖（今澎湖），忽為島夷號毗舍耶者奄至，盡刈所種。他日又登海岸殺略……。公即其地，造屋二百間，遣將分屯，軍民皆以為便，不敢犯境。」

(二)元代汪大淵的島夷志略記載為：「島分三十有六，巨細相間，坡隴相望，乃有七澳居其間，各得其名。自泉州順風二晝夜可至。有草無木，土瘠不宜禾稻。泉人結茅為屋居之，氣候常暖，風俗朴野，人多眉壽，男女穿長布衫、繫以土布，煮海為鹽，釀秫為酒；採魚、蝦、螺、蛤以佐食，熱牛糞為以覺爨，魚膏為油。地產胡麻、綠豆，山羊之孳生，數萬為群。家以恪毛刻角為記，晝夜不收，各遂其生育；工商興販，以樂其利，地隸泉州晉江縣。至元年間立巡檢司，以週歲額辦鹽課，中統鹽錠一十錠二十五兩，別無科差。」除上述外，並參卓其他資料，大致可知在元順帝（至正）時，於西元 1335 年～ 1340

年，在澎湖設有巡檢司，隸屬晉江縣，作爲水軍巡查哨站、管理海上漁民以及課徵鹽稅的機構，是爲澎湖和中國有了比較明確之關係。其後，澎湖居民，常與盜寇結合，力求自主，不聽號令。明朝朱元璋取得政權後，依其陸國政權性格，主張「海上爲不征之地」，於明初洪武二十一年（西元 1388 年）時，採用「鎖國政策」，在福建沿海設立五處指揮使司，把澎湖居民全部遷住在漳泉地方的同時，並撤廢該巡檢司，以墟其地。但是漳泉之人，仍違命偷渡澎湖聚集。明廷的堅壁清海政策，直到永樂三年時，還在執行，其情形，有如根據永樂實錄二年六月，記「百戶李誠等，招諭流移海島軍民陳義甫等來歸，上嘉勞之。義甫等言，流民葉得義等尚在東洋平（澎）湖未歸，復遣誠及義甫賫勅往招諭之。」但到了明朝後期，由於移民漸多，澎湖地位愈來愈顯要，而於嘉靖四十二年（西元 1563 年）時，又恢復設有巡檢司。於萬曆二十年（西元 1592 年）時，設有兵戍。四年後，巡撫金學曾恐怕澎湖被倭寇佔據，建議派遊兵，在汛期前往鎮守，次年（萬曆二十五年），朝廷准許設有一總四哨，各烏舡二十艘、目兵八百多人的「澎湖遊」設置後，不久，又有衝鋒遊兵的設置。

二、有關臺灣的記載方面

台灣本島，在明朝以前，未涉及到與中國歷史有任何具體關係的同時，亦未進入世界的歷史之中。

㈠有關「毗舍耶」的記載方面：

　　1. 南宋趙汝適所著的「諸蕃志」卷上，有關毗舍耶條記載爲：「毗舍耶，語言不通，商販不及，袒裸盱睢，殆畜類

也。」泉有海島曰澎湖，隸晉江，與其國邇，煙火相望，時至寇掠，襲之不測，多罹生噉之害，居民苦之。……」

    *2.*元至正年間汪大淵所著的「島夷志略」毗舍耶條爲：「僻居海東之一隅，山平曠，田地少，不多種植。氣候倍熱，俗尚虜掠，男女撮髻，以墨汁刺身，至疏頸門，朗纏紅絹，繫黃布。俗以國無酋長，地無出產，常裹乾糧，棹小舟，遇外番伏荒山窮谷無人之境，遇捕魚採薪者，輒生擒以歸，鬻於他國，無一人易金二兩重，蓋彼國之人，遞相倣傚，習以爲業，故東洋聞毗舍耶之名，皆畏而逃焉。……」在該志略中，汪大淵到台灣登山訪俗中，又說：「土潤田沃宜稼穡，俗與澎湖差異，男子婦人拳髮，以花布爲衫。知番王酋長之尊，有父子骨肉之義。他國之人（當指漢人）倘有所犯，則生割其肉以啖之，取其頭懸木竿。地產沙金、黃豆、黍子、琉黃、黃臘、虎、豹、鹿皮。貿易之貨，用玉、珠、瑪瑙、金珠、粗碗、處州磁器之屬，海外諸國，蓋由此始。」

    ㈡明初開始對台灣漸漸有所認識方面：

    明初，洪武五年（西元 1372 年），和琉球通好後，琉球成爲沖繩列島的專有名詞。臺灣在當時，被稱爲「東蕃」。有關東蕃的記載方面，諸如在何喬遠的「閩書」島夷誌中，就有南部的大員（今安平、臺南附近）、魍港、打狗（今高雄），或者北部的雞籠、滬尾等地名。周嬰的「東藩記」把今日的安平、臺南附近叫做「臺員」。張燮的「東西洋考」，以及陳第的「東蕃記」則稱爲「大員」。③後來，何喬遠的「鏡山全集」，又把大員改寫爲「臺灣」。到了清代把臺灣併入中國版

圖後，才把過去單指安平、臺南附近的「臺灣」地名，擴大改
爲代表整個臺灣及澎湖諸島的全體總稱了。

肆、臺灣的文化發展概況

　　在臺灣的文化發展過程中，它不像中國大陸數千年以來，
幾乎都是同一個模式。然而在臺灣的文化發展方面，幾乎完全
是隨著「外來政權」的統治方式，而有所改變。因此在談到此
問題時，則比較側重在政治文化上的演變爲主，其情形，有如
在荷蘭時代，不管是原住民或是漢族移住民方面，不得不吸收
了部份的歐式文明與文化。在鄭氏王朝以及滿清時代，台灣則
又完全承襲了中國數千年的華夏悠久歷史文化。在日本據台期
間，尤其是在日本皇民化運動下，台灣被迫接受了大量的東洋
文化。在中華民國的國民黨時代，由於受到美國的保護，而有
中華文化和美式西方文化混合的情形發生。

第一章　古臺灣時期

第一節　遙遠的古臺灣

　　臺灣在一六二四年，大量的漢人隨著荷蘭的入據臺灣，而移入前，爲具有特殊血統、語言和風俗習慣的馬來人和波里尼西亞人所定居。自從西元一八九六年日本敎諭栗野傳之丞，發現臺北芝山岩遺址後，考古學家，至今已經在台灣本島各地以及澎湖、蘭嶼、綠島和小琉球等離島發現了一千多處的史前時代遺址。在這些遺址上所發現的遺物，如石器、石刀、石斧、石劍、石鎗、石杵臼、石柱、石壁、石棺、貝器、陶器、土器、玉器、人骨、骨角器、和骨角裝飾品等，經硏判，至少有五千年以上的歷史。尤其是民國五十七年（西元 1968 年），臺大考古隊在臺東海岸長濱鄉八仙洞，發掘了相當早期的「長濱文化」遺跡。根據其遺物硏判，距今至少在一萬五千年，至五萬年之間。另外，在臺南左鎮榮寮溪河床所出土的部份「人骨化石」經鑑定，也有二、三萬年之久。

　　臺灣的原住民，究竟來自何處？至今仍無定論。有人認爲，在新石器時代，它和華南的土著有著密切的關係。然而在語文、文化、甚至體質上，卻有相當大的差異。諸如在語言

上，原住民的語言，反而和菲律賓、馬來西亞和印尼等南島語系相似。在文化上，原住民的獵首、紋身、缺齒、拔毛、鳥占、親族外婚、老人政治、室內葬、和靈魂崇拜等風俗習慣和古印度尼西亞的文化，有許多雷同之處。至於在體格上，原住民的五官相當的凸顯，尤其是眼睛部份，和漢人似乎有很大的差異。

　　在荷蘭入據臺灣之前，原住民是臺灣早期的主人。它的分佈從臺灣北端，沿著西部平原，到屏東恆春半島，均有平埔族原住民散居其間。經過荷人調查，在當時，全臺有一百九十三個部落，四十五個族系。民族學者，把他們概括的分成十族。噶瑪蘭族 (Kavalan) 或哈仔難族，分佈在宜蘭平原。凱達格蘭族 (Katagalan)，分佈在基隆、淡水、臺北一帶。自臺北盆地以下，由北而南，有雷朗 (Luilang)、道卡斯 (Taokas)、巴則海 (Pazeh)、巴布拉 (Papora)、邵 (Thao)、巴布薩族（ Bobuza ，或稱貓霧捒 ）、荷安雅 (Hoanya) 和西拉雅 (Siraya) 等。在他們的承傳方面，由於各族的社會組織不大相同，有的屬於母系社會，家產由女性繼承；有的屬於父系社會，家產由男性繼承；有的屬於貴族社會，土地則為貴族所有。在文化發展上，早在兩千年前，就已經進入金屬器時代，但在文字方面，直到近四百年前，荷蘭入主台灣時，才有一套簡單的羅馬拼音文字外，也沒有出現過一個類似國家性質的政治組織。

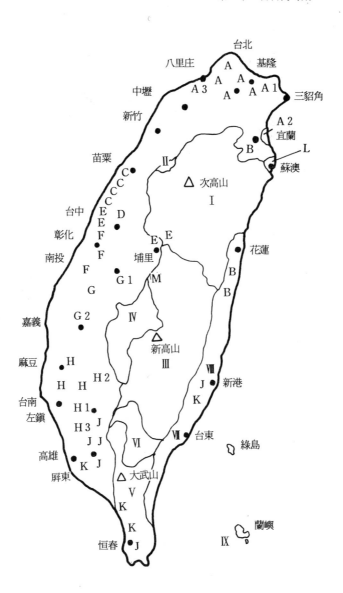

原住民分佈圖

高山族：
Ⅰ 泰雅族 Atayal
Ⅱ 賽夏族 Saisiyat
Ⅲ 布農族 Bunun
Ⅳ 鄒族（或曹族）Tsou
Ⅴ 排灣族 Paiwan
Ⅵ 魯凱族 Rukai
Ⅶ 卑南族 Puyuma
Ⅷ 阿美族 Amis
Ⅸ 雅美族 Yami

平埔族：
A. 凱達格蘭 Ketagalan
　　　A1 ： Basai
　　　A2 ： Trobiawan
　　　A3 ：雷郎 Luilang
B. 噶瑪蘭
　（或卡瓦蘭）Kavalan
C. 道卡斯 Taokas
D. 巴則海（或拍宰海）Pazeh
E. 巴布拉（或拍瀑拉）Papora
F. 巴布薩（或貓霧抹）Babuza
G. 洪雅（或荷安雅）Hoanya
　　　　　G1 ： Lloa
　　　　　G2 ： Arikun
H: 西拉雅 Siraya
　　　H1 ： Siraya
　　　H2 ： Taivoran
　　　H3 ：馬卡到 Makato
J. 四社熟番
K. 馬卡到族
L. 猴猴 Qauqaut
M. 邵（或水沙連）Thao
　（附註，此族有時被歸類為
高山族）

資料來源：參見 1.日本學者國分直一的《台灣民俗學》，1980
，台南。2.李壬癸在台灣史與台灣史科》中的一篇（台灣南島民
族的遷移歷史）論述，自立晚報版，1993 年 12 月。

第二節　海賊與澎湖、臺灣

　　澎湖、臺灣在早期，除了一些零星的「羅漢腳」漢人，願意冒險橫越「黑水溝」臺灣海峽外，它通常是日本倭寇和中國海盜，做為侵襲大陸沿海地區的停泊地。因此明朝在洪武二十一年（西元 1388 年）時，就把澎湖的巡檢司衙門撤廢外，並把當地的居民全部遣返中國大陸，使之澎湖成為一個無人居住的孤島。不過，不久後，澎湖、臺灣仍然又是大陸東南沿海居民移居，以及猖獗海盜的聚集地。在中國海盜中，以林道乾（廣東潮州人）、林鳳（廣東饒平人）、顏思齊（福建漳州海澄人）、以及鄭芝龍等集團較大。他們往往擁有許多的戰艦和一、兩千個匪徒，其勢力不能說是不小。又在上述的四個海盜集團中，其中前兩個和臺灣沒有發生什麼密切關係，諸如，一五六三年，林道乾被明朝都督兪大猷追討時，曾暫避於臺灣而已！其後，林鳳在大陸逃避官兵追剿時，也曾路過澎湖、臺灣，而進入南洋。顏思齊和鄭芝龍集團，則和臺灣發生較為密切的關係。因為他們有定居臺灣、經營臺灣的企圖。自顏思齊（振泉）在天啓元年（西元 1621 年），打算於八月十五日，對日本官府舉事，霸佔日本地方，消息走漏後，就提早率領部眾乘坐十三艘船航向台灣，並於八月二十五日登陸笨港，在諸羅山（今嘉義市）一帶，從事一面積極鎮撫土著，和一面把土地分給部眾開發耕獵的屯墾政策。

　　天啓二年，荷人雷爾生佔據澎湖後，他就連絡漢人李旦海

盜，並派遣船艦二艘經常出現在福建漳州附近，阻擋中國船隻
來往於菲律賓的馬尼拉。

天啓五年，足跡遍及菲律賓、台灣和日本等地的海盜商人
李旦，在日本死後，由他的部下「老一官」鄭芝龍起而代之。

天啓六年時，鄭芝龍，在得到荷蘭船隻的支助下，親率戰
艦十艘，每艘載有戰士六十人，向廈門、金門進發。根據官方
的記載說：「聚艇數百，聚徒數萬，城社之狐鼠，甘爲爪牙，
郡縣之胥役，盡屬腹心。」

天啓七年，正月鄭氏海盜屢破官軍。

天啓八年（西元 1628 年），明朝政府，有鑑於鄭芝龍在海
外的勢力，逐漸擴大，根本無法消滅後，就改採安撫政策，委
派他協助政府，取締東南沿海的「小海賊」。至於，相傳根據
魏源《聖武記・康熙戡定台灣記》曰：「會閩大旱，鄭芝龍言
於巡撫熊文燦以舶徒肌民數萬至台灣，人給三金一牛，使墾荒
島，漸成邑聚……鴻荒甫闢，土膏墳盈，一歲三熟，厥田惟上
土，赴之如歸市。」的說法。有關這個數目相當龐大的「大移
民」傳聞，至今無法證實，其原因是，一方面，會引起荷蘭當
局的干涉，因爲他們已於天啓四年（西元 1624 年）八月時，已
經正式登陸、統治大員（台灣）。另外一方面，也會引起臺灣
原住民的強烈抗拒下，可能難以實現。不過，不可否認的，是
在顏思齊和鄭芝龍時，已有少數的漢人，在臺灣落戶，乃是不
爭的事實。

第二章　荷蘭時期

第一節　荷蘭外來政權在臺灣

　　在地理上和歷史上的臺灣，都包括澎湖群島。澎湖群島位於臺灣本島和中國大陸之間，所以很自然的漢人移入臺灣，也以澎湖爲較早。明末年間，大陸局勢不安，澎湖成爲漢人大量湧入之地。一五九八年（萬曆二十六年）荷蘭人開始東來。一六〇二年（萬曆三十年），在南洋從事絲綢、茶葉、椒粉、瓷器…等百業貿易的荷蘭東印度公司（ Vereenigde Nederland-sche Oost-Indiche Campagine ＝ V.O.C. ）成立。爲了想和西班牙人以及葡萄牙人對抗，荷蘭人企圖在接近中國地方取得一個立足點。一六〇三年（明萬曆三十一年）荷蘭本國海軍將領韋麻郎（Wijbrnadt Van Waerwijck）率領艦隊到巴達維亞（即現今之雅加達）後，派其麾下至中國沿海商謀交易未果。一六〇四年（萬曆三十二年）六月，韋麻郎親自率艦從馬來半島東岸的大泥（Patany）出發，七月中旬到達廣東海岸，欲取澳門未成，遇到暴風雨。這時荷蘭韋麻郎在邏羅大泥所得到的海澄人李錦、潘秀等，經過他們的慫恿，指出澎湖爲明朝兵威所不及，可佔領而派船到福建要求通商，遂於八月七日（陰曆七月

十二日）轉到澎湖。由於明朝在澎湖設兵戍守，防備倭寇，每年以清明前十日爲期，駐留三、四、五三個月，稱爲春汛。以霜降前爲期，駐留九、十二個月，稱爲秋汛。韋麻郎到達澎湖時，汛兵已撤，於是乘虛侵入佔領後，就分別遣人致書漳州當局，請求通商，派李錦向稅吏高寀活動。這時福建巡撫徐學聚則把征剿責任，交給都司沈有容。沈則於閏九月二十六日，率兵船二十艘，帶同韋麻郎通事林玉，駛向澎湖，會見韋麻郎說：不是朝貢之國，一律不准通商，荷人久據此島，終無利可圖，早日離去爲好。韋問：來人都說通商不久便可恩准，而且有人要索重禮。沈說：明朝制度，十分嚴厲。巡撫、布政使、將領及郡邑諸執事，一向都守綱紀，凡事都要議定，纔敢題奏。國法嚴禁外人來華通商，誰敢違抗國法。有人要索重禮，那是欺騙。④明朝，除了對荷人展開談判的同時，並對澎湖採取經濟封鎖。經過荷人的軍事評估，以及無貿易利益可圖下，不久，即於十月二十五日，自行撤回爪哇。其後，荷蘭人陸陸續續要求與中國擴大通商貿易，經過十八年的接觸，沒有具體成果，再加上，在西元一六二一年（明・天啓元年），從被捕的西班牙船中，發現西班牙的「侵台計劃」後，駐巴達維亞的荷蘭東印公司總督・顧恩（Coen），爲了先發制人，緊急命令雷爾生（Cornelis Reijersen）海軍將領率領荷英艦隊所屬的船艦十二艘，兵一千零二十四名，於西元一六二二年（明天啓二年）六月下旬攻擊澳門，損失三百人，未獲成功，改駛澎湖，於七月十一日，侵入媽宮，佔據澎湖後，於七月二十七日，親自率領兩艘船艦到台灣西南部海岸，調查港灣、水深，及其他有關

台灣的大概情形。

　　雷爾生從台灣回到澎湖後，八月時，決定建築城基爲基石的方形城堡，於媽宮的紅木埕（今馬公附近）。這個其後經日人之勘測，其東西長爲 440 尺，南北長爲 480 尺的浩大工程裏⑤，在當時該島居民被迫參加築城勞動的一千五百多人中，因缺乏糧食以及不堪驅使虐待而死亡者，有一千三百多人外，當築完城後，還把這些被俘的居民送往巴達維亞充當奴工。在運送過程中，根據「海牙記錄局」的公報刊載，從澎湖島上船的兩百七十人中，能抵達巴達維亞的，只有一百三十七人，其他的，不是忍受不住虐待痛苦而死亡，就是因爲生病，而活生生的被投入海中而死。

　　天啓三年二月，雷爾生航行到廈門，再由陸路到福州，親見巡撫商周祚，再請通商。未果，商勸雷撤出澎湖，方可派出商船前往通商。雷說他是奉令佔據澎湖，不能擅自離去。不久後，巡撫更換南居益，打算用武力解決，並於同年九月五日，施行「海禁」。

　　天啓四年正月二日，守備王夢龍帶兵進入澎湖鎮海港，猛攻荷人城堡。總兵俞咨臯統領戰船四十餘艘在娘媽宮集結。南居益則在海上察看部署。在荷蘭方面，雷爾生辭職，由船醫遜克（Marhnus Sonck）接任，並於同年三月十九日抵達澎湖。在六月十五日，開始全面水、陸總攻擊時，在白沙島上集結有明兵萬人，並配有大量火藥火器，而守城荷兵只有八百五十人。經過足足六個多月的苦戰。據「澎湖廳志」記載，位於現今澎湖島馬公城朝陽門外東北三里許的紅木埕（紅毛城）「堅緻如

鐵」。在明朝政府軍無法攻克該城堡的同時，荷蘭還分兵向廈門沿海襲擊、騷擾。於是明朝政府就只好請荷蘭人自行從澎湖撤退，並允許東印度公司擁有臺灣本島及通商權力，而簽訂了雙方的議和協訂，其主要內容爲：

㈠如果荷人放棄澎湖，去佔領澎湖對面的化外島臺灣，明政府沒有異議。

㈡准荷蘭人今後在中國通商，中國商船也可以往臺灣及爪哇與荷蘭人交易。（李筱峰‧劉峰松翻譯）

自該議和後，荷人於七月十六日拆毀城堡，並於西元一六二四年八月二十六日（明‧天啓四年陰曆七月十三日），由臺西南鹿耳門（即現今臺南西端的臺江）入據臺灣本島，並把另外一種的文明帶入了臺灣。荷蘭人自臺南登陸後，即在一鯤鯓（今臺南安平）建築城堡。由於當時缺乏磚石，先以木材、砂土築成一座沙墩，做爲臨時的砲壘。後來，則召集漢人燒磚，並從中國大陸運來岩石。內城五年完成，外城七年完成。這個先後長達八年四個月，「城垣用糖水調灰疊磚，凡三層，一層入地丈餘而空其中，貯備食物。雉堞俱釘以鐵，廣二百七十七丈六尺，高三丈有奇。」⑥的築城工事，終於在西元一六三二年（明‧崇禎五年）全部完成。荷蘭最初把這城堡叫做奧倫治(Orange) 城，七年後，把它改爲荷蘭的一州，而命名爲熱蘭遮(Zeelandia) 城（今安平古堡的前身），作爲軍事、行政中心，並由荷蘭總督駐紮於此。另外，基於長期繼續停留在臺灣的打算，於佔據安平的同一年，也開始向原住民購買在安平對岸的薩卡姆（Saccam）赤嵌之地。於天啓五年（西元 1625 年），開

始規劃、興建普魯民遮城（ Tfbort Provintia ，今日稱之爲
「赤嵌樓」之地），來與相隔數里的熱蘭遮城互爲犄角，並做
爲荷蘭聯合東印度公司的事務所、宿舍及倉庫之用。

第二節　　西班牙佔領臺灣北部

　　西班牙人爲了找尋從馬尼拉（菲律賓）到日本傳敎的中途
站，多次想派兵佔領台灣，但都沒有實現。自荷蘭進佔大員
（即現今臺南安平）的消息傳到西班牙駐菲律賓（呂宋）的總
督後，該總督希爾巴(Forn-and de Silva) 爲了惟恐荷蘭獨占日
本與中國的貿易利益，在明天啓六年（西元 1626 年）任命卡列
尼歐(D. Antonio Carenio) 爲司令官，於五月五日率領大划船
二艘和戎克船十二艘，從卡迦揚(Cagayan) 出發，沿臺灣東岸
北上，於十一日到達臺灣的東北角。次日，在雞籠（基隆）的
社寮島（今和平島）登陸，舉行佔領典禮，並開始建聖‧薩爾
瓦多要塞(Sant Salvador) 或譯爲「聖敎主」城，作爲統治中心
的同時，在南方沙丘上及八尺門岸邊設置堡壘外，在大沙灣附
近，建立「澗內」(Parian)，作爲漢人居住地區。⑦於西元一
六二八年（明‧崇禎元年）時，西班牙迂航北海登陸滬尾（今
淡水）建「聖‧多明哥要塞」(Sant Domingo)（今淡水紅毛城
的前身，有關這個「紅毛」之稱，非指西班牙人，而是在西元
1642 年，荷蘭人趕走西班牙人，據有該城之後的稱謂），以穩
固其勢力。
　　西元一六二九年（明‧崇禎二年）二月，駐在台灣的荷蘭

領事諾易茲（Nuyts），向巴達維亞的東印總督提呈報告，有驅
逐西班牙在台灣北部勢力的必要後，於同年八月荷蘭總督緊急
派遣艦隊，企圖驅逐在台灣北部的西班牙，反被擊退，而暫時
全力經營台灣南部。

　　西班牙在台灣北部逐漸穩定後，就開始從事通商、採掘硫
磺、編纂「淡水語辭典」來向原住民或移住民傳佈天主教之
時，於西元一六三四年前後，西班牙駐守在聖·薩爾瓦多要塞
的將領羅梅洛，又率軍攻打噶瑪蘭（今宜蘭），並命名所獲之
地爲 Sandiago ，即爲漢字的「三貂角」。

　　在西班牙佔領台灣北部的十六年又三個月多期間，有關它
的統治政績，以通商和佈教兩大方面來加以探討。

　　㈠在通商方面：由於西班牙和日本兩國因“禁教”問題而
中斷兩國間的貿易後，西班牙人則計劃誘導日本商人和福建商
人，在台灣北部交易。由於日本在西元一六三六年（明·崇禎
九年）時，又採取「鎖國政策」，使之中日貿易遲遲無法開
展。然而在中國東南方面，在西元一六三四年及一六三五年
（明·崇禎七、八年）時，基隆則逐漸成爲中國華南和菲律賓
馬尼拉間相互通商貿易的重心。據說在當時最盛時有二十二艘
載滿貨物的西船，同時開入基隆港內的情形。

　　㈡在佈教方面：西班牙神父首先以雞籠（基隆）爲傳教中
心，以逆時針方向和溯流方式逐漸發展滬尾（淡水）、台北平
原，然後沿著基隆溪、新店溪發展，而逐漸擴展至三貂角和蛤
仔難（現今的宜蘭）等地。在佈教成果方面，自天啓六年（西
元 1626 年）天主教開始傳入台灣北部，至西元一六三五年，在

菲律賓馬尼拉所舉行的主教會議中，發佈在台灣基隆、淡水等地所興建的教堂，有托多斯・羅斯聖多（Todos Ios Santos）、羅沙利奧聖母堂（Nuestra Senora del Rosario）、聖・多明哥（Santo Domingo）以及小會堂等，而在當時所受洗的土著，大概也有三、四千人之多，其成果可說是相當的輝煌。

第三節　荷蘭北上擊敗西班牙

一、西班牙守備的減弱：

西班牙在西元一六二六年佔領了台灣，雖然它在通商和佈教上有了一些的成就，可是到了西元一六三六年時，卻面臨了下列幾個重要因素的挑戰：

㈠是日本屬行海禁，無貿易利益可圖。

㈡是糧食、物資從馬尼拉運送來台時，往往會遇上颱風，造成補給上的困難。

㈢是時疫盛行，許多的士兵和傳教士，傳染風土病，而相繼死亡。

㈣招致漢人移民以及開發土地方面，成效不佳。

在上述四大因素的影響下，菲律賓總督為了集中力量開發菲律賓的民答那峨（Mindanao）和赫洛（Joro）等地，決定縮小對台灣北部的統治。於是，在西元一六三八年（明・崇禎十一年）時，首先撤退滬尾（淡水）駐兵，毀其城堡後，又縮減雞籠（基隆）的守備，而移兵南洋。

二、荷蘭勢力的向北拓展：

　　西班牙自佔領北臺灣後，有時會襲擊往來福建和臺灣之間的商船外，也影響了大員（臺南）的部份商品，有時也要轉賣到雞籠的經濟利益。荷蘭人爲了減少西班牙人的威脅與競爭，他們曾在西元一六二九年八月，北上驅逐西班牙，但未成功。自西班牙在西元一六三八年自行減弱守備，縮小統治領域不久後，荷蘭當局經過數次的派艦北上偵察虛實確定後，即於西元一六四二年（明·崇禎十五年）八月下令哈勞哲(Henrick Harrousee)率領船艦六艘，兵六百九十人向雞籠（基隆）進攻。此時，西班牙的薄弱守軍，由於寡不敵衆，於是開城投降，並於九月四日離開台灣，使之台灣北部亦歸荷人所有。

第四節　漢人由暫居到定居的情形

　　根據「巴達維亞日誌」所載，其情形大致爲：在西元一六二四年荷蘭人進入臺灣時，臺南一帶的每個土著族群的村落中，都有若干漢人雜居其間。這些漢人大都是從事做米和鹽的生意，雖然有一些的漢人和土著女子結婚，他們並沒有從事耕種的活動，因爲他們沒有打算長期定居下來的企圖。

　　自荷蘭人佔據臺南一帶以後，有兩種因素促使大陸的漢人陸續移居臺灣。第一種因素，是大陸在明末時，外患頻繁，局勢已動盪不安，加之官家巨室凌虐，流寇橫行，經濟崩潰、生活破產，而不惜棄家出海求生。第二個因素，是荷蘭人在開墾臺灣時，須要大量勞力，不但有計劃的獎勵漢人移往，更用荷蘭聯合東印度公司的船，運東南沿海漢人來臺墾荒。

第五節　荷蘭治理下的臺灣

一、在武力征服與行政措施方面

　　在荷蘭統治下的台灣，可分爲武力征服和懷柔統治兩方面，來加以探討。

　　㈠在武力征服方面：荷蘭當局爲了擴展其統治領域，利用先進的槍砲武器，首先向赤嵌附近的原住民，從事燒殺和霸佔其土地後，原住民即開始發揮強悍的防禦本能，利用蕃刀、弓箭不分晝夜的給予入侵者強烈的抵抗與報復。雖然在當時，據說只要一聽到槍聲，躲在叢林樹上的原住民，則一個個的被打下來，而屍體遍野的情形，荷蘭人仍然花了十餘年的時間，尤其是在西元一六三五年的「麻豆」和西元一六三六年的「蕭壠」（今之佳里）兩地事件，施以空前最殘酷毀滅性的大屠殺，才得以把住在西部平原原住民的反抗鎮壓下來。

　　㈡在懷柔統治方面：由於居住在台的荷蘭人，包括軍隊在內，最多只有二、三千人。荷蘭當局爲了發揮它的高度殖民統治。在武力征服後，則命令每個部落推派代表二至四人，經過荷蘭長官的認可，依照本地的舊慣自治其村落。到了西元一六三六年（明・崇禎九年）二月時，透過喀爾文教派傳教士尤紐斯（Junius）的召集，迫使在安平以北的十五社，以及以南的十三社原住民（平埔族）代表，在新港（今台南新市一帶）舉行「歸順典禮」，向荷蘭普特曼（Hans Putmans）表示服從後，原住民的反抗，則漸趨平息，在同年年底原住民表示歸順的部

落則增至五十七社。自該年後，這個具有懷柔性質的歸順典禮，每年就舉行一次。到了西元一六四一年（明·崇禎十四年）時，荷蘭當局把它改稱爲「地方會議」（Landday）。西元一六四四年（明·崇禎十七年）時，新領事加龍（Francois Caron）到任後，爲了加強控制，每年則召集以台南爲中心的北部、南部、東部以及淡水等四大地區的各社長老開會一次，除報告管轄下的情形外，並向東印度公司宣誓恭順効忠後，荷蘭當局乃宣稱要把行政權和司法權交給原住民公選或世襲的長老去執行的同時，並授予烙有東印度公司徽章的籐杖，去自行管理其部落。

二、在農業開拓方面

臺灣在荷蘭人來臺之前，過著原始的「燒墾農耕」方式，種植一些粟米之外，不生產稻米。爲了開拓荒地，荷蘭人除修橋鋪路，築堤防、水壩，開渠圳灌溉外，並從印度等地引進種子、苗木以及體強、耐熱的米黃色耕牛，使之臺灣的稻米、小麥、茶、麻、落花生、洋白荽、碗豆、蕃茄、辣椒、芒果……等，在此時開始生產，並奠定了臺灣的農業發展基礎。在有關農業發展的其他努力方面，荷蘭當局，爲了使引進的黃牛能夠大量繁殖，而設有二所牛頭司（繁殖場）的同時，根據陳奇祿學者，在「民族與文化」一書中，又指出，「荷人爲了確保蔗糖的生產，據記載，荷蘭人在十三個處所設置總共九一〇人的士兵來作衛戍外，並廣範的貸與資金給漢人移民從事墾殖的開拓。又據德維生在他的書中說，荷蘭人發現沒有耕獸影響農耕的成績，所以特撥出四千荷幣，令格拉維斯牧師（Minester

Gravius）購買耕牛一二一匹，分給農民使用。」⑧外，荷蘭人
還實行「結首」制度，根據清代姚瑩的「東槎紀略」云：「昔
蘭人之法，合數十個爲一結，通力合作，以曉事資多者爲首，
名曰小結首。合數十小結，中舉一個富有力而公正衆服爲之
首，名曰大結首。有事者官以是問於大結首，而大結首以是問
於小結首，然後其有條不雜。視其人多寡，授之以地（未開發
地）。墾成衆佃公份（分），人人得若干甲（約今十畝）之地
（旣墾地）……。」其中值得注意的是，這個大約九七○○平
方公尺爲一甲的土地面積，至今仍爲臺灣人民所喜歡的習慣用
法。

三、在商業貿易方面

　　在荷蘭治臺時，它一面對於臺灣進出口的貨物加以課稅
外，它本身也直接從事於轉口性的貿易，來謀取利益。其貿易
情形爲，荷蘭當局把臺灣的蔗糖、米、鹿角、鹿肉乾、藤，以
及從巴達維亞或東南亞其他地方運來的辛香料、琥珀、鉛、
錫、鴉片、棉花、麻布等，經由臺灣輸往中國大陸後，再將中
國的絲綢、陶器、中藥材、黃金、犀牛角，經臺灣輸入巴達維
亞或荷蘭外，也把臺灣的蔗糖和鹿皮輸往日本的同時，還把部
份的蔗糖也輸送到波斯灣一帶等情形爲主的貿易外，在它的往
後發展上，根據李筱峰、劉峰松兩學者所合著的「臺灣歷史閱
覽」中，指出，在「荷蘭人統治臺灣的第三十四年（即西元
1658 年）時，荷蘭人在臺灣的砂糖產量達一萬七千石，不但滿
足日本、波斯的需要，所剩還可運往巴達維亞。一六三四年，
荷蘭人自臺灣輸到日本的鹿皮有十一萬張，一六三八年達十五

萬張。……荷蘭東印度公司，在臺灣所獲利潤，在其亞洲各地的二十五個商館中，高居第二位，僅次於日本（荷蘭在日本之利潤，佔總利潤的 38.8 ％，在臺灣則佔 25 .6 ％），……一六五〇年左右，東印度公司在臺灣的每年純益約四十萬荷幣（相當四噸黃金）。難怪一位荷蘭總督說：『臺灣眞是公司的一頭好乳牛。』」⑨

四、在文字的創造方面

平埔族曾經創造出簡單的「我手寫我口」的文字。隨著荷蘭的入主臺灣，荷蘭傳教士用平埔族的希拉亞語所寫成的羅馬拼音文字，來大量翻譯聖經、十誡、祈禱文、問答書……等有關基督教教義的書籍，以及編纂語言辭典、原住民語言著作教科書等，其著名者，有 Jac. Vertrecht 譯有基督教教材及說教書、Gilbertus Happrt 著（ Fovorlangh 語辭典）、Daniel Gravius 譯（ Sidieia 語馬太傳）以及 Utrecht 所著的（ Sideia 語語彙）稿本等後，不久平埔族所自創的「文字」，也就自然消失。至於這個荷蘭人替平埔族所創造的羅馬拼音文字方面，它一直被持續沿用了二百七十餘年，直到被日本統治之時，才逐漸消失。又由於該文字曾經盛行於台南近郊的新港社，因而又稱該文字爲「新港文」了。

五、在佈教方面

左手拿聖經，右手持刀槍是西方人統治殖民地的慣用手段。關於這一點，有關荷蘭的在台統治也不例外。

距今三百七十餘年前，西元一六二四年（明・天啓四年）八月荷蘭人佔領台灣南部後，巴達維亞就先後於西元一六二七

年（明・天啓七年）派甘地地武斯牧師（Georgius Candidius）
和在西元一六二九年（明・崇禎二年）派右尼武斯牧師，來台
傳播基督教（Protestantism），是爲台灣接觸西方宗教之始。它
到了西元一六三〇年時，信徒大約有五千四百人，而在往後的
傳教發展上，則不斷的擴大南至鳳山，北至鹿港左右。在西元
一六四二年八月，荷蘭北上打敗西班牙，而擁有對整個台灣的
統治後，在其佈教的過程中，也有可議之處，諸如根據李筱峰
和劉峰松所合著的「台灣歷史閱覽」中，指出，「荷蘭牧師，
在佈教過程中，也曾採用不人道的手段，如一六五八年，曾經
放逐二九八名平埔族女巫，其中二五〇名被活活餓死在荒野，
另外四人改信基督教後才准回家。仁慈的上帝看了，不知是否
會流淚。」（自立晚報 83.5.11）

六、在財稅的課徵方面

　　㈠地租：荷蘭人在台灣採「王田」制度，把一切開拓好的
土地，歸荷蘭皇帝所有，在西元一六五六年（清・順治十三
年）時，已開拓好的土地，有田地六千五百多甲，蔗園一千八
百多甲，以及其他五十甲等地。在「王田」的名目下，荷蘭當
局把田地分授漢人耕種納租，所有的耕牛、農具、種子，以及
修築陂塘堤圳、水利灌溉設施等費用，均由公司提供。在納租
方面，田分爲上中下三級，上則每年每甲徵十八石，中則十六
石五斗，下則十石二斗。「有陂塘貯水者爲田，旱種者爲園」。
上則園徵粟如下則田，即每甲十石二斗，中則八石一斗，下則
五石四斗。⑩

　　㈡十分之一的貨物稅或關稅：荷蘭人除了對日常用品或貨

物，如米、糖、蠟燭和煙草等課以十分之一稅外，於西元一六二五年（明・天啓五年）時，又開始從輸入台灣的貨物上課徵十分之一的關稅。

㈢人頭稅：在西元一六二六年（明・天啓六年），荷蘭統治台灣初期，在漢人人口方面，根據一幅西班牙名叫「台灣的荷蘭人港口」圖中，在赤嵌地方，畫有漢人漁寮六家，下註漢人五千的情形後，漢人就不斷的大量移入。荷人剛開始時，對漢人每人每年抽取四分之一里爾 (real) 的人頭稅。根據西元一六四〇年（明・崇禎十三年）九月一日的調查，居住在大員附近，而繳納人頭稅者，有 3568 人，如把居住在荷蘭勢力範圍內的人民，來加以評估大概有一萬到一萬四千人左右。其後，人頭稅提高爲二分之一里爾。根據黎斯所著的「台灣島史」(Ludwing Riess: Geschichte der Insel Formosa) 指出：「人頭稅的收入，初時爲三、一〇〇里爾，後來增至三三、七〇〇里爾，增加十一倍」。荷蘭當局，雖然對原住民沒有課徵人頭稅，但原住民每人每年須繳交鹿皮一張。

㈣其他稅目有：

  1.狩獵稅：對漢人捕鹿，用罝者每月課徵一里爾，設阱者每月課徵十五里爾。

  2.漁業稅：

  3.採包稅：於西元一六四〇年（明・崇禎十三年）時，對釀酒、市場等開始徵收，該年收入有 1300 里爾。

  4.硫磺的採掘和販賣稅：

  5.贌社稅：荷蘭當局爲了增加稅收，於西元一六四四年

（明‧崇禎十七年）時，在當時稱爲「贌社」的土產交易中心場所，所抽取的一定交易稅。

七、在抗荷事件方面

　　荷蘭在臺灣，並不是經營慈善事業，而是在經營一個道地的「殖民」事業。靠著對大自然採取過活的原住民，自被荷人武力征服後，才開始進入農耕階段。而美其名來台拓荒的漢人，一乘上荷蘭人的大划船，即被烙上奴隸的身份。當他們一到台灣後，就被編入農奴群裏，被趕到叢林、曠野之中去開墾。

　　在西方重商主義甚濃的時代裏，荷蘭當局不但對所有的生產和消費課以重稅外，對於新的移住民也課取人頭稅的同時，還任意肆虐漢人，因而引起被統治人民的反感與反抗。在原住民的「反紅毛蕃仔」的鬥爭中，有一六三五年「麻豆事件」，和一六三六年「蕭壠事件」的發生，在移住民的抗荷事件方面，有在西元一六五二年（明‧永曆六年），即在荷蘭統治臺灣的二十八年時，定居在赤嵌附近的大結首郭懷一，於九月七日招集同志密謀起義，決定在中秋夜起事，但因胞弟和普仔告密，爲荷蘭當局所知，郭懷一乃倉惶於次日早上率領一萬六千多位的村民，以弓箭、鋤、鍬、棍棒、刀劍、竹槍……等武器，武裝抗荷，並進入赤嵌城燒殺。荷人克爾帶領一百二十名荷兵趕到赤嵌城外，並派人急調分佈於新港社、目加溜灣社、蕭壠社以及麻豆社的原住民應援。兩軍相持多時，荷人又徵調四社約二千名的原住民，協助合擊反抗軍。郭懷一撤兵守漚汪，隔道溪流而戰十日。由於荷軍火力強烈，反抗軍有數千人

陣亡後，而又後退。在荷軍追擊時，鄭芝龍的舊部下郭懷一中
彈身亡，餘眾則潰散入山的同時，和這次起義有關的移住民方
面，被捕者有九千人，被殺害者有一千一百人外，至於，在殘
存的反抗軍將領方面，被捕者，則被用歐洲的「火刑」或「五
馬分屍」等方式，加以處置。

八、在人口成長方面

　　由於荷蘭當局的鼓勵移民政策下，漢族不斷的增加，根據
「被忽視的臺灣」（S.E.S.:'t Verwarloosde Formosa）（荷蘭
駐臺的最後領事克埃都 Frederik Coyett 所著）一書中，談到荷
蘭據臺末年已有漢人壯丁二萬五千人。若依此推測當時大大小
小，老老少少的漢人，包括女性在內，可能至少有二、三倍於
此數。

第三章　鄭氏王朝時期

　　籍貫是福建省泉州府南安縣的鄭芝龍，遷居在日本平戶時，與日本女性田川氏結合，於西元一六二四年（明・天啓四年）八月二十七日，生下本名森，字大木的鄭森（西元 1624-1662 年）。鄭森在西元一六三一年，七歲時，隨其母親來到中國。此時，明朝已經陷入群盜四起，社會動盪不安的狀態。西元一六四四年崇禎皇帝在北平京城煤山自縊而亡後，明朝宗室在南京擁立福王即位，是爲弘光帝，並得到鄭芝龍集團的擁護。這個明朝在南京的臨時政權，後來，在清軍的猛烈攻擊下持續約一年左右，而相繼瓦解。鄭氏集團，於西元一六四五年，又在福州擁立唐王是爲隆武帝。此時，二十一歲的鄭森，在晉謁隆武帝時，獲賜國姓（朱），並改名爲（成功）即爲「國姓爺、鄭成功」的由來外，在西元一六五五年時，永曆帝又冊封他爲延平王。西元一六四六年八月，清軍繼續南下包圍福建，逮捕隆武帝，並且對鄭芝龍約定官職以爲招撫。鄭成功不贊成，但鄭芝龍眼見明朝大勢已去，於西元一六四六年的十一月應允。孰知清軍違反約定，將鄭芝龍送往北平幽禁的同時，其妻田川氏又因受到清軍的凌辱而自殺身亡。鄭成功得知上述消息後，在孔廟前燒掉儒巾、儒服，並發誓說：「從今以

後，不做讀書人，以武人為生，報君國及父母之仇」，而在福建繼續集合明朝殘餘黨徒，從事「滅清復明」的大業。西元一六五九年，鄭成功率領二十萬大軍，在進攻鎮江、南京等反清復明的軍事行動慘遭大敗後，為了找尋一個復興基地，或是安身立命之所，而有攻台之意。雖然部將大多持反對意見，但他在行前發表文告說：「本藩矢志恢復，切念中興；恐孤島（指廈門）之難居，故冒波濤，欲闢不服之區（指臺灣），暫寄軍旅，養晦待時，非為貪戀海外，苟延安樂。」

第一節　鄭成功率軍向臺灣進發

　　明永曆十五年（西元 1661 年，也是清順治十八年）三月二十三日正午，鄭成功率領四百戰船，士兵二萬五千（有人說是三萬五千）多閩粵子弟，從金門料羅灣傾巢而出，先取澎湖，並加以補給後，於四月一日清晨，在曾任荷蘭的臺灣通事——何斌的嚮導下，航向廢棄已久的鹿耳門水道，並趁著漲潮之時，急進臺江。鄭成功自鹿耳門登陸後，並得到當地移住民的歡迎與協助，向防衛力較弱的普魯民遮城進攻。初三日，燬荷艦一艘，殲荷兵一百十八人。初四日，令荷人投降，並保其安全。初五日，鄭成功告知荷蘭代表，此地先人故物，今珍寶聽而載歸，地仍還我。荷蘭代表答曰，「若藩主兵將抽回」，每年願致送餉稅若干萬，及土產貨物。這次大軍出動，願另賠銀十萬兩。初六，普魯民遮城（赤嵌城）的荷人投降，但熱蘭遮城的荷軍，堅守城池，懸紅旗應戰。二十六日，鄭成功再向荷

蘭當局勸降，被拒，乃斬竹豎柵，建築長期的圍困工事。

　　七月十八日，荷人戰船十艘，士兵七百人抵達台灣，並於二十三日接戰，損失戰船五艘、士兵一百二十八人後，逃回巴達維亞（爪哇）。十二月，熱蘭遮城的荷人拉第斯（Hans Jurgen Radis Van Stockaert）等人出降。十二月初六日，荷蘭公司開會決定和談。十三日，雙方成立十八條的協議。鄭成功所率領的軍隊，經過九個月的苦戰，以及兩個月的監視後，直到一六六二年（明・永曆十六年）二月，才迫使荷蘭當局領事克埃都（Frederik Coyett）（臺灣府志稱為「歸一王」），在荷人戰、病死一千六百人後，走出熱蘭遮城，放棄在臺灣三十八年的政治統治和經濟利益，並留下廣大的土地（王田）、城寨、武器、財貨四十七萬盾（Guilder）等，分乘八艘船艦離去。

第二節　鄭氏王朝在臺灣

　　鄭成功自奉明正朔後，開始了南明時代於臺灣。在行政方面，根據劉良璧的「臺灣府志」記載，這個統治臺灣南部一隅的鄭成功「改大員為安平鎮、赤嵌為承天府，總名東都，設縣二，曰天興、曰萬年。」其詳情為，將毀壞殆盡的熱蘭遮城，及其附近的地區命名為安平鎮。把赤嵌及其周邊地區（即現今臺南市一帶）改為東都（因臺灣位在中國的東方），而設有承天府，做為統治臺灣之城。在這承天府的北方設有天興縣（今嘉義一帶），南方設有萬年縣（今鳳山一帶）等，鄭成功自劃

定行政區域後，爲了警告和荷蘭合作的原住民，還忙於親自帶領部隊訪問威壓，或是加以討伐原住民的工作。其情形，有如在歷史上發生了一次著名的鄭成功殲滅了大肚蕃酋長阿狗讓頑強抵抗的大戰鬥。

第三節　鄭成功的去世，以及清朝的「海禁」令

鄭成功來臺的第二年，即於西元一六六二年（清‧康熙元年五月八日）六月，去世，享年 39 歲。促使鄭成功英年憂憤而死的理由，有人認爲：

㈠在他進攻臺灣之時的當年，十月，清廷將鄭芝龍，及其同父異母之弟世恩、世忠、世蔭、世渡等一家十一口，在北京正法

㈡滿清政府爲了抵制鄭成功，以及防止沿海居民接濟台灣，於是就仿傚明朝政府的對臺政策，而採取「畫界遷民」和發佈「海禁令」等政策。在清順治十八年（西元 1661 年）所頒佈的「遷界」令方面，就是遷徙廣東、福建、浙江、江蘇以及山東東南沿海三十里（清代的一里爲 576 公尺）內的居民於內地。在第二年所發佈的「海禁令」爲：「閩粵地方嚴禁出海。其餘地方只允許木筏捕魚，不許小艇出海，又凡大小船艘出海貿易，又遷徙海島建家種地者，不論官民，俱以通賊論處斬。」（康熙元年題准）。有關這種「片板不許下水，粒貨不許越疆」的政策，對於鄭成功在大陸東南沿海勢力的拓展，及其經

濟利益的開發，有了相當大的影響。在上述中，其中值得一提
的是，由於鄭成功對台灣的發展，有他一定的貢獻，所以當時
住在台南的居民，自鄭成功去世後，就在當地建有一小祠來祭
祀他，稱之該祠爲「開山王廟」。其後，在西元一八七四年
（清·同治十三年）時，沈葆楨上奏清廷，准許修建此祠，並
列爲國家祀典之一。到了西元一八七五年（清·光緒元年）
時，擴充該祠規模，並改稱爲「明延平郡王祠」。

第四節　鄭經的「反攻大陸」

　　自鄭成功去世後，鄭成功之弟鄭世襲在臺南被擁立出來。
在廈門前線鎮守的鄭經，一方面與清廷談判，一方面則出兵
「反攻臺灣」。在打倒鄭世襲後，留下部將黃安治理臺灣，於
一六六三年，鄭經又回到廈門前線鎮守。不幸的是，他與堂叔
鄭泰不合。鄭泰的弟弟鄭鳴駿，及其兒子則率領數千士兵和百
餘艘船隻，投奔早期降清的耿繼茂。清朝自得到鄭鳴駿的部衆
後，再聯合荷蘭的殘餘勢力，於一六六三年（清·康熙二年）
十月，向金門、廈門進攻。鄭經不敵，從金、廈兩島撤退到銅
山（東山）之時，又有許多的部將紛紛降清。於一六六四年三
月，鄭經終於放棄福建沿海島嶼，撤回部隊，開始努力經營臺
灣，把東都改爲「東寧」，把天興縣、萬年縣改爲州，各置知
州掌理卅務，並增設南路和北路安撫司，負責處理原住民相關
事務外，還自稱爲「東寧國王」。西元一六六六年（清·康熙
五年，明·永曆二十年），在台灣局勢漸趨穩定後，鄭經就開

始派江勝等人到廈門從事與中國大陸的走私貿易，以改善物質之不足的同時，廈門也漸成爲台灣與中國大陸之間的貿易橋樑。鄭經在臺建國十年後。於西元一六七四年（清・康熙十三年）參加了吳三桂、尚可喜和耿精忠的「三藩反清之役」，命劉國軒率部衆「反攻大陸」，先後佔領海澄、潮州、泉州、漳州、惠州、汀州等地後，又被清軍奪回，退守金、廈二島。於一六七九年，清軍對金、廈二島，發動猛烈攻擊，鄭軍不支，於一六八〇年二月，撤軍回臺。鄭經經過這次的「反攻大陸」失敗教訓後，終日縱情飲酒，於翌年，即永曆三十五年（西元1681年）正月，即在鄭成功去世後的十九年，與世長辭，享年和其家父一樣，均爲三十九歲。

第五節　陳永華的治臺業績

在鄭氏在臺的二十二年（西元1661年4月1日自鹿耳門登陸到1683年8月18日亡於滿清）期間，鄭成功，忙於征戰，而且在臺的時間只有年餘（十四個月零八日）而已就去世。鄭經忙於在廈門前線鎮守，從事「反攻大陸」的任務，而無餘力關心政務。因此有關臺灣的經營方面完全是靠鄭成功以來的重臣——陳永華，來加以奠定。鄭氏來臺後，爲了培養在臺灣的實力，乃教民燒瓦，建宮室、宗廟，築衙署、社稷等各項建設，其情形，有如在西元1687年「臺灣紀略」一書中曾記載，除原有的赤嵌街外，又增新街及橫街，共有三條市街。文廟，於永曆二十年（西元1670年）創建在寧南坊；武廟，於永曆二

十二年（西元 1672 年）創建在鎮北坊；府城隍廟，於永曆二十
三年（西元 1673 年）創建在東安坊⑪。至於，其他的方面，則
根據簡化（陋）的明朝制度與法律，統治人民，並設官分職，
以理庶事外，對於土地的開發和稅制的建立等藩鎮經濟方面，
也有深遠的影響，其情形，有如：

一、在土地的經營，及其開發方面

在經營上，可分為三種，*1.*是寓兵於農，叫士兵去開墾荒
地。*2.*是接收荷蘭的王田改為官田，並繼續租給佃戶耕種，其
收入歸鄭氏王族及其文武官員所有。*3.*是允許土地私有，依個
人之喜好充分發揮，積極從事生產，奠定了漢族在臺灣的殖民
基礎。在土地的開發方面，隨著人口的增加，在臺灣西半部沿
海平原或山丘，有如基隆、淡水、臺北、桃園、新竹、苗栗、
大甲、鹿港、彰化、北港、斗六、嘉義、新營（臺南）、左
營、鳳山、高雄和恆春（屏東）等地，已經點點滴滴的開發出
來，使之糧食生產逐年增加，而能自給自足。

二、在財稅的課徵方面

在鄭氏的一再從事「反清復明」的軍事行動中，為了確保
財源的充足，而對臺灣的住民課以各項的重稅，其情形有如：
㈠地賦：「（鄭氏時代，農民每年須納貢於官方的課征），共
十三萬八千一百九十一石三斗零。
其中，官佃田園共九千七百八十二甲八分九里零。上則田每
甲徵粟一十八石，園每甲一十石二斗。中則田每甲徵粟一十
五石六斗，園每甲徵粟八石一斗。下則田每甲徵粟五石四
斗。共徵八萬四千九百二十石四斗八升九合零。

文武官田園共二萬零二百七十一甲八分四厘零。上則田每甲
徵粟三石六斗，園每甲徵二石二斗四升。中則田每甲徵三石
一斗二升，園每甲一石六斗二升。下則田每甲徵二石零四
升，園每甲徵粟一石零八升。共徵四萬一千四百零三石三斗
七升五合零。」（諸羅知縣・季麒光「台灣雜記」黃叔璥
「台海使槎錄」赤嵌筆談賦餉）。

㈡雜賦（雜餉、雜稅）：它分爲陸餉和水餉兩大類。陸餉，是
以陸上的事物爲徵收對象，主要有厝餉、廊餉、磨餉、菜餉
等。水餉，有梁頭餉、潭埕餉、港滬餉……等。

㈢人頭稅：根據江日昇的「台灣外記卷二三」記載：「令各
縣，照台灣事例（荷蘭的遺法），人人有丁銀，每月每人徵
銀五分（即年額六錢），名曰毛丁。」

　　由於鄭氏對住民所課徵的稅目繁多，無法一一列舉外，又
根據伊藤潔所著的「臺灣」一書中，指出：「鄭氏政權爲確實
保有財源，對臺灣住民的徵稅煞費苦心，其苛刻遠較荷蘭統治
時代爲甚。繼承荷蘭的人頭稅外，另設有新的類似固定資產稅
之家屋稅，甚至對豬舍或雞舍課稅。課稅對象遍及當時的各種
生產事業，靠牛力製麵即課製造稅，運送製糖用甘蔗的台車課
搬運車稅，鹽田課食鹽製造稅，特產烏魚子用的烏魚漁獲即課
捕獲稅，船係依大小課稅，拴在巷（港）內課停泊稅，漁獲時
課漁獲稅等各種各樣。徵稅在宗教有關人員也不例外，佛教僧
侶、道教道士也要納稅。這是一種『特定職業稅』。當時的將
兵不用說，移住民也以男性爲多，女性極端不足，獲得聘禮，
介紹由中國來的女性配偶時，課取結婚介紹稅。對住民所課稅

負（賦），正是橫征暴歛的極端。」⑫

第六節　鄭克塽的降清

　　鄭經去世後，在獨立的東寧王朝，又面臨了鄭克臧和鄭克塽的血腥權力鬥爭。結果由十二歲的鄭克塽繼承，而大權則由馮錫范和劉國軒兩人共同掌控。清廷趁著東寧王朝的腐敗內政，於西元一六八三年（明‧永曆三十七年，清‧康熙二十二年），派遣曾任水師提督，後因其父及弟為鄭氏所殺，憤而降清的明鄭降將──施琅，於六月十四日，自銅山率領清兵二萬多人，大小戰船兩、三百艘進攻澎湖。守將劉國軒迎戰，於該月十六日會戰結果，鄭方百餘艘戰艦被擊沈，以及近一萬二千位的鄭軍陣亡外，尚存的一百五十五名將領，以及士兵四千八百多人也被迫出而降清之時，被射中眼睛的劉國軒，因而緊急逃回臺灣。東寧當局，人心惶惶，而鄭克塽又沒有能力轉攻菲律賓的呂宋，做為「復興之地」。八月二日，施琅由鹿耳門登陸，不戰而佔領臺灣。

第七節　官民內遷、鄭氏父子被移葬大陸

　　自鄭氏王朝在台結束後，施琅就把鄭克塽、劉國軒、馮錫範等王公大臣的族人以及明朝宗室等，以「偽文武官員丁卒，與各省難民」，被載入內地，還籍安插，為數萬計。至於，為「反清復明」而退守台灣的鄭成功，以及在位十九年間，大半

歲月都在金門、廈門兩地坐鎮指揮，從事「反攻大陸」的鄭經方面，被滿清政府認為他們的屍骨不宜流落異域，而於清康熙三十九年時，把他們移葬大陸而說：「朱成功係明室遺臣，非朕之亂臣賊子；特敕遣官，護送成功及子經兩柩，歸葬南安。」置守塚，建祠祀之。

第八節　在人口的增長方面

根據鄭初，施琅在清康熙初年降清時，奏報（盡海上情形疏）謂：「原住臺灣者（指漢人）有二、三萬人，……此數年彼處不服水土病故及傷亡者五、六千……」。除了上述之描述外，又有：

1.施世綸「靖海記事」上卷云：「鄭經永曆十八年（西元1664年）率明室遺臣暨官兵眷口六、七千人自金、廈撤臺。」

2.鄭成功率領官兵二萬五千（或三萬五千）。

3.荷蘭時代已來臺的漢人及其子孫，根據其人口的自然增加推測，在鄭氏末年，漢人人口總數，大概有十五萬至二十萬左右。

第四章　滿清時期

滿大人在臺灣的殖民開發狀態

　　自鄭克塽於一六八三年八月十八日，率領文武官員向施琅投降後，在滿清內部有放棄論和統治論兩種說法。

(一)在放棄論方面有：

　　1.根據郁永河的「裨海紀遊」記載：「議者謂，海外丸泥，不足加中國之廣，裸體文（紋）身，不足共守，日費天府而無益，不如徙其人空其地矣。」

　　2.根據劉良璧的「台灣府志」卷二記載：「台灣府，古荒服地，先是未隸中國版圖。」

　　3.根據黃叔璥的「台海使槎錄」赤嵌筆談記載：「東寧緣高邱（丘）之阻，以作屏，臨廣洋之險，以面勢，無仙蹤神跡之奇，無樓台觀宇之勝，山則蔓草頑翳，水則洪濤齒浸，鹿豕鼠狸所蟠，龍蛇蜃蚖所遊，夫既限之以荒裔，求天作地成之景，皆無所得。」

　　4.根據江日昇的「台灣外記」卷二記載：「海盜嘯聚之地。」

(二)在統治論方面：

　　施琅極力建議留台，其主張大略為：「台灣雖為海外孤島，北連吳會，南接粵嶠，延袤千里，山川峻峭，港道迂迴，乃浙

閩江粵四省之左護，一旦棄之，必不免爲逃軍流民土番等嘯聚巢穴，或爲荷蘭人乘機再據。若是假兵於寇，齊糧於盜，沿海諸省，難保安然無事，且澎湖乃不毛之地，不及台灣什（十）一，若無台灣，澎湖亦不能守。加之寓兵於農，於治台必能有齊……。」（施琅「恭陳台灣棄留疏」）

　　上述兩派爭論結果，於康熙二十三年（西元 1684 年）四月，臺灣有史以來第一次被編入中國版圖，並於該年康熙帝准施琅所奏，詔令臺灣設一府三縣，隸屬福建省。一府爲改明鄭時代之東寧爲「臺灣府」，三縣爲臺灣（今之臺南）、鳳山（今之高雄）、諸羅（今之嘉義），而行政區域大致沿襲明鄭時代的舊制。雍正元年（西元 1723 年）臺灣增設一縣二廳，一縣爲彰化縣；二廳除澎湖廳外，增設淡水廳。當時的淡水廳在現今的新竹，漢人之拓展，在這時已從過去南部高雄到嘉義之平原地帶，拓展到了新竹。嘉慶十四年（西元 1810 年）設噶瑪蘭即今之宜蘭。光緒元年（西元 1875 年）臺灣北部的開發已告完成，故除原有的臺灣府外，分出臺北府。光緒十一年九月五日（西元 1885 年）由福建省的臺灣道，升格爲「臺灣省」。在擴充行政機構下，光緒十三年（西元 1887 年）臺灣府移設現今臺中，原臺灣府改稱「臺南府」，自是始有臺南之地名。翌年，臺灣府改稱安平縣。光緒二十一年（西元 1895 年）新設南雅廳。卑南廳則改爲臺東隸州。漢人在臺灣的拓展已遍及全島。

第一節 滿清政府的消極治理臺灣期間

　　清朝統治臺灣，從康熙二十二年（西元 1683 年）到光緒二十一年（西元 1895 年）甲午戰敗割臺為止，共有 212 年之久。它從開始到西元 1874 年，總理船務大臣沈葆楨時，不得不奏准「開臺獎勵條例三條」，並廢止「封山、禁墾政策」為止，約有，一百九十年的時間，只是從事一些消極的經營，來防止臺灣再度成為盜賊聚集之地或是成為「反清復明」的根據地而已！

一、嚴防官員、駐軍本土化方面

　　在滿清漫長的治理臺灣期間，除了禁止錄用臺灣人民充當官員以及士兵的同時，也無時無不在嚴防從大陸派來的官兵走向本土化的傾向。其情形有如，對於派往臺灣任職的官員，除了禁止攜帶眷屬來臺的同時，凡是任滿三年時，就必須調遣回國任職。在部隊方面，則採取所謂的「班兵制」，也就是將這約一萬名的水、陸部隊，每三年必須輪調一次，避免長期駐在同一地點，勾結當地人民起來叛亂。

二、在限制移民方面

　　在清軍佔領臺灣後，就公告「臺灣編查流寓則例」，進行全面人口調查，並把在臺灣無妻子、事業以及犯罪之人全部遣送回大陸的同時，嚴格禁止移民臺灣。就是有關在渡臺方面，也受到相當嚴格的限制，其情形，有如，除了禁止與家族同行，和限制「廣東省（東部）為海盜巢穴」地區之人，不得到

臺灣外，對於想到臺灣之人，除了取得原籍地官方同意書的同
時，首先須經分巡臺廈兵備道的審查後，再經臺灣海防同知的
審核通過，始可來臺。⑬

三、實施「封山禁墾」政策方面

　　所謂的「封山令」，是禁止在臺定居的移住民遷入原住民
地區居住或是在原住民所居住的地方，從事於打獵、採籐和砍
伐樹木的行為。在表面上，這種的政策是給予原住民一種生存
空間的保障。而其真正的目的，乃在於防止移住民罪犯進入山
區，勾結原住民從事於叛亂的行為。

四、禁止鐵器的輸入以及竹材的運出方面

　　為了防止人民製造武器，而長期禁止鐵器從大陸輸入的同
時，在鑄造政府所許可的農具時，也嚴格的指定鐵的原料來
源，必須從福建漳州輸入，以便控制的規定。在竹材方面，為
了防止竹子被用來做竹槍或其他武器之用，而被禁止採伐運
出。

第二節　住民的反抗以及
　　　　國際的糾紛層出不窮

　　清廷雖然對臺灣公佈了許多諸如渡航限制、封山令以及禁
止鐵器輸入臺灣之嚴厲規定，但隨著大陸經濟的不振、動亂四
起以及人口過剩的壓力下，僅憑一些官府的禁令，實在無法禁
止飢民的移居臺灣以及向山區的開發。這些一波波的後來新移
居者，在開發臺灣的過程中，除了和已移居者造成競爭與衝突

的同時，也和原住民產生了許多的摩擦之外，又有住民和官方
的衝突，以及住民和外國人的衝突等事件不斷發生。今將這些
紛爭，分為國內和國際兩方面，來加以探討與說明。

一、在國內方面

　　臺灣在清朝統治的二百多年中，發生了大大小小約有一百
件的武裝起義或是騷擾事件。造成這種「五年一大亂，三年一
小亂」的所謂「叛亂」事件，其原因大概為：

　　1.鄭氏亡後，除民族意識仍深藏人心外，對於被歧視、壓
迫的現實環境下，更增加排斥異族統治的傾向。

　　2.地理因素的影響，因為臺灣並未與大陸接壤，其間有一
道臺灣海峽隔離，自然造成滿清政府，對於臺灣認為是一個邊
陲荒島和孤懸海外的「國內殖民地」而已！的同時，臺灣人民
對於大陸滿清政權，也有一種遙不可及的疏離感。在此情況
下，滿清政權，不但不建設臺灣，再加上虐政、重斂以及貪官
的猖獗下，致使民心不能歸向，常有「反叛」以求自我解放之
舉，諸如，在康熙三十五年（西元 1696 年）有吳球之亂。康熙
六十年（西元 1721 年）有以養鴨為業的朱一貴，在領導抗暴
時，根據水師提督施世驃上書云：「賊者至於三十萬之眾」。
他們除了攻陷台灣府城外，並且快速的控制了全台。乾隆三十
五年（西元 1770 年）有黃教之亂。於乾隆五十一年（西元 1786
年）十一月二十七日至乾隆五十三年二月間，有林爽文以一個
貧民的頭目，在長達一年二個多月的揭竿起義時，據李廷璧
「彰化縣志」兵防列傳云：「是役亙於臺地南北千餘里，巨兇
糾惡與脅從者，將近百萬人」的情形下，全台除台灣府城外，

幾乎皆爲其部衆所攻陷，而迫使清廷三次增援徵調數省兵力，十餘萬大軍，於一七八八年時，才給予平定。於嘉慶八年（西元 1803 年）時，有衆多人民所參與抗暴的蔡牽之亂。在同治元年（西元 1862 年）時，又有八卦會領袖戴潮春率領部衆起義，直到一八六七年時，全台才告平息的事件發生。

二、在國際方面

各列強基於戰略價值、經濟利益以及航路安全之需的考量下，早就對台灣的港口及其土地垂涎已久。

㈠英國方面：

鴉片戰後，道光二十七年（西元 1847 年），英人海軍少校戈登（Gordon）來雞籠（今基隆）做資源調查。一八五〇年，英使兼香港總督崩漢（Bonham）對滿清提出開採雞籠煤炭要求，未果後，轉而希望在臺灣開港貿易。

㈡美國方面：

美國商人奈伊（Giedon Nye Jr.）的令兄在臺灣海域發生船難，前來臺灣後，於咸豐三年（西元 1853 年），在寫給美國駐滿清的代理公使伯駕（Peter Parker）的信上，希望美國能夠佔領臺灣南部和東部。伯駕立即就把這個「擴張主義」的建議，轉呈給美國政府後，不久，曾經率艦向日本叩關的培理（Perry）艦長，於翌年，即西元一八五四年，乘坐船艦來臺，在基隆港停泊約十天，並展開對雞籠港地形的測量，以及對基隆近郊煤坑的調查。西元一八五五年，培里向美國當局報告，認爲臺灣適於做爲美國遠東的轉口貿易基地，其情形，有如環繞在佛羅里達以及猶堪他半島的地區，被墨西哥灣的古巴所制御的情形

相似，而主張佔領臺灣⑭，其理由為「清廷之治權並不包括臺灣全島，臺灣東部大部份為原住民所有，美國如佔有雞籠，不致引起華人的反對。」⑮（李筱峰、劉峰松合譯）附註（由於美國在當時，正忙於1.歐洲列強把大片墨西哥土地讓渡給美國。2.在一八六一年，美國本身發生了「南北戰爭」。3.在一八六七年，美國用七百二十萬美元，向蘇俄購買阿拉斯加土地等因素，而無餘力指染台灣。）

　　(三)世界各國方面：

　　在咸豐八年（西元 1858 年 6 月）英法聯軍攻進大沽，強迫清廷所締結的天津條約中，臺灣被指定為港口門戶開放的對象。自同治元年（西元 1862 年）開放滬尾（今淡水）後，雞籠（西元 1863 年）、安平（西元 1864 年）、旗後（今高雄，1864 年）等相繼開放。而要求對臺開放的國家，除英、法兩國外，其他國家如美國、俄國、德國、荷蘭、丹麥、西班牙、比利時、義大利、奧地利、日本、秘魯和巴西等國也紛紛相繼與清廷締約，打開臺灣市場。

第三節　臺灣自被列強開放通商後，所帶來的紛爭

一、美國的「羅發號」船難事件：

　　美國商船羅發號（Rover），於西元一八六七年三月，在屏東外海觸礁，有十餘人被原住民所殺。美國駐廈門領事，李仙德（Le Gendre）就率領二艦，前來討伐，失利而歸。臺灣鎮總兵劉明燈，因恐他率大軍前來，於是，就和李仙德共商討伐原

住民的計劃。於當年九月，劉明燈進兵屏東瑯橋（今恆春）時，李仙德親入「番」地，並直接與十八「番社」酋長卓杞篤締結妥善救助船難條約後，經過美國政府的認可，而成爲正式的國際條約。李仙德自有了這個經驗後，回去就寫了一本書，該書名爲「福爾摩沙的土著區，是中華帝國的一部份嗎？」(Is Aboriginal Formosa a Part of the Chinese Empire?) 有關這個所謂的「無主的土著區」理論，在幾年後，竟成爲日本在「牡丹社事件」中，做爲出兵進犯臺灣的理論根據了。

二、英商大南澳的開墾糾紛：

西元一八六八年，德國商人詹姆士・美利士 (James Milisch) 以德國領事的名義發給英國商人荷恩 (Horn) 開墾執照後，荷恩就在噶瑪蘭大南澳（今宜蘭南澳）的地方，招募土著開墾，並向當地土著開始抽稅，引起清廷的干涉。荷恩表示，這塊地不是清朝的版圖後，由於荷恩在海中溺斃，而結束了這場的紛爭。

三、日本入侵臺灣「征番」的「牡丹社事件」：

日本在明治維新後，對臺灣也極爲垂涎。西元一八七一年十月，六十六名琉球宮古島人漂到今屏東一帶，有五十四人被高士佛社原住民所殺。其後，第二年，又有四位日本小田縣民，在南臺灣遇害。西元一八七三年三月，趁著日本外務卿副島種臣，訪問北京，互換「日清修好條規」批准書之時，和清朝政府交涉有關懲罰「番民」之事。根據李筱峰和劉峰松兩學者，所合著的「臺灣歷史閱覽」中指出：「在談判中，清國官吏竟說：『殺人者都是生番，只好置之化外，日本的蝦夷，美

國的紅番，都不服王化，這也是各國常有的事。』日使於是進一步提出：『生番害人，貴國置之不理，我國只好問罪島人，因與貴國盟好，特先奉告。』」⑯而滿清官員的反應是：「生番既屬我國化外，問罪不問罪，由貴國裁奪。」日本在得不到清廷的滿意答覆後，在出兵之前，任用李仙德爲外務省顧問。李氏建議說：「佔有北自樺太南迄臺灣一連串的列島，用半月形包圍中國大陸，又非持有朝鮮與滿州作爲立足地時，將無法保障帝國的安全，並操縱東亞的時局」，⑰給了日本很大的出兵鼓勵。日本當局終於在西元一八七四年（同治十三年，明治七年）四月任命陸軍中將西鄉從道爲臺灣番地事務都督，大隈重信爲臺灣番地事務局長官，美國人李仙德爲事務局二等出仕，做爲對臺用兵的首腦陣容。（「臺灣」・伊藤潔著）⑱同年，五月十七日，西鄉率領三千六百五十多位日兵，在長崎出發，開向臺灣，於二十二日，在瑯瑀灣（車城灣）的社寮（今屏東恆春附近）登陸，焚燒牡丹社村落外，並攻陷附近的五十七番社後，不顧日軍大量死於水土不服的威脅下，開始建築營寨，並與土著合力墾荒，有長期定居的趨勢。清廷獲悉日軍抵達臺灣後，於西元一八七四年（同治十三年）五月二十七日，緊急任命福建船政大臣沈葆楨爲「欽差辦理臺灣等處海防兼理各國事務大臣」，處理此事。沈葆楨一面調派萬餘精銳清兵，並配有各機器局所製造的「先進兵器」，於六月十七日率船艦前來臺灣外，一面通知日本當局撤軍，並準備在北京展開議和談判。其結果爲，清廷給予日方撫恤銀十萬兩，以及墾荒、建築等費用四十萬兩外，承認這次日本出兵臺灣「征番」，是一

項「保民義舉」的同時，同意在遇害地點，豎立墓碑，並在墓碑上，書寫有：「大日本琉球民五十四名墓。」

第四節　從消極治理臺灣，轉為積極經營臺灣方面

在牡丹社事件後，也是滿清統治臺灣的最後二十年間，這個「滿大人」才開始一方面加強臺灣的防衛能力，另一方面，則積極開山撫番、整頓財稅制度之外，並大力進行所謂的「現代化」洋務運動。今將有關滿清對台的「新政」以及財稅的課徵方面，來加以探討。

一、對台「新政」方面：

㈠沈葆楨時期

沈葆楨於同治十三年及光緒元年（西元 1875 年）先後兩次來臺。在他的建樹方面有：

　　1.開山通道，撫綏生番：其具體措施為，⑴撤廢漢人禁止入山的封山令，以及廢除禁止漢人娶原住民為妻的法令。⑵開築北、中、南三條通往後山和內地的道路外，並派遣軍隊進入山區協助原助民生產的同時，並施予漢人的文化教育。⑶廢除南路、北路理番同知，改在埔裏（里）社和卑南等地，置中路、南路撫民理番同知，積極推動「化番為民」政策。

　　2.廢除渡臺禁令：

　　3.整飭吏治，並擴充行政區域：在一八七五年時，隨著臺灣的開發情形，把原來的一府四縣三廳擴增為二府七縣五廳

〔即為，臺灣府所管轄下的臺灣縣、鳳山縣、嘉義縣、彰化縣、恆春縣、澎湖廳、卑南廳（今之臺東）、埔里社廳，以及臺北府所管轄下的新竹縣、宜蘭縣、基隆廳和淡水廳〕外，還著手把兼轄臺灣的福建巡撫（約今之省長）往臺灣移駐。

4.推行自強新政：用西法開採基隆煤礦，修築安平新式砲台，和備置輪船航行於臺閩之間。

由於沈葆楨到任不足一年，就離開臺灣，去做兩江總督兼通商大臣。因此，在他所推動的改革構想方面，有許多並未完全實行。

(二)丁日昌時期

光緒二年（西元 1876 ），丁日昌以福建巡撫的身份駐台半年，除了繼續推動沈葆楨的政策外，還加強通訊電線的架設，以及籌劃連接基隆與恆春縱貫鐵路的舖設。由於丁日昌在任期間相當的短。因此，在其任內只完成了臺灣府城到安平與旗後間，合計為九十五公里的通訊電線架設。

(三)劉銘傳時期

在中法戰爭期間，根據外電傳來，法國有攻佔海南、台灣、舟山等地，以索賠越南軍餉的消息後，滿清政府，於西元一八八三年七月，就派淮軍名將劉銘傳以巡撫身份督辦台灣軍務。在一八八四年八月五日，法國海軍中將孤拔率艦攻打基隆失利後，轉而於八月二十三日把福州馬江的南洋水師戰艦十一艘全部擊沈的同時，並破壞馬尾造船廠和馬江沿岸炮台後，宣佈封鎖台灣。清廷經過這次戰爭教訓後，更加重視台灣，於光緒十一年九月五日（西元 1885 年 10 月 12 日 ），臺灣從福建分

出，獨立建省，並任命劉銘傳爲首任臺灣巡撫。他對臺灣的建設，從一開始就具有宏偉的抱負，決心以「臺灣一隅之設施，爲全國之範」再「以一島基國之富強」。在他任內的重要措施有：

　　1.加強開山撫番：採取撫剿兼施政策。對於歸服地區方面，則設有撫墾局和番學堂，施以生產技術和漢化敎育。對於未歸服地區方面，則施以軍事討伐，來達其目標。

　　2.續增郡縣，設置機構：在行政區的重劃方面，全省設有三府一州三廳十一縣（臺北府管轄淡水縣、新竹縣、宜蘭縣、基隆廳和南雅廳等。臺灣府管轄臺灣縣、彰化縣、雲林縣、苗栗縣和埔里社廳等。臺南府管轄安平縣、鳳山縣、恆春縣和澎湖縣等。以及一州爲臺東直隸州）等。在機構的設置方面，爲了推動改革，而設有三十多個機構，其中，對於一般人民影響比較重大的機構或建設方面有：

　　⑴稅厘總局：負責徵收租稅。

　　⑵清賦總局：負責清丈田畝，改正地租。

　　⑶茶厘總局：負責徵收茶租。

　　⑷鐵道局：負責興建、管理鐵路。騰雲一號蒸汽機車，於光緒十五年（西元 1889 年），往來於大稻埕（今迪化街）與松山之間。光緒十七年（西元 1891 年），有機關車（火車），往來雞籠（今基隆）、臺北之間。光緒十九年，則直達到竹塹（新竹）。

　　⑸輪船局：負責促進及管理海上運輸。

　　⑹招商局：購買新式輪船，打開大陸、香港、西貢（越

南）、菲律賓等地的航路。

　　(7)電報總局：負責電線（電話線）的架設，完成臺北到基隆，滬尾（淡水）到臺南，以及滬尾到福州等連接大陸的海底電線等。

　　(8)南北文報局：負責臺北、臺南的公文傳遞。至於，在私人信件方面，則由「長足」或「批館」傳送，可說是我國近代郵政制度的濫觴。

　　(9)全臺腦礦總局：負責管理樟腦的製造、硫磺的開採，及其買賣。

　　(10)鹽務總局：負責製鹽和徵稅。

　　(11)煤務局：負責推動煤炭採掘，並引進機器加速煤礦的開採。

　　(12)撫墾局：負責開拓與開墾，在農耕上，獎勵人們從事茶葉、棉花、煙草以及養蠶等方面的生產。

　　(13)官醫局：負責公共衛生與疾病的醫治。在當時，還聘請有洋醫師為民治病的情形。

　　(14)創辦新式學校方面：設有電報學堂、中西學堂，以培育自強新政人才。

　　(15)民生公用事業方面：臺灣有了自辦的電力公司後，有關對於電燈和自來水等，邁向近代化的設備，也同時興建。

　　3.整頓軍隊，加強軍備：在「將貪兵猾」，軍備早已廢弛下，劉銘傳在整軍方面，將汰弱留強，只留下三十五營的同時，全部改用洋槍，並請外國人加強教習訓練。在鞏固海防方面，除了聘請德國技師重建基隆炮台外，並在安平、旗後、滬

尾、媽宮、西嶼、大城北等炮台陣地興工加固，配以阿姆士頓大炮三十一尊、沈雷六十和碰雷二十等火力的加強。在彈藥的製造上，除在台北設有軍械機器局，製造槍彈和炮彈外，在大龍峒設有火藥局，以及在基隆、滬尾設有水雷營等措施。⑲

二、財稅的課徵方面：

滿清統治台灣後，對台灣住民所課的稅，除了比鄭氏時代所課的稅爲重外，也比中國本土所課的稅更爲苛酷。

㈠地賦：上則田每年每甲徵粟八石八斗，中則田徵七石四斗，下則田徵五石五斗。上則園徵五石，中則園徵四石，下則園徵二石四斗。至於有關這個「賦稅」的輕重方面，根據(1)雍正五年，巡視台灣御史尹秦的「台灣田糧利弊疏」記載：「現徵科則，計畝分算，數倍內地糧額，若非以多報少，正供不能完納。」(2)同治十三年，欽差總理船政大臣，沈葆楨的「請移駐巡撫摺」記載：「台地之地賦重甚於本土。」

㈡丁賦：康熙二十三年時，每年每人徵取「丁銀」銀四錢七分六厘。乾隆十年時，把丁銀的徵課隨田辦納，改爲「地丁銀」外，並降低徵額，改爲每年每人二錢。

㈢雜賦：分爲陸餉和水餉。陸餉課目有厝餉、磨餉、廊餉（蔗車稅）、檳榔宅、瓦窰和菜園等。水餉課目有樑頭餉、潭塭餉（養魚餉）、港滬餉（捕魚餉）、罟繒罛縺蠔蟯餉（捕魚器餉）和採捕烏魚給旗餉等外，尚有其他雜稅，如當稅、契稅等。

㈣番餉：又名「番丁餉」，它分爲熟番番餉和生番番餉兩種。對於熟番番餉的課徵方面，根據余文儀的「台灣府志」賦

役記載：「敎册（原住民之書記）、公廨（管事項目）之番丁一名徵米一石，壯番一名徵米一石七斗，少壯番一名徵米一石三斗，壯番婦一名徵米一石。」對於生番番餉的課徵方面，以「贌社」代之徵收，強迫山岳地帶的原住民繳納鹿皮。

㈤屯稅、隘稅：是課徵爲維持「防止番害」而設置的「屯制」或「隘制」的費用。

劉銘傳在臺灣所進行的現代化建設，雖然成績輝煌，但是，卻大大的提高了人民的「稅賦」。諸如，在土地稅方面，透過清丈（丈量臺灣田畝，清查賦課），由每年徵收的十八萬三千三百六十六元，提高到六十七萬四千四百六十八元（劉銘傳的「請獎敍紳摺」）。這種被迫提高繳納三、四倍的重稅，使之百姓怨聲載道外，又加上大陸國內的政爭，劉銘傳終於在臺灣主持省政六年後，以生病爲由，在滿清把臺灣割讓給日本的前五年，即西元一八九〇年十月，辭職，而於西元一八九一年六月離開臺灣。在劉銘傳之後的巡撫是邵友濂。他以「體恤民力」爲由，消極治臺。幾乎把劉銘傳所改革的事業全部廢除。在西元一八九四年十月接替邵友濂的是唐景崧，那時，已是進入日清戰爭時期了。

第五節　在滿大人統治下的臺灣各族，及其生活概況

臺灣在西元一七九五年，即乾隆末期時，大約有一百三十萬人。西元一八一一年，嘉慶年間，大約有二百萬人。在西元

一八九三年，臺灣割讓給日本的前兩年時，大約有二百五十萬人。⑳有關上述臺灣人口的成長，除了人口成幾何級數自然成長外，在乾隆、嘉慶的四、五十年間，由於在康熙時代的「海禁令」已漸鬆弛，甚至形同具文，而有不少的大陸人民紛紛前來臺灣。到了清末，由於臺灣被諸如英、法、美、日……等國窺伺覬覦，而加緊經營臺灣，於光緒元年（西元 1875 年）時，頒佈了「招墾章程二十條」外，還在廈門、汕頭等地設有招募移民前來臺灣的衙門，使之臺灣人口在快速的成長之中。有關在這衆多新、舊移住民以及原住民之間的關係方面，在滿清末年時，在臺灣全島的原住民，除了居住在東北部和西部平原已經漢化的平埔族外，其他的地方，還保留有某種程度的原住民文化特色。在日本時代，臺灣總督府，就把這些分別居住在高山或比較偏遠地區的高砂族（即臺灣族），把他們分爲泰雅族、賽夏族、布農族、曹族、排灣族、阿美族和雅美族等七個「部族」。在漢族方面，在來自大陸東南沿海的漢族中，因福建距離臺灣最近，所以移居臺灣的閩南人不但多而且早。通常來臺者，必會選擇交通方便，土地最肥沃，天然災害最少的地區定居下來。根據臺灣的移民史中，泉州人來臺最早，大多居於濱海和港口之處，從事工商、貿易、捕魚等行業爲生。漳州人來臺稍晚，居住在離海較遠的大平原上，從事稻米、果蔬或經濟作物的種植爲生。客家人來臺更晚，港口、平原已爲漳州、泉州人所佔，只有居住在桃園、新竹、苗栗、南投、埔里、高雄和屏東等接近山地的丘陵、臺地地區，依靠茶園、山田、伐木等，過著比較粗重、艱苦的工作爲主。福州人來臺更

晚，由於港口、平原、丘陵、甚至高山都有各種不同族群的人
所佔居，因此他們側身在大都市中從事菜刀、剪刀和剃刀等三
刀以及其他多種服務性的行業。不管來自何種理由和不同地區
的人民，雖然在開拓過程中，有發生些微的侵奪與不義行為，
但大體上彼此之間以及和原住民之間，均能和睦相處，尤其是
原住民中的平埔族，經過歷代的通婚、共處之後，平埔族文化
已經融入臺灣漢人社會，而造成「漢人的平埔族化」。然而住
在高山或離島偏遠地區的原住民仍然過著傳統的打獵、捕魚、
放牧、伐木和耕種等靠山吃山，靠海吃海的「生計經濟」生
活。他們和漢人的交往，可說是零星的、暫時的、和無計劃性
的接觸，諸如，現今居住在中央山脈，以及東部狹谷和海岸地
區的當代原住民更是如此。

第五章　日據時代

武士刀下的臺灣

　　臺灣，在光緒二十二年（西元 1896 年），滿大人未曾尊重臺灣人民的意願，擅自把臺灣割讓給日本。不管是漢族或原住民為了保鄉衛土，均有偉大的抗日壯舉外，這個悲情島國──臺灣，正面臨著一個有計劃性的強而有力之新思想和新文化的改造與挑戰。在日本接管臺灣這一年，臺灣漢人人口已達二百五十萬人；而高砂族人口，於一九○六年，有十一萬三千多人。日本人自佔據臺灣後，禁止臺灣居民外移的同時，也不讓大陸人民，隨便遷徙來屬於日本國土的臺灣。臺灣人口的自然增加，在原住民方面，於一九四三年（太平洋戰爭結束的前三年）有十六萬一千多人。在漢人方面，到了民國三十四年（西元 1945 年）日本離臺時，臺灣人口已經超過六百一十多萬人，約為日人據臺初年的二倍半。這六百一十餘萬的漢人，便為後來，來臺避難的國民黨政府，把它在戶籍上登記為所謂的「臺灣人」，以便區別來自大陸各省之人。至於，在當時距今整整一百年的人民生活狀況方面，根據謝森展和古野直也所合著的「台灣代誌」（上）冊記載為：

　　一八九五年開設總督府，當時的台北人口有四萬六千人，

由圍繞城牆的城內與萬華、大稻埕三地區形成，但這座台灣第
一城市究竟是什麼狀態呢？

　　家家戶戶排放污水，骯髒垃圾丟棄街道，到處坑坑洞洞的
積水，瘧蚊成群飛舞，晚上一片黑漆漆，天空有蝙蝠在盤旋。
隨地排洩糞尿，人與豬雜居，惡臭令人窒息。住民不在乎骯
髒，全無衛生概念，娼妓處處出沒，梅毒、麻瘋病呈現末期症
狀，皮肉腐爛露出骨頭的人與一身襤褸的乞丐非常多。市民敎
育程度偏低，九〇％的男性是文盲，女性則是百分之百文盲。
非但城市如此，農村更貧窮，無茅屋藏身的勞工也多，寄宿地
主屋簷下的人更不在少數。全島人口推算約二百六十萬，其中
包括遊手好閒的鴉片毒癮者在內。雖有聯結村落的一公尺寬村
道，但聯絡城鎮的三、四公尺寬載貨板車可行的縣道一條也沒
有。由於病死者多，一整天常見到葬禮行列。以上是一八九〇
年旅行台灣的英國人記錄。㉑

第一節　被出賣的臺灣

　　有關日本對臺的野心方面，在西元 1894 年 8 月到 1895 年 3 月的日清戰爭中，日本的原樞密顧問官井上毅，預料日本即將戰勝滿清，而在送給伊藤博文首相的中文意（見）書中說：「世人皆知朝鮮主權有爭執，而不知尤應爭奪臺灣的佔領。……彼朝鮮究竟無獨立之力。……而做爲保護國雖有俠義美名無富殖之實益。臺灣則不然。……能扼住黃海、朝鮮海、日本海之航權，開闊東洋之門戶。更何況與沖繩及八重山群島相連絡，則伸一臂可制他人之出入。如果此一大島落入他人之手，我沖繩各島亦受鼾睡之妨，利益之相反，不啻霄壤。……若失此機會，二、三年之後，臺灣必屬他一大國。不然，必使其中立不可爭奪之地。」㉒在中國方面，滿清戰敗，李鴻章力諫慈禧太后求和說：「臺灣鳥不語，花不香，男無情，女無義，棄之不足惜」的同時，希望日本能夠全力攻臺，來減輕對中國大陸（滿清政權）的軍事壓力，因而在北京有「翰林院侍讀學士文廷式更直指割臺是李鴻章的詭計」之說情形產生。㉓在清廷「宗社（遼東）爲重，邊徼（臺灣）爲輕」的原則下，北洋大臣直隸總督李鴻章，率同美國顧問前國務卿佛士達（J. W. Foster），於西元一八九五年三月十九日（光緒 21 年 2 月 23 日）抵達日本九洲北端的下關。第二天，即開始在下關的春帆樓和日本首相伊藤博文、外相陸奧宗光等人見面。在三月二十三日首度展開談判之時，日本艦隊出現於澎湖海域，在清兵毫

無戰意下，於二十五日輕易占領澎湖，接收安式十二吋炮㈠、十吋炮㈡、七吋炮㈢、六吋炮㈥、卡特林機關炮㈣、野炮㈥、步槍二千支、子彈一百萬發、炮彈一千二百發等世界上罕見的新式先進裝備，做為謀取臺灣的前進基地。在三月三十日，雙方所簽訂的停戰協定中，由於不包括臺灣在內，引起臺灣士紳的抗議：「北方停戰，臺獨不停，是任倭全力攻臺，臺民何辜，遭此歧視！」清日下關和談，經過約一個月的談判，終於在四月十七日簽下了將二億三千萬兩（其中包括放棄遼東半島補償金三千萬兩），約合當時日幣三億六千四百五十多萬圓的賠償外，並將臺灣、澎湖列島「永遠讓與日本」的下（馬）關喪權辱國條約之後，日本代表伊藤美久治和滿清代表伍廷芳，又於西元一八九五年（光緒二十一年，明治二十八年）五月八日，在煙台互換條約批准書，正式把臺灣割讓給日本，而結束了這場在西元一八九四年，中日兩國為了爭奪朝鮮半島權益，而分別派兵介入朝鮮東學黨政變所引發的「甲午戰爭」。

第二節　臺民的浴血抗戰

臺灣人民獲悉，臺灣割讓給日本後，群情譁然，無不憤慨，其情形有如：1.臺灣京官及翰林舉人表示：「與其生為降虜，不如死為義民。」㉔以及2.邱逢甲率領士紳向唐景崧巡撫請願呈稱：「桑梓之地義與存亡，願與撫臣誓死守禦，設戰而不勝，請俟臣等死後，再言割地」㉕外，許多的臺灣人民還在血書上做如下沈痛的表示：「萬民誓不從倭，割亦死，拒亦

死，寧死於亂民手，不願死於倭人手。」五月初，有關臺灣的
自主運動，在新竹集會，認爲臺灣旣然被滿清政府所遺棄，而
主張臺灣應該獨立。五月十五日，臺灣士紳與唐景崧巡撫密
談，要求武器與資金，並發表「全臺紳民」的佈告，其內容
爲：「臺灣成爲朝廷的棄地，百姓無依，惟有死守島國，遙戴
皇靈，爲南洋屏蔽」。五月十九日至二十一日，法國軍艦抵
臺，其將校拜會唐景崧巡撫的同時，並慫恿、鼓勵唐景崧必須
主張臺灣獨立自主。臺灣在官民陳情、奔走呼籲無效之下，於
一八九五年五月二十三日公告「臺灣民主國獨立宣言」。其內
容爲：「日寇橫暴，欲併吞臺灣……，情勢極爲危急，日寇將
至。如若屈從，吾鄉土將陷入夷狄（未開化之人）……已與列
國協議再三，自立而後必予援助。我臺灣同胞誓不服倭寇，決
死抗戰……經決議，臺灣自立並建立民主國。」五月二十四
日，把這個翻成外文的獨立宣言，分送給駐臺的各國領事館。
二十五日，舉行「臺灣民主國」獨立典禮，公推臺灣巡撫唐景
崧爲民主國總統，在禮砲中，升揚著在藍地上，描有眼睛向後
望的一隻黃色老虎旗，並備有「民主國之寶印」國璽一顆，以
及訂定年號爲「永清」（永遠屬於滿清帝國）等儀式後，以原
滿清高官和臺灣士紳、富豪，組成政府。其情形有如總統，唐
景崧（原臺灣巡撫）。副總統兼義勇軍（民兵）統領，邱逢甲
（臺籍進士）。大將軍，劉永福（原軍務督辦）。內務大臣，
俞明震（原刑部主事）。外務大臣，陳季同（原副將）。軍務
大臣，李秉瑞（原禮部主事）。議院議長，林維源（臺灣首
富，捐給民主國銀一百萬兩，拒絕出任）。等人率領滿清按年

來臺的官兵以及臺灣人民自我組成的「義勇軍」等，共計一五
〇營，約五萬人，展開對日抗戰，以圖自救。在日本方面，依
約，在國際法上，臺灣是屬於日本領土的一部份，而在移交的
授受手續上，必須在七月八日以前完成。由於日本惟恐臺灣內
部的不穩，以及外國的介入下，而急於接收或佔領臺灣。於是
在五月十日，任命海軍上將樺山資紀爲總督，並率文武官員，
搭乘「橫濱丸」，於二十四日向臺灣出發。二十七日和北白川
宮能久親王所率領的三千名近衛師，在沖繩的中城灣會合，並
於二十九日，在三貂角北方的澳底開始登陸。清廷駐軍以老牌
毛瑟槍（四五〇口徑）及冒煙火藥裝備抵抗不到一日，趁夜撤
退。此中華民族和大和民族的第一次遭遇戰，日軍承認損失十
七名，並於戰場上驗收一百名滿清軍隊屍體。在六月一日時，
滿清的移交全權委員，李經芳（李鴻章之子）搭乘「公義號」，
來到三貂角外海，與「橫濱丸」相會。由於，在當時，臺灣人
民群情激憤，移交手續不敢在預定的臺北辦理。而於六月二
日，在三貂角附近的海上舉行，創下了史無前例的「海上授
受」移交方式。六月三日時，日本常備艦隊從雞籠外港砲轟，
近衛師團則由陸上進攻。滿清駐守在雞籠砲台的一萬名（中國
式算法）軍隊，及十餘門大砲（十二英寸一門，十英寸兩門和
七英寸口徑大砲十門），均未做強烈的抵抗。守軍被打死二百
五十多人後，沒有幾個鐘頭，日軍於該日中午，就佔據了雞
籠，而結束了這場的攻防戰。自雞籠失守後，根據「臺灣風
物」雜誌第三十九卷，第一期指出，「在臺北與淡水的一萬名
至一萬五千名臺灣北部軍管區軍隊也紛作鳥獸散。到了六月四

日上午，臺灣北部已經沒有一個官員在職，沒有一個軍官帶部隊，而二萬數千名士兵，也沒有一個人在隊伍裏……。」㉖這些殘兵敗將紛紛竄入臺北，從事燒殺、姦淫、搶奪國庫民間財產的同時，把德製火炮、施奈德步槍，分別以三元、一元賣掉外，而在獨立建國典禮時，穿著清服，內心充滿矛盾、惶恐無奈，而外表假裝鎮靜、肅穆的民主國大總統唐景崧，則於六月四日，本著牙刷主義的精神，挾巨額公款，以視察前線為由，離開臺北，於六日時，趁著黑夜，從淡水搭乘德國汽船，便一溜煙的潛逃大陸廈門。這個建元永清的「臺灣民主國」，因駐軍的不戰，以及來臺官員的遁走等因素，從成立起，僅十二、三天的光景，即宣告瓦解後，日本樺山總督，即於六月十七日，在原臺灣巡撫衙門（公所）（也是臺灣民主國舉行獨立典禮的會場），舉行始政典禮，並自唱自演，宣誓「日本天皇恩威治新領土，人民鼓腹擊攘之秋永久」。日本根據控制臺北城以北的經驗，原先認為要掌控全臺，不需花費很大的力量，但是，日本自六月十九日，開始南進作戰時，卻遭到擁有二百六十萬人口（其中被推定原住民約有 10 萬，漢人約有 250 萬）的各地義民包括原住民在內，風起雲湧，為保鄉衛土的堅強抵抗，而不斷增兵，一共出動了海、陸軍七萬（其中海軍動員了大半的聯合艦隊，陸軍約五萬，軍屬及軍伕約二萬六千人，軍馬約九千五百四）等，陷入苦戰，其情形，有如川崎三郎在「日清戰史」中所說的，尤其是在中南部，「幾乎全臺皆兵」、「富於慓悍決死的氣象」、「婦女亦參戰而抗我」㉗等情形。民間落後的武裝在日軍優勢火力的進攻下，犧牲慘重，「每敗

必戰」，在新竹、臺灣府（臺中）、彰化、雲林和嘉義等地節
節抵抗。該年六月下旬，曾在臺南被擁立的劉永福總統，在臺
南用三萬兵力鎮守，絕不「出動」救援，而一味的期待外國援
軍！十月十日，日軍分由嘉義（陸路），布袋（登陸）和枋寮
（上岸）三路挺進要包圍臺南時，㉘曾經宣誓「夷敵襲來，全
島抵抗」的劉大將軍，在台南淪陷前，於十月十九日，以視察
安平港炮台爲由，搭乘英國輪船離台。當日本軍艦八重山登船
臨檢時，他藏在煤渣堆中，未被發現，當輪船抵達廈門時，他
剃掉了引以爲豪的鬍子，並打扮成工人模樣登岸。自劉永福脫
逃後，外商以及一些的當地紳商，爲防止臺南城陷入一場掠
奪、燒殺的大混亂狀態，以英人宣教師 Barcia （伯克萊）爲使
者，於十月二十一日，完成引導日軍進城。日軍從 1895 年 5 月
登陸澳底到同年十月不流血的進入臺南城爲止，費時四個月
多，而在人員損失方面，根據日本官方公佈日軍戰死者有二百
七十八人，負傷者有六百五十三人，共計九百三十一人，而在
事實上，可能不只這些數目，而有損兵折將四千八百人之說。
臺灣人民在這次保鄉衛土的「聖戰」中，被推定爲戰死或被殺
戮者，有一萬四千多人，以及更多的負傷人數外，嗣後，在北
部又有因起義被鎮壓，有二千八百三十一人死亡的同時，生活
在臺灣的苦難人民，也開始過著被異族統治的五十年殖民地生
活。

第三節　在異族統治下的現代化

一、日本前期武官總督時代

　　（從 1895 ，樺山資紀—— 1919 ，明石元二郎）的建設，以及臺民的游擊抗日階段：

　　日本統治臺灣五十年，臺灣人民也展開了五十年的抗日運動，比中國八年的抗日戰爭更為悲愴與壯烈。日軍侵臺之戰，於一八九五年十一月十八日，日本樺山總督，向日本本國報告「臺灣全島平定」後，事實上，臺灣民眾和義首，在全省各地仍然繼續與日軍作游擊戰，其情形有如：

　　1.在一八九五年十二月，在包圍宜蘭，襲擊日軍的事件中，就有二千八百多位的臺灣人被殺。

　　2.西元一八九八年（光緒 24 年，明治 31 年），宜蘭義民簡大獅，於九月八日率部眾五百餘人投誠後，不久，又再度反叛，並且偷渡到廈門。據說在總督府的行賄下，清朝官吏利令智昏，出賣了簡大獅，把他逮捕交給日本當局。根據簡大獅呈給滿清政府的自白書云：「我是大清的人民，日本人姦淫了我的妻子逼她自殺，母親、妹妹也相繼被殺，一家人全都死了。我為了報仇，糾集了一萬多名義民跟日軍拚鬥，並沒有給清國人民帶來麻煩呀。日本人把我看成土匪，但我的同胞應認為我是義民。對於清國我絲毫沒有羞愧的感覺，去年戰敗後，渡過海峽逃到漳州，那是想當清國的人民。漳州府官吏本來要保護人民的，卻逮捕了我出賣給台灣，真使人驚訝不已，請你們當場殺死我吧，我寧願埋葬在故國的泥土裏。」像這種壯烈抗日之人，對貪贓的滿清官員而言，是一種「垃圾」，於是把他送回台灣，在西元一九○○年三月二十九日時，被日本當局處

死。

　　自第四任總督兒玉源太郎，於一八九八年二月上任後，他一面擴充警力，在壯丁團的協助下，進行流血鎮壓的同時，另一方面，又制定招降安撫辦法。這種鎮撫兼施的策略，在當時，雖有一定的成效，但是仍然無法立即平息臺灣人民的抗日決心，使之日人在據臺的前七年，幾無一日安寧，而有把臺灣賣給法國一億日圓的「臺灣出售論」產生。有關在這漫長的游擊抗日方面，在其基本性質上，是充滿著「反日復清」的意識形態，而少有近代的民族運動特質，其情形，有如，一八九六年，柯鐵所標榜的口號為：「奉清國之命，打倒暴虐日本」。一八九七年，在黃國鎮和阮振的檄文中，所標舉的為：「一為清國主人伸冤，二為全臺人民雪恨」等情形。在一九○二年五月二十五日平定「林少貓事件」之後，總督府又公佈了「全島治安恢復」的聲明後，才開始著手建設臺灣。

　　㈠在基礎建設方面：

　　1.臺灣銀行的設立：

　　臺灣總督府依據一八九七年四月所公告的「臺灣銀行法」，於一八九九年時，設立臺灣銀行，並於同年九月開業後，於一九○四年時，發行臺灣銀行券，改變了臺灣人民過去熟悉使用硬幣習慣的同時，有關這種紙幣流通的貨幣改革方面，後來也成為日本資本主義推向中國大陸以及東南亞的先導任務了㉙。

　　2.總督府的興建：

　　這個佔地二千一百坪，具有歐洲文藝復興時代建築風格的總督府，是從一九一二年開始興建，到一九一九年落成，費時

七年，工程費共計二百八十萬圓。有關這個象徵日本帝國統治
臺灣的建築，在日本離開臺灣五十年後的今日，仍為國民黨政
府所鍾愛，而繼續成為中華民國的「總統府」呢！

　　3.土地的開發，及其生產方面：

　　可耕地，從 1895 年的六十四萬甲，增至 1917 年的七十四
萬甲。稻穀生產，從 1902 年的二百八十多萬石，增至 1917 年
的五百萬石。

　　4.對種植甘蔗經濟作物的獎勵與開發方面：

　　臺灣總督府於 1902 年公佈「臺灣糖業獎勵規則」後，將
「無主」公有地交給日本企業去開發的同時，對於蔗園的開
發、灌溉、施肥以及砂糖的製造等方面，也給予適當的補助與
獎勵。因此在蔗園的開墾，由 1906 年的一萬六千甲，快速擴增
到 1917 年的十五萬甲。而在蔗糖的產量方面，由原來的三千零
四十一萬公斤增加到三億四千四百多萬公斤，共有十一倍之
多。

　　5.道路、港口建設方面：

　　鐵路從一百公里（ 1895 年，基隆到新竹），增至六百多公
里（ 1917 年，諸如南北縱貫鐵路全線開通、臺東鐵路的鋪設
等）。公路的拓寬及其延長方面，諸如寬 1.82 公尺以上的道路
增加三倍多，寬 7.27 公尺的道路也增加了一倍。在港口的興建
方面，由於淡水和安平的水深很淺，大型船隻不易進港，因而
開始著手興建基隆港的第一期築港工程。

　　6.學校教育方面：

　　為了掃除文盲，開始大量興建公立學校（ 國民小學 ），從

1897 年的九十六所，擴增至 1917 年的三百二十七所。而學生的人數方面，也從過去的九千八百多人，增至八萬八千多人。㉚

7. 改革陋習方面：

在日據之初，有關纏足、辮髮以及吸食鴉片方面，被總督府視爲台灣社會的三大陋習。自一九〇〇年，黃玉階首先倡組「台北天然足會」後，各地紛紛成立「解纏會」、「斷髮會」或「風俗改良會」等，以改革不良的習慣。

8. 人口普查方面：

一九〇五年，在台灣歷史上首次實施人口普查，在當時全台約有三百一十萬人。其後，自一九一五年起，每隔五年就調查一次，來確實掌握台灣的實際人口狀態。

㈡日人的「理番」方面：

由二、三百人所組成的高山原住民部落，有四百多個，分佈在全島百分之七十的廣大山地之上。由於他們長期與世隔絕，對於非我族類的入侵，有很強烈的戒心外，爲了保護他們自己，不得不把入侵者處死，而形成了獵取首級的「出草」傳統習俗。

西元一八九六年十一月，花蓮新城的日軍監視哨，有官、兵十三人遭襲，全部罹難後，第二年一月，由日軍與平地原住民所組成的六百人征討部隊，以及在葛（瑪蘭）城軍艦的炮擊支援下，開始征討，失利後，又從基隆、台北等地增派軍隊，繼續攻擊，陷入苦戰，於該年五月暫告中止。在西元一九〇〇年六月，居住在台北縣大料崁山頂的泰雅族襲擊樟腦廠，有一百多人遇害後，守備兵與警察隊立即聯合反擊，失利，征討又

被迫中止。

　　在西元一九〇二年，平地抗日活動，大致被日軍鎮壓、平定後，總督府就開始著手「理番」，來迫使原住民亦能歸服在日本的殖民統治之下。由於原住民大多是居住或據守在易守難攻的山腰、山谷或山頂等險峻地帶，而且各部落之間又沒有聯合統一的王者存在，故在鎮撫上，無法運用兵力立即解決，須一步一步的往前推進，直到一九三〇年間，對於山地原住民的征討行動，始終未曾間斷，並且收繳了許多的各式槍械、彈藥後，才開始著手對山地原住民的教育，及其生活水準的提高而努力奮鬥。

　　㈢民族抗日方面：

　　在一九〇七年至一九一五年間，台灣各地義民的抗日，雖然不像以往前仆後繼，而且人數多者有數千人，少者也有數百人的壯烈場面。然而，在抗日的觀念和思想上，部份已經逐漸走向具有〝消滅、驅逐〞在台日人，以及力求〝當家自主〞的民族革命性質。其情形，有如雖然當時治安已經逐漸恢復，但是仍然相繼發生了不少的反抗事件。其中，比較著名的事件，有光緒三十三年（西元 1907 年 11 月），新竹廳北埔支廳發生蔡清琳領導的革命事件。一九一〇年至一九一四年中，大魯閣原住民的英勇保鄉衛土的抵抗事蹟。宣統年間，（西元 1912 年 3 月），有林杞埔事件，六月，有土庫事件；翌年（西元 1913 年 1 月）又發生羅福星的苗栗事件；民國三年（西元 1914 年 5 月）發生六甲事件；民國四年（西元 1915 年 6 月）發生噍吧哖事件（也稱西來庵事件），其中又以苗栗事件和噍吧哖事件，

規模之大，事件之慘烈，致使日人心寒膽戰，進而逼得日本政府有退還或是再度掀起出售臺灣之意。由此可見臺灣人民愛國保鄉的精神與行動，是如何的激昂壯烈，直可與天地並存，而永垂不朽！

二、日本文官總督時代

（從 1919 ，田健次郎── 1936 ，中川健藏）以及臺民的非武裝社會運動方面：

㈠在平地建設方面：

1.交通建設方面：完成基隆港第二期工程，以及縱貫鐵路的中部海岸線、宜蘭線（八堵到蘇澳）和屏東線（從高雄到屏東與枋寮）的開通等。

2.水利灌溉和發電設備方面：在水利灌溉方面，有「嘉南大圳」、「桃園大圳」……的竣工。在發電設施方面，諸如有「日月潭發電廠」、「大甲溪發電設備」……等二十六個水力發電廠，以及九個火力發電廠的完工等。

3.在教育的普及方面：由一九三〇年的 12.3 ％升到一九三七年（後期武官總督時代最初期）的 37.8 ％。在它的發展上，甚至到了一九四四年，日本據臺的末期時，還高達 71.1 ％的就學率。

4.守時、守法以及現代衛生觀念的建立方面：

在守時方面，日本據台後，總督府就將星期制和標準時間制度引進台灣各機關、學校、工廠，以求作息有所規律。在一九二一年時，將比照日本國內，規定每年六月十日為「時的紀念日」的同時，要求每戶均須配備時鐘，以養成守時的習慣。

在守法方面，總督府透過警察機關以及保甲制度（十戶為一甲，十甲為一保）的控制與約束外，還不斷的透過學校以及社會教育，灌輸法治觀念，以養成國民重秩序、守紀律的守法習慣。在現代衛生方面，在日據之初就開始在城市建造自來水廠，以及地下排水工程外，還定期實施社區環境的清潔活動。在醫學方面，除了究明鼠疫、瘧疾、霍亂、傷寒等熱帶傳染病的病原外，還透過預防注射、隔離消毒等措施，來做有效的防治。

　5.稻米的增產與糖業王國的建立方面：

　在「農業台灣、工業日本」的政策下，總督府透過各地農業研究機構，不斷提供新的品種、新的化學肥料、以及新的耕作技術，使之台灣的農業生產突飛猛進。其情形，有如在一九二二年，蓬萊米培養成功後，使之台灣稻米生產，帶來了劃時代的發展。在蔗糖生產方面，經過甘蔗生產過程的改良，使之單位面積產量大增外，又引起日本資本家的興趣，競相來台投資，擴大蔗作面積，使之台灣成為世界的糖業王國之一。

　㈡在山地建設方面：

　在教育方面，從一九○四年，有一所二十名的山地兒童教育所（學校）開始，到一九二九年時，已增加到一百七十所，有六千多位學生的情形。在一些優秀的兒童中，有的還繼續就讀師範學校、高等女學校，甚至讀到大學畢業或醫科專校學業的狀態。在農、牧生產方面，已經把原始的輪休火耕方式，改為定地水田的耕作方式外，又大量養蠶、放養牛隻作為副業。在醫療服務方面，根據一九二三年的公報指出，在當時有十四

個公醫診所，八十六個療養所以及八十九個藥房等，共一百八十九所的山地醫療機構外，又根據一九二九年的「山地免費接受醫療人數統計表」獲悉，當年有十八萬八千六百多人（次），接受免費的醫療服務。

㈢「台資」逐漸被兼併、控制方面：

在日本本土以及在台日本人的投資下，台灣的地主以及資本家的事業，大多遭到日資的兼併，其情形，有如，在一九二三年時，「新高銀行」被日資「台灣商工銀行」合併。一九二七年時「林本源製糖會社」被日資「鹽水港製糖會社」所合併。一九三五年時，林獻堂、林熊徵、顏國年被逐出「南洋倉庫」。一九三六年，台灣銀行派日本人到基隆顏家「台陽公司」擔任總務和商務兩部部長，來實際控制顏家的產業。

㈣臺民的非武裝抗爭方面：

在日本統治臺灣的二十年後，除了一九三○年十月，在霧社，由馬赫坡社頭目莫那・魯道所掀起爲時五十餘日，並導致九百族人犧牲的抗日事件外，一般人民終於體認到對付日本帝國主義不能以卵擊石，而招致無謂犧牲的事實。其情形，有如在一九一五年六月，由余清芳所領導的西來庵抗日事件爲例。根據李筱峰和劉峰松在「臺灣歷史閱覽（九）中」，指出，「該事件結束後，日本人將西來庵所供奉的『王爺公』搬走，與余清芳同伙相關的人蘇有志、鄭利記皆遇難，因此臺南民間就流出這樣一闋口訣（以閩南語唸）：『余清芳，余清芳，趕走亭仔腳王爺公；王爺公，無保庇，害死蘇阿志；蘇阿志，無仁義，害死鄭阿利。』」㉛在這口訣中，透露出，有關這次企

圖建立「大明慈悲國」的武裝革命，是給予負面的評價。日本
方面，自九月三日至十月三十日的西來庵事件大審判決中，在
一千四百三十個被告裏，有八百六十六人，被臨時法院判處死
刑。由於此事受到報界、國會以及社會輿論的強烈批評後，又
加上大正天皇即位大典的恩赦。總督府於是在十一月頒佈「特
赦令」。除了已經被執行的九十五人外，其餘的均被減爲無期
徒刑。其後，日本進入「大正民主時期」。日本對臺的殖民政
策，也做了部份的修正，把過去壓制性的政治，轉變成「日臺
一體」的同化性政策。其具體措施有「日臺人共學」、「日臺
人婚姻合法化」以及起用臺灣人充當官吏等情形。在臺灣人方
面，在這時期，也興起了各式各樣的社會、政治運動。

　　*1.*啓發會、新民會的成立：

　　臺灣的民族運動和社會運動是由留日學生所掀起。在他們
的人數上，於一九一五年（大正四年）時，在東京的臺灣留學
生，大約有三百多人。但到了一九二二年時，則大量的增加到
二千四百多人。

　　(1)在「啓發會」的誕生方面：

　　一九一八年，臺中霧峰的大地主林獻堂，到東京，召集留
學生，組成「啓發會」，其主要目的，在於要求日本當局，能
夠撤廢對臺灣造成差別待遇的「六三法」，使之臺灣人能夠從
桎梏中解救出來。其中值得注意的是，該法在事實上，在當時
已經改爲「三一法」了。附註（有關這個一八九六年，所制訂的「六三
法」，其所施行於臺灣的法律，是以總督的命令當做律令爲原則。「三一法」
是以一九〇六年起，爲期五年有效的第三一號法律，是施行於臺灣的「法令」

法律。上述這兩種「法」，在本質上，並無多大差異，而當時臺灣士紳、知識份子所要撤廢的法律第六十三號，簡稱「六三法」，在當時已經成爲「三一法」了，而一般人們，仍舊習慣把它稱之爲「六三法」而已！）

(2)在「新民會」的成立方面：

隨著臺灣留學生在日本的大量增加，以及在臺灣仍有小規模的武裝、零星抗日事件發生下，一九一九年年底，清水望族出身的蔡惠如，以及霧峰的林獻堂等人，認爲臺灣人民與其從事於散漫的粗劣武裝抗日，不如結合大量留學生爲主的新興知識份子群，追求民選議會的設置，希望在特別立法下，以日本的立憲法治，來約束或制衡臺灣總督兼有行政、立法於一身的專權。於是他們就聯絡、糾集了百餘位在東京留學的知識青年，組織團體，經過多次調整後，在一九二〇年一月成立「新民會」，並設置「臺灣青年會」。其行動目標爲：

①從事政治社會改革運動，以增進臺灣同胞的幸福。

②發行刊物，聯絡同志。

③圖謀與祖國同志接觸之途徑。

在第一個目標上，有「六三法撤廢運動」，以及往後在一九二一年一月三十日開始向日本國會所提出的「臺灣議會設置請願運動」，以期臺灣能夠獲得「半自治」的地位。在第二個目標上，於一九二〇年七月，在東京創刊了「臺灣青年」雜誌，來普遍關懷臺灣之政治、教育、經濟、法律和文化思潮等。

*2.*臺灣文化協會的誕生：

在臺的知識份子，爲了和東京「新民會」的活動相互呼應，而於一九二一年十月十七日，在臺北靜修女中創立了「臺

灣文化協會」，來提高臺灣人民的知識水準。根據蔣渭水說：
「臺灣人現在有病了……我診斷臺灣人所患的病，是知識的營
養不良症，除非服下知識的營養品，是萬萬不能癒的，文化運
動是對這病唯一的原因療法，文化協會就是專門講究並施行原
因療法的機關。」自這個啓迪民智，激勵臺灣民族自信心與意
識的「文協」成立後，在各地所舉辦的文化講座方面，相當受
到民眾的歡迎以來，這種情形，曾經引起日本當局的不安，而
慫恿一再強調「我寧可做太平之犬，不爲亂世之民」的辜顯
榮，於一九二三年，組織了所謂的「臺灣公益會」，來加以抵
制。有關臺灣文化協會的分裂方面，在當時，臺灣由於受到一
九一七年十月，俄國布爾希維克黨（共產黨）對全世界所倡導
的「殖民地解放」和「民族獨立」主張，以及在一九一八年一
月，第一次世界大戰結束，和談時，美國威爾遜所提倡的「民
族自決」口號之影響，文化協會內部，因而有左派、右派和中
間派等路線之爭。到了一九二七年一月時，左、右派正式分
裂。連溫卿、王敏川等左翼人士，走激進的農工階級路線。林
獻堂、蔣渭水、蔡培火等人則退出文協，另外組黨。

　　3.臺灣民眾黨的誕生：

　　這個走臺灣民族運動路線的林獻堂、蔡培火，以及走全民
主義路線的蔣渭水，自脫離了「文協」後，於一九二七年七月
十日組織了臺灣史上第一個臺灣人的民主政黨——臺灣民眾
黨。這個「臺灣民眾黨」，由於受到左派社會主義運動的激
盪，在農工運動上，後來也逐漸的積極起來。在該年年底時，
已獲得二十一個勞工團體，大約有三千多人的支持之後，蔣渭

水，在民衆黨成立後的第一個新年，便寫道：我理想中的民衆黨，是要造成「黨是臺灣人解放運動的總機關。」民衆黨有名的第三次全島黨員大會宣言爲：「本黨欲以最短期間，實現本黨綱領政策，達到人類解放之目的，需要同胞多數參加，是以不得不希望我臺灣同胞，必須確實明白認識今日之臺灣，只有本黨能夠圖謀民衆的利益，只有本黨能爲民衆利益而奮鬥，對於本黨須以督責和擁護，使本黨成爲代表臺灣民衆利益的大衆政黨，這是本黨唯一希望。」該黨的三大綱領，後來曾被濃縮成三句口號爲：「獲得政治的自由，確立社會的平等，以及實現經濟的解放」等。在民衆黨內，由於蔣渭水走左傾的階級鬥爭路線，常與新文化協會以及共產黨有所摩擦、衝突，因而林獻堂、蔡培火、楊肇嘉等人，乃於一九三〇年脫黨，另組「臺灣地方自治聯盟」。一九三一年二月十八日，「民衆黨」在舉行第四次全體黨員代表大會，並通過「以農工階級爲中心的民族運動」新綱領時，被日本當局明令解散，並且逮捕數人。其後，蔣渭水於同年八月五日，因傷寒病逝而漸式微。

*4.*臺灣農民組合的建立：

臺灣農業經過墾荒、品種改良、耕作技術的改進以及灌溉設施的擴大建設等，使之農業生產大量增加，但是農民的生活卻未獲得相對的改善。因此在新文化協會的領導下，於一九二五年有，二林蔗農組合、鳳山農民組合成立。於一九二六年有，大甲農民組合、曾文農民組合、虎尾農民組合和竹崎農民組合等相繼成立。一九二六年的九月，在鳳山召開「各地農民組合共同協議會」，並組成了臺灣全島性的「臺灣農民組合」。

第二年一月，在臺中召開第一次的臺灣農民全島大會時，通過下列之決議：

(1)支持日本勞動農民黨。

(2)為進行無產階級的政治鬥爭而設置「特別活動隊」。

(3)依據馬克思主義促進「勞農結合」，以打倒殖民地的專制體制。㉜

　　這個具有左傾鬥爭性格的臺灣農民組合，當一九二八年臺灣共產黨成立後，它就被吸納在臺灣共產黨的系統之中。在一九二九年二月時，被政府取締，三百多人被捕。到了一九三一年時，臺灣共產黨被檢舉、取締，該組織也被株連而消滅。

　　5.臺灣共產黨的成立：

　　一九二八年四月十五日，依「共產國際」(Comintern)的指示，日本共產黨臺灣民族支部（即臺灣共產黨）在上海法國租界倉促成立，當日有林木順、林日高、謝雪紅、翁澤生、潘欽信、陳來旺和張茂良等七位臺灣人外，還有中國共產黨代表彭榮，以及朝鮮共產主義者呂運亨等人出席。自臺灣共產黨成立後，該黨成員除了積極從事農、工運動外，還受到中共的支持，在臺灣共產黨綱領中揭示有「臺灣民族之獨立」與「臺灣共和國的建設」等臺獨主張，來否定日本對臺的統治。日本當局為了避免各派系的紛擾以及臺灣民族情緒的高漲，於一九二九年以後，開始對農工運動採取高壓手段，到處搜捕農工幹部以及臺共人員約有千人，使之臺共組織轉入地下，農民組合也被迫停止活動的同時，走穩健路線的「臺灣地方自治聯盟」也於一九三七年七月，隨著「七七事變」中日戰爭爆發後的一個

星期，而自動解散。

　　6.有關政治性報章、雜誌的興起方面：

　　在國外方面，臺灣留學生也無時無不對異體文學的抗拒與本土文學身份的確認與追尋。其情形，有如，「新民會」於一九二○年，在東京所創刊的「臺灣青年」雜誌，於一九二二年時，把它擴大改編爲「臺灣」雜誌。於一九二三年四月，以漢文版發行半月刊，其後再改爲旬刊、週刊，以啓發我島文化、振起同胞民氣，以謀臺灣幸福爲宗旨的「臺灣民報」。最後於一九二七年遷回臺灣臺北發行「臺灣新民報」日刊，此一長達七年的努力，無時無不在堅守「討厭黑暗、追慕光明」、「反抗橫暴、服從正義」上奮鬥不懈。直到一九四一年改稱「興南新聞」爲止的二十餘年期間，文、史學家多把這段時期視爲臺灣新文學運動的開展與萌芽。在當時隨著運動思潮產生的後期文學刊物有「南音」（1932年），在它的發刊詞中指出：「……缺少思想的訓練和文學的涵養這一層，也是不可蔑視的一大病根，在這百不如意的環境裏，要想提高一點點台灣的文化，向上我們的生活，除卻從事這方面的工作而外，實在是少有辦法的，所以本誌在做同人自己表現一些牢騷之外，還期待它能做個思想知識的交換機關，盡一點微力於文藝的啓蒙運動。」、「福爾摩沙」（1933年），於東京，以日文發行，其創刊宣言爲：「臺灣有著數千年文化的遺產，卻還沒產生過獨自的文化……我們決意重新創作『臺灣人的新文藝』。絕不俯順偏狹的政治及經濟的束縛，將問題從高處觀察，來創造適合臺灣人的文學新生活。」、「先發部隊」（1934年），其創刊宣言

為：「然而能夠以誘致民衆的改造意識、與連社會的改造拍車、以恢復文化之律於生動活流者，常是唯文藝之力以為力……啓發當來的新世界與新生活啦。」以及日、中文並刊的「臺灣文藝」和「臺灣新文學」等。在上述具有濃厚「意識」型態的日報和雜誌外，在鄉土文學口語化的倡導方面，因日文、漢文（文言、白話）均非文言一致，加之當時又掀起白話文運動，為了解決創作文字的困難，一九三〇年八月，黃石輝先生，在伍人報上發表「怎樣不提倡鄉土文學」一文說：「你是臺灣人，你頭戴臺灣天，腳踏臺灣地，眼睛所看的是臺灣的狀況，耳孔所聽的是臺灣的消息，時間所歷的亦是臺灣的經驗，嘴裏所說的亦是臺灣的語言，所以你那枝如椽健筆，生蕊的彩筆，亦應該去寫臺灣的文學了。」㉝也就是希望臺灣人應該擅用自己現有的語言，來作詩、作文、寫小說、創作歌謠……等。在個人文學的傑出表現方面，有如賴和、楊逵……等人，他們雖然面對可怕的摧殘，但他們並沒有悲傷和退縮的跡象，他們在嘗盡了異族統治的苦楚中，也無時無不為勞動大衆請命，抨擊當局的封建思想，以及對自己的民族進行風俗、民情的批判，來善盡作家對民族救贖的責任。

　　7.半套「地方自治」的革新方面：

　　　長期以來，在殖民統治下的台灣，沒有所謂的「民權」，也沒有所謂的由公民普選產生地方首長和民意代表的「地方自治」。這種不合理的政治制度，在知識份子的倡導下，經過各政黨、組織，不斷的向日本當局請願，以及各報章雜誌的宣傳、鼓吹下，迫使總督府稍作讓步，並於西元一九三五年時，

將原來全部官選的地方民意代表改爲半數官選、半數民選的同
時，對於合乎規定資格的男性方面，也終於有了選舉以及被選
舉的權利。雖然，在當時只實行了所謂的「半套地方自治」，
但是有關自治、普選、以及參政權等民主政治的基本觀念與思
想方面，也因而普遍的深入台灣社會。

三、後期武官總督時代

　　（從 1937 ，小林躋造—— 1945 ，安藤利吉）：

　　在民國二十六年（西元 1937 年）蘆溝橋事件爆發的前一
年，臺灣總督又由文官變成武官時，而進入所謂的「皇民化」、
「工業化」和「南進基地化」等階段。在這時期，*1.*於一九三
七年四月時，小林總督下令限制台灣各族群人民使用母語、鼓
勵全家大小用日語交談、以及廢止報紙漢文欄的同時，強制台
灣人民祀奉日本神道教的天照大神。*2.*於一九四〇年二月十一
日，日本「皇紀紀元二六六〇年紀念日」時，推行改用日式姓
名運動。*3.*於一九四〇年四月，撤廢台人寺、廟偶像，強迫人
民參拜神道神社的同時，規定所有的家庭須供奉日本伊勢神宮
的大麻。到了一九四〇年十月十二日時，公佈「國民精神總動
員令」，展開「舉國一致」的體制。一九四一年四月十九日，
台灣總督府組織「皇民奉公會」。這個所謂的「皇民化」，是
把過去的「同化」政策，進一步的要把臺灣人民造就成「徹底
具有皇國精神，振興普通教育，匡勵語言風俗以培養忠良帝國
臣民的素質」爲其目的外，還設法訓練臺灣青少年完成戰時體
制任務，成爲進入東南亞的要員。南進基地與（次）殖民地的
工業發展方面，在西元一九三六年十一月，依敕令設立半官方

半民間投資性質的「臺灣拓殖股份公司」，在臺灣以及日本所佔領的中國大陸南部和東南亞等各地，來從事農、工、商、礦、交通、娛樂以及證券等多方面的投資。在臺灣的工業化發展方面，一般而言，在當代的各帝國是不會在它們的殖民地設置重工業。然而日本在蘆溝橋事變 (1937.7.7) 後，尤其是在太平洋戰爭 (1941.12.8) 爆發後，臺灣被比喻爲一個「不沈的航空母艦」。它不但是日本南進東南亞的跳板，也是日本帝國最南邊領土、船艦、飛機、彈藥、兵員、糧秣的集結地，而使之臺灣軍需工業，在一夜之間就迅速的發展起來。其情形，有如製鐵、金屬、機器、紡織、化學、窯業、製材、印刷……等各種輕、重工業設施，在短期內被創設或是被大幅度的擴充，使之工業生產額，在一九四〇年以後，就超過了農業生產額，而使臺灣步入了一個「半農業、半工業」的初級工業化社會狀態的同時，也因戰爭，造成了許多台灣人民的犧牲。其情形，有如：

一、在基礎建設方面：

參見臺灣總督府所公佈的「五十年來統計要覽」中，有關日本在放棄臺灣前的建設有：

(一)運輸、交通：

公營鐵路有九〇一公里，狹軌民營鐵路有六七四公里，專用線有二三五二公里。公車路線已經延長到邊遠地區外，在主要的街市有「市內巴士」通行，在都市與農村間，也有「乘合（客）巴士」（客運）行駛。港灣設備也不斷擴張，一萬噸以下船舶，在基隆港可停二十五艘，在高雄港可停三十四艘。航

空方面，在宜蘭、淡水、臺北、臺中、臺南（二處）、高雄、臺東、馬公等地，建有兼軍用的機場，共有九處。電台方面，在臺北、臺中、嘉義、臺南和花蓮等地，建有六個無線電廣播電臺。郵局方面，有普通局、特定局及其分局等，共有二百二十四所。電信局方面，合計有線、無線，共有一百九十四所。電話裝設人數，共有二萬五千二百零六戶。

㈡自來水：

在主要都市，設有自來水廠，用戶共有一百五十六萬人外，部份地區也配備有下水道。

㈢醫療保健：

除總督府之綜合醫院有十二所外，還有許多的公、私立醫院、診療所等遍佈全島。在這種情形下，傳染病大體上已被消滅。

㈣教育：

在中、小學教育方面，於一九三七年時，有公立中學十四所，公立女子中學十五所。在小學教育方面，於一九四〇年時，學齡兒童入學率已經接近百分之六十。一九四三年，正式實施義務教育後，於一九四五年時，入學率則高達百分之八十，使之台灣成為一個「雙語並用」的社會。

二寶島英靈的犧牲方面：

自一九三七年（民國二十六年）七七事變後，日本開始徵召臺灣人充當軍伕或通譯。然自一九四一年（民國三十年）十二月八日，日本向英、美等國發動太平洋戰爭以來，原本不讓臺灣人當兵的政策，也開始有所變化，而於一九四二年四月一

日，開始實施陸軍特別志願兵制度。它到一九四四年三月間，一共募有六千多人，其中原住民約有一千八百人，被編成「高砂義勇隊」。在一九四三年八月一日時，開始實施海軍特別志願兵制度，募有三千多人。其後，於一九四四年五月時，開始又有八千多名的海兵團投入。由於戰局的顯著惡化，兵員損失甚多，終於在大戰結束的前一年，即於一九四四年的九月，開始實施徵兵制度。根據戰後一九七三年四月，日本厚生省援護局資料顯示，臺灣當時在投入或配合有關日本軍事行動的人數，在軍人人數方面，有八萬四百三十三人，在軍屬（包括軍伕）方面，有十二萬六千七百五十人，總共有二十萬七千一百八十三人。其中，有三萬三百零四人（陸軍軍人 1,515 人，海軍軍人 631 人，陸軍軍屬「徵用」 16,854 人，海軍軍屬 11,304 人）戰死或病死。㉞附註〔至於，在撫恤金方面，隨著台灣的民主化，於民國七十七年（西元一九八八年）時，日本政府透過台灣紅十字會，對於台籍日兵犧牲者，每人給予二百萬日圓的支付而籌措五億美元。在民國七十九年時，開始接受申請。而於民國八十一年時，已對二萬八千人支付完畢。〕

原子彈打敗日本帝國以及台灣總督安藤的自殺：

自美國於一九四五年（民國三十四年）八月六日、九日，分別在日本的廣島、長崎投下原子彈後，日本於八月十五日，明智、斷然而快速的宣佈接受菠茨坦宣言，向盟軍無條件投降，而結束了第二次的世界大戰之時，台灣被依據一九四三年（民國三十二年），中、美、英三國所共同發表的開羅宣言，而成為中華民國的領土。末代台灣總督府，仍然動員了所有的

官員，編纂了一本五十年來，台灣在工礦業、農林水產、衛
生、交通、教育、司法以及民生等方面的《台灣統計史》巨
冊，交給國民黨政府，當做對台灣島民的最後禮物後，安藤利
吉陸軍大將，於民國三十五年四月十五日，被送到上海提賢橋
監獄準備槍殺示衆時，於四月十九日，留下了一封寫給成田總
務長官的遺書，其內容為：「身為總督兼第十方面軍司令官，
為天皇未能克盡職責，深致歉意，應負全責……。」而坦然的
服下縫在長統鞋的氰酸鉀自殺，以挽救其部屬生命。㉟

第六章　國民黨時代

　　有關台灣的前途，在國際方面，自一九四二年（民國三十一年）六月五日，美日中途島會戰，重創日本海軍，使其損失四艘航空母艦後，美國就開始有佔領或託管台灣的聲音出現。同年八月美國「財星」、「生活」和「時代」等雜誌，就發表了台灣應由國際共管的主張。一九四三年九月，在華府首次傳出佔領台灣高層計劃。一九四四年六月，美國海軍提出在台建立軍政府的方案，同年秋，美軍和台籍軍統份子劉啓光簽訂，一旦美軍登陸，他將負責宣傳、動員和組織的契約。一九四五年八月十五日，台灣總督安藤利吉發表不明示戰敗的日皇「終戰之詔」後，第二天，日軍參謀中宮悟郎、牧澤義夫在草山開會，策劃台灣獨立，擬定台灣自治草案的同時，該日，中宮秘密會見辜振甫商議自治草案和自治協會名單。八月二十二日，安藤告誡台灣人民不得輕舉妄動，圖謀台灣獨立或自治的談話後，於八月二十四日，台紳三十多人在許丙家聚會，宣讀昨日報紙所載的安藤談話後，散會。一九四六年一月十五日，台灣行政長官公署公佈台灣漢奸總檢舉規程。同年三月，辜振甫、林熊祥、許丙、簡朗山等人被逮捕。一九四七年七月二十九日，台灣戰犯軍事法庭宣判，辜振甫共同陰謀竊據國土，處二

年二個月有期徒刑；許丙、林熊祥共同陰謀竊據國土，處一年十個月有期徒刑；簡朗山、徐坤泉被宣判無罪。至於，在美國方面，美國戰略情報部（ OSS, CIA 的前身），於一九四五年九月十日，派員來台收集佔領軍政府可能將面臨的各種問題後，於一九四六年一月至四月間派員在街上訪問、調查：

　　1. 台灣人是否應繼續接受中國人統治？

　　2. 是否要接受日本再次統治？

　　3. 將來是否願意在聯合國的安排下，接受美國托管？

　　調查結果，以第三項較受人民歡迎，而引起台灣長官公署向美軍駐華總司令魏德邁將軍（ General Wedemeyer ）的抗議。四月一日，美軍聯絡組離台，僅留下領事館人員。然而，副領事喬治·柯爾（ George E. Kerr ），仍然繼續熱衷鼓吹託管運動，而遊說黃紀男為其奔走。一九四六年（民國三十五年）六月，黃紀男以「台灣青年同盟」名議提出一份請願書，透過柯爾轉交華府及聯合國，倡議台灣獨立，並由聯合國舉行公民投票，成立如瑞士一般的永久中立國。㊱

　　在國內方面，自日本戰敗，台灣和大陸有了關係之後，從民國三十四年八月至民國三十八年十二月七日，蔣總裁介石先生發表中央政府遷台以來，僅僅只有四年多的時間裏，就有不少，以官吏（五千多位政客以及許多中、下級官員）和軍人（兩千多位將領以及無數士兵）等為主的人口，從大陸流入台灣。由於當時來台的外省人，大多是以男性為主。在台灣男、女生態均衡發展的狀態下，這些外省人很難在台灣找到異性伴侶，而逐漸凋謝。根據民國五十七年（西元 1968 年）的統計，

閩南語群佔 74.51 ％，客家佔 13.19 ％，外省籍佔 9.85 ％，山
胞佔 2.37 ％。自民國八十一年六月二日，政府推動以出生地為
他的戶籍政策下，所謂的「外省」籍，可能會逐漸消失，而成
為歷史名詞。至於在政治方面，台灣自光復以來，這些少數的
新移居者，在美國的支持下，打著「反攻大陸」的口號，統治
台灣，幾乎長達半個世紀之久。直到近年，台灣在人民的強烈
要求公平、正義和民主下，才逐漸有所轉變。今將有關它的發
展歷史簡述如下：

　　自日本投降後，在重慶就任台灣省行政長官的陳儀，於民
國三十四年九月一日，在記者會上表示對台灣的施政方針為：
「尊奉國父遺教，徹底實施三民主義，使台灣同胞脫離日本壓
制下不平等、不自由的痛苦，而過著安樂的生活。」在當時國
民黨政府尚未正式進駐台灣之前，一些的特務人員已經來到台
灣的同時，長官公署秘書長葛敬恩，也於十月五日，搭乘美國
軍機抵達台北，設立「前進指揮所」。葛敬恩在第一次的公開
演講時，本著戰勝者的姿態說：「台灣是化外之地，台灣人還
沒有受過真正中華文化的薰陶，是個二等國民。」在這種侮辱
性的說詞下，在當時，或許基於語言的障礙，根本沒有人會察
覺到他的這種偏差心態，在執政上，會帶來極為嚴重的不幸後
果，而家家戶戶，張燈結綵，對於祖國寄以無限希望。其情
形，有如在當時一對對聯所寫的──「喜離苦雨淒風景，快睹
青天白日旗。」許多台灣士紳為了迎接國軍和官員，踴躍捐
款、勸募、組織歡迎團體，編唱光復歌，並在各路口及火車站
前搭建牌樓，日夜盼望著祖國早日接收。而有更多的台灣人民

勤練國語、學唱國歌，於十月十三日，民衆扶老攜幼主動揮舞著國旗跑到基隆碼頭去迎接。

　　一九四五年（民國三十四年）十月十七日，上午十一時左右，奉盟軍麥帥之指令，首批國民黨軍隊一萬二千多人，及其官員在機群掩護下，乘坐美國三十幾艘船艦，浩浩蕩蕩的駛入基隆港，接受台灣人民的歡迎。當台灣人民看到頭戴竹笠、肩扛大鍋、腳穿草鞋、身背紙雨傘……的祖國軍隊，無不目瞪口呆之際，在當天下午二點四十分，台北市三十萬市民以及各校學生，還莫不興高彩烈的在火車站夾道歡呼台灣省行政長官的公署及警備總部 207 位國府官員，並引吭高歌傾吐心聲：

　　　「台灣今日慶昇平，仰見青天白日晴，

　　　六百萬民同快樂，壺漿簞食表歡迎；

　　　哈哈！到處歡迎，哈哈！到處歌聲，

　　　六百萬民同快樂，壺漿簞食表歡迎。」

第一節　台灣的光復

　　十月二十四日，陳儀行政長官，率領長官公署及警備總司令部幹部，由上海搭乘美國軍機來到台北。第二天，即二十五日，上午十時，在「台北市公會堂」（今「台北中山堂」）舉行「中國戰區台灣地區投降典禮」。該典禮完後，下午由民間舉辦「台灣光復慶祝大會」，並訂定這一天爲「光復節」。

第二節　日本軍、民的撤退與敵產的接收

自十月二十五日，所舉辦的日本投降典禮後，不久，國民黨政府就開始從事敵產的接收，以及日本軍、民的撤離工作。

有關日本軍、民的撤離台灣方面：

在日本投降後，在台灣的日本人，人數方面，有兩種說法，1.為包括十六萬六千多位的軍人在內，大約有四十八萬八千多人。2.為陸軍十七萬五千人、海軍四萬六千人、日本平民三十八萬人等，共計六十萬一千人。（會造成如此十二萬三千多人的巨大落差，其原因，在軍隊方面，與美軍在南洋反攻，而日本從其他各地緊急抽調軍隊集結台灣有關。在平民方面，可能與推行改用日式姓名的「皇民化」運動有密切的關係）。不管如何，若以第一種的說法，大約有一半是屬於台灣出生的「灣生」。這些曾為台灣打拚、奉獻的日本人，除了為國民黨政府所需的技術人員或教師等二萬七千九百九十五人被留用外，其餘的四十五萬九千九百二十九人，分別於一九四五年的十二月二十五日，到第二年的四月二十日間，每人被允許攜帶現金一千日圓、旅途糧食以及裝有日常用品的帆布背包兩袋等，依依不捨的離開台灣。（順便一提的是，至於被留用的人員方面，在西元一九四七年，即民國三十六年二月所發生的「二二八事件」之後，國民黨政權為防止這些人煽動、製造混亂，在當年，也快速的把他們遣送回國。）

有關敵產的接收方面：

自十月二十五日，所舉辦的日本投降典禮後，國民黨政府，即於十一月一日起，開始各項行政接收。由長官公署接收台灣總督府所直轄的官署。台灣警備總司令部，接收日本軍事設施。各縣接管委員會，接收各地的地方官署外，又設「台灣省接管委員會」接收日本的公營企業及其資產，以及「台灣省日產處理委員會」，來接收日本人的民間企業，及其資產。

一、軍事設施方面：

自一九四五年的十一月一日至一九四六年的一月三十日間，接收有船艦五百二十五艘。軍用飛機八百八十九架。車輛一千零九十七輛，其中戰車有九十九輛。高射砲及其他的砲類有二千零三十九門。手槍、機槍等槍類有十三萬三千四百二十三枝。各類子彈、彈藥有六千八百五十三萬顆外，還接收有可維持二十萬人持續作戰二年的軍需裝備，以及二百三十一萬七千噸的糧秣等。（參見，激動！台灣的歷史，張德水著）

二、非軍事設施方面：

在一九四七年二月底，對於官署、學校、公共機關（設施）、公民營企業等，所接收的資產，除土地外，其件數與帳面價值爲：

*1.*公家機關，有五百九十三件，值二十九億三千八百五十萬圓。

*2.*民營企業，有一千二百九十五件，值七十一億六千三百六十萬圓。

*3.*日本人的私有財產，有四萬八千九百六十八件，值八億八千八百八十萬圓。以上共計五萬零八百五十六件，值一百零

九億九千零九十萬圓（台灣省統計處「台灣行政紀要」一九四
六年）。今將有關上述重要日本公、民營企業，被國民黨政府
接收後，把它改爲國營或台灣省營（公營）企業的情形，簡述
如下：

(一)金融機構方面：

　　1.台灣銀行（省營）：由台灣銀行、台灣儲蓄銀行和日本
三和銀行合併而成。

　　2.台灣土地銀行（省營）：來自日本勸業銀行改變而成。

　　3.台灣第一商業銀行（省營）：來自台灣商工銀行改變而
成。

　　4.華南商業銀行（省營）：來自華南銀行改變而成。

　　5.彰化商業銀行（省營）：來自彰化銀行改變而成。

　　6.台灣省合作金庫（省營）：來自台灣產業金庫改變而
成。

　　7.台灣合會儲蓄公司（省營）：由台灣勸業、台灣南部、
東台灣和台灣住宅等合併而成。

　　8.台灣人壽保險公司（省營）：由千代田、第一、帝國、
日本、明治、野村、安田、住友、三井、第百、日產等合併而
成。

　　9.台灣產物保險公司（省營）：由大成、東京、同和、日
產、日本、大倉、大阪、住友、興亞、海上運送、安田、日
新、千化田、大正等合併而成。

(二)生產企業方面：

　　1.中國石油公司（國營）：由日本海軍第六燃料廠、日本

石油、帝國石油、台灣石油販賣、台拓化學工業和台灣天然瓦斯研究所等合併而成。

2.台灣鋁業公司（國營）：來自日本鋁業改變而成。

3.台灣電力公司（國營）：來自台灣電力改變而成。

4.台灣糖業公司（國營）：由大日本製糖、台灣製糖、明治製糖和鹽水港製糖等合併而成。

5.台灣肥料公司（國營）：由台灣電化、台灣肥料、台灣有機合成等合併而成。

6.台灣鹼業公司（國營）：由南日本化學工業（日本曹達、日本鹽業、台灣拓植）、鐘淵曹達和旭電化工業等合併而成。

7.中國鹽業公司（國營）：由台灣製鹽、南日本鹽業和台灣鹽業等合併而成。

8.台灣造船公司（國營）：來自台灣船渠（三井重工業）基隆造船所改變而來。

9.台灣機械公司（國營）：由台灣鐵工所、東光興業高雄工場和台灣船渠高雄工場等合併而成。

10.台灣水泥公司（省營）：由淺野水泥、台灣化成工業、南方水泥工業和台灣水泥管等合併而成。

11.台灣紙業公司（省營）：由台灣興業、台灣紙漿工業、鹽水港紙漿工業、東亞製紙工業、台灣製紙和林田山事業所等合併而成。

12.台灣農林公司（省營）：由製茶業八家、鳳梨業六家、水產業九家和畜產業二十二家等合併而成。

*13.*台灣工礦公司（省營）：由煤礦業二十四家、鋼鐵機械業三十一家、紡織業七家、玻璃業八家、油脂業九家、化學製品業十二家、印刷業十四家、窯業三十六家、橡皮業一家、電氣器具業五家和土木建築業十六家等合併而成。

*14.*台灣省煙酒公賣局（省營）：來自專賣局（煙、酒）的改變而成。

*15.*台灣省樟腦局（省營）：由樟腦局和日本樟腦合併而成。

（參見資料來源：台灣銀行經濟研究社，「台灣銀行」季刊。）

第三節　光復後的台灣

一、生活在經濟破產，社會混亂狀態下的台灣：

自政府接收了日本所遺留下來的龐大資產後，由於大陸人口眾多，以及蔣總統介石先生於民國三十四年十月十三日，密令國民黨各部隊向共軍展開內戰，急需龐大的物資所需，因此，不到半年的時間，台灣就陷入了極為嚴重的經濟破產和社會混亂狀態，其情形有如：

㈠物資外運、物價高漲方面：

素有「米倉」之稱的台灣，在民國三十四年十一月底，即接收台灣一個月後，台灣就開始鬧「米荒」，而且從過去一斤兩角的米，在十一月時，在台北就漲到十二塊錢。在煤炭方面，過去在基隆附近年產約三百萬噸的煤，以及過去所儲存的

工業用煤，被運往上海後，在民國三十四年的年底，台灣又發生了「煤荒」。同樣的，在紙方面，在民國三十四年的年底，也發生了「紙荒」。至於，在其他的方面，也都相繼的發生了物資極為缺乏的問題，其情形，有如世本武治和川野重任所合編的「台灣經濟綜合研究」資料編第九〇二頁，指出，在「一九四六年（民國三十五年）一月十五日，聯合國善後救濟總署台省分署長錢宗起談及在南部視察時，恆春一帶因米糧不足，貧民以檳榔葉止飢。」的情形發生。

(二)生產停頓、失業人口激增方面：

　　自日本戰敗後，有大量的留日學生，以及被派往各地的軍人、軍屬、軍伕等，也相繼回國的同時，國民黨政府，在接收各生產事業單位時，除了到處張貼接收令，查封生產機構外，有時，還為了安插中國官員，使之工廠無法順利開工，而中斷生產。在失業方面，根據聯合國救濟總署專家估計：「最下級的臨時雇員除外，最少也有三十萬人失業。」

(三)統制政策的失當方面：

　　由於各業的統制，而斬斷了人民的生計，其情形，有如(1)工商企業之統制，使之台灣擁有鉅資的工商企業家不能獲得發展餘地。(2)貿易局之統制，使之台灣一般商人均受到極端的約束，使之商業停頓。(3)專賣局之統制，使之一般小本商人無法生存等現象。

　　在上述種種不得民心的措施下，陳儀的「政績」被當代人民批評為：「……貪污舞弊不免，官僚習氣不免，行政無效率，技術尚空談，只見公文來，公文去，紙面計劃一堆，開口

理論一套，實際做事都極其低能。」台大敎授林茂生眼見台灣
人民正處於民不聊生的狀態，而在民國三十五年的一月至二月
間，發表了一連串的論說，主張：「若不能在台灣實施國父的
三民主義，則中華民國的前途是暗淡的。」當台灣人民正苦於
特務、秘密警察的四出，而無不希望政府能夠早日實施憲政之
際。陳儀在民國三十六年一月十日，就發表了有關對於在民國
三十六年十二月二十五日即將生效的「中華民國憲法」爲：
「憲法不適用於台灣。大陸人民由於進步，所以得享受憲法的
特權，但台灣人民因長期在日本專制統治下，政治意識已退
化，且缺乏理智，不能實踐自治政治，所以在未成爲完全的公
民之前，需要由國民黨加以『訓政』兩、三年。」很不幸的，
在陳儀發表該聲明一個多月後，就爆發了台灣人民永難忘懷的
「二二八」事件。

二、二二八事件的爆發：

　　二二八事件是一個相當不幸，而且不應該發生的事件。在
日本時代留下了許多的戰備糧食，應該沒有「吃」的問題。在
日本戰敗後，四十多萬的日本人離開台灣，留下了許多房舍，
應該沒有「住」的問題。在日本時代所奠定的工業基礎，而且
幾乎沒有受到盟軍大量的轟炸與登陸破壞，應當沒有產品不足
的問題。再加上，國民黨政府，又從大陸帶來了五千年的悠久
歷史文化。台灣應該是一個名符其實的「美麗寶島」。孰知，
國民黨政府，自接受民衆歡呼、高歌「哈哈！到處歡迎」以
來，僅一年四個月又十天，就爆發了慘絕人寰的二二八事件。
有關在該事件爆發的前十餘日，即在民國三十六年二月十日

時，蔣總統介石先生在如火如荼的剿共階段中，曾致電台灣省
行政長官陳儀：「據報共黨分子已潛入台灣，漸起作用，此事
應嚴加防制，勿令其有一個細胞遺禍將來。台省不比內地，軍
政長官自可權宜處置也。」㊲不久後，二二八事件爆發，陳儀
就藉機把它推給共黨所爲，並請兵來台鎭壓，而於三月二日
時，致電蔣介石主席：「奸匪煽動，挑撥政府與人民間之情
感，勾結日寇殘餘勢力，致無知平民脅從者頗衆。期即派大
軍，以平匪氛。」㊳三月四日，憲兵第四團團長張慕陶（軍統
系）致電憲兵司令張鎭：「此次台灣暴亂，其性質已演變爲叛
國奪取政權之階段。」㊴第二天，此報告即送達蔣主席手中。
三月五日，派兵鎭壓一事乃告確定。當天，參謀總長陳誠向蔣
介石主席報告：「派兵赴台一案，⑴已令二十一師劉師長率師
部及146B之一個團即開基隆，歸陳（儀）兼總司令指揮。⑵著
憲兵第四團駐福州之第三營即開台歸制。⑶著調憲兵第二十一
團駐福州之一營即開基隆。」㊵。這些軍隊從基隆登陸後，就
開始由北而南，肆行掃射。在當時，國民黨中央執政委員會，
爲了緩和來自各方的壓力，於三月二十二日，終於決議將陳儀
免職。之後，美國駐中國大使司徒雷登（ Leighton Stuart ），
或許是基於這是敵人（日本）子民之事的心態，未加立即阻
止，而於四月十八日，才交給蔣介石主席一份有關「台灣局勢
的備忘錄」。五月一日時，陳儀被召回南京，暫時擔任中央政
府顧問。不久之後，這個曾被國府主席蔣介石在日記上批評
爲：「陳公洽（儀）主持台灣政事，不自知其短闊，而唯虛矯
粉飾是尙，肇此劇變，猶不引咎自責，可爲太息痛恨也。」的

陳儀，很不可思議的，他又被蔣主席重用，而擔任浙江省主
席。其中，值得注意的是，國府在大陸失利時，陳儀被他的部
屬告密有〝投共嫌疑〞，在國府撤退台灣時，也一同被押解來
台，並於民國三十九年六月十八日，以叛亂罪被槍斃處決。至
於在有關二二八事件的「禁忌」方面，自蔣介石主席於民國三
十六年三月三十日，受理陳儀的「辭呈」後，國民黨政權就對
各報社發出通告：「台灣事件已經結束，叛徒已被壓制。從今
以後不該再討論此事。」這個二二八事件從此以後，就被視為
一種禁止書寫、禁止討論或是在公共場所說及此事的「禁忌」。
然而，在島內以及海外就立即出現兩種回應〝二二八禁忌〞的
聲浪。諸如，在島內方面，在這血的敎訓中，為避免在台灣的
歷史上重演，吳濁流大文豪在他的原版「無花果」書中，無不
希望台灣人民在平凡的統治者下做自由人而活，不要在神化的
偉大領袖統治下做奴隸而活。他更希望台灣要有勇敢、偉大的
人民──純樸、勤奮、寬恕、有理想、有尊嚴、深信民主而絕
不妥協，能為自己應有的天賦權利奮鬥到底，共同創造五千年
來漢民族第一個真正自由民主的國家。㊶在海外方面，一九四
七年（民國三十六年）四月，吳振南在日本橫濱創立「台灣住
民投票促進會」。五月，林白堂在日本京都成立「台灣民主獨
立聯盟」。擺脫逮捕、殺害的雲林西螺人，廖文毅（美國工學
博士）於一九四七年七月，會見美國軍事顧問團團長魏德邁將
軍，並提出一份有關「處理台灣問題意見書」。一九四八年九
月一日，廖文毅等人向聯合國提出「由聯合國託管台灣」的請
願書，其內容概略為：「二二八事件的發生，已證明支那（中

國）沒有統治台灣的能力。目前，台灣人民唯一的活路是先脫
離支那，由聯合國託管一定的期間後，再由台灣人民投票決定
其歸屬。」（參見，激動！台灣的歷史，P.160，張德水著）

三、國民黨政權的準備來台：

　　這個在當代不受人民歡迎的國民黨政權，在台灣發生了舉
世矚目，慘絕人寰的二二八事件之後，它在大陸上，有人說，
因政經失敗，不得民心；有人說，因裁軍失敗，不得軍心；更
有人說，國府因沒有走向公理、正義和自由民主之路，因此，
不到數年的光景，於民國三十八年，國民黨政府終於整個的投
奔到台灣的懷抱裏。今將有關國民黨政權準備撤退來台灣的情
形簡述如下：

　　在民國三十六年的九月十七日，美國軍事顧問團團長魏德
邁將軍向杜魯門總統報告有關中國的情勢說：「支那人（中國
人）儘量要求巨額的美國援助，卻沒有好好利用。支那人（中
國人）私人擁有的外幣匯兌資產，共計約有十五億美元，但都
沒想利用這些資產做任何重新建設工作。……，其底下全部的
軍官都不能勝任其職。國民黨政權內部腐敗。」而建議「美國
完全從支那（中國）舞台上撤除。」（激動！台灣的歷史 P.166
張德水著）隨著國共血腥內戰的擴大，蔣介石在第一屆國民大
會，被推選為總統時，為了穩定國內的局勢，而要求國民大
會，希望總統有緊急處分權，或是擁有臨時性超越憲法的法
律。有關他的要求，最後為國民大會所接納，而制定了為期二
年有效的「動員勘亂時期臨時條款」，並於民國三十七年五月
十日，開始實施。不久後，當蔣介石總統感受到這些裝備極佳

的二百萬正規軍，以及地方友軍，共約有四百三十萬的兵力，已經無法與大約只有一百三十萬的八路軍以及新四軍抗衡後，於民國三十七年十二月二十九日時，就立即撤換在台省主席魏道明，改由陳誠接任之際，宋美齡亦奔走於紐約以及華盛頓，以期獲得美國不要干涉蔣介石總統的來台企圖。就在此時，蔣氏公子所指揮的戰車師團也開始登陸台灣。至於其他的部隊方面，也陸續的來台。在民國三十八年一月，蔣氏被迫「下野」，辭去總統之職，由李宗仁為「代總統」時，則有更多的部隊以及真、假難民一波一波的湧向台灣。由於數量過於龐大，於民國三十八年二月十八日時，陳誠不得不以台灣省政府令頒佈「台灣省入境軍公人員及旅客暫行辦法」，將各地的港口和河口加以封鎖，來嚴格限制未持有證明文件的軍人、官吏或商人的流入。五月二十日，國民黨政權開始頒佈戒嚴令，來限制人民集會、結社以及成立新政黨的自由外，並於九月一日時，設有「台灣省保安司令部」（即警備司令部），來嚴格執行戒嚴。在這戒嚴體制下，於民國三十八年，這一年中，陳誠和蔣經國曾經大量運用特務和秘密警察到處搜捕凡是共產黨員、二二八事件關係者、對政府不滿者、關心台灣前途者……等，至少有一萬人以上被逮捕，有的被處死刑，有的被送到台東港外的「火燒島」（即綠島）服長期的徒刑。

四、蔣先生的來台

　　自蔣介石總統下野，回故鄉奉化縣後，不久，經由杭州、上海渡海來台，並於民國三十八年七月二十日，在台北草山（今陽明山）開設「中國國民黨總裁辦公廳」。從那時起，他

就以「國民黨總裁」的名義，對華南一帶的黨、政、軍、特等機關下達命令。八月一日，美國聯合參謀本部表示，不贊成用美軍來阻止或干涉中共對台的軍事行動。八月五日，美國國務院發表「中國白皮書」認爲國民黨政權失敗的原因是腐敗與無能，而被斷定爲「不能信任的政權」後，表示美國將不再介入國共內戰，以及繼續援助蔣介石先生了。自代總統李宗仁，於民國三十八年十二月五日假赴美「就醫」流亡美國華盛頓後，蔣介石總裁則於十二月七日發表聲明，中央政府遷移台灣，並以台北爲「臨時首都」，來形成「中華人民共和國」之外的另一個政治中心。至於，當時在大陸上，有關國民黨政權，被共產黨所接收的人員、武器、彈藥……等方面，根據香港「七十年代」一九七四年七月號記載：㈠兵員被俘被殲及被改編共達八〇七萬人。㈡槍枝被繳獲三一六萬餘枝。㈢機關槍被繳獲三二萬挺。㈣大砲被繳獲五萬四千餘門。㈤飛機被繳獲及被擊落三七九架。㈥坦克被繳獲一五六輛。㈦裝甲車被繳獲三八九輛。㈧火車頭被繳獲一千餘輛。㈨軍用汽車被繳獲二萬二千餘輛。㈩艦艇被繳獲二〇〇艘、被擊毀九艘。㈪騾馬被繳獲二〇萬匹。其他被繳獲各種武器彈藥等，多得不可計數。㊷民國三十九年一月五日，美國總統杜魯門聲明「不介入台灣海峽」，也就是中共要利用國民黨政府在大陸上所留下的龐大人員，以及武器、彈藥來攻佔台灣，乃是遲早之事了。國民黨政府在美國的不再支援下，於民國三十九年初春，蔣介石總裁乃招聘當時稱爲「白團」的日本軍事顧問團，有陸軍軍官八十四人、海軍軍官十人，共九十四人，而來台者，有八十三人，從事部隊

訓練、實兵訓練以及新軍訓練等工作，一直到民國四十二年
止，設立有「圓山訓練所」、「石牌訓練所」以及「湖口訓練
所」等外，在民國三十九年起，開始向台灣青年以「幹部候補
志願兵」的名義徵調，直到民國四十二年時，才正式改為「徵
兵制」，來補充兵源。在蔣總統的復職方面，在民國三十八年
十二月六日時，三百多位的在台國大代表舉行座談會，決議電
請蔣介石總裁復職，領導中樞。民國三十九年一月，國民黨中
央非常委員會及監察院，電請李宗仁返台。李氏於一月二十九
日，回覆監察院，謂病體尚須休養，未能即返。於二月一日
時，國大代表全國聯誼會，以李宗仁滯美不歸為由，請蔣總裁
繼續行使總統職權後，在二月二十一日時，國民黨中央非常委
員會向李氏發出最後通牒，並限其三日內返台，否則便視為放
棄其總統職權。二月二十三日，國民黨中常會決議請蔣氏復
職。蔣總裁乃於二月二十八日發表復職聲明㊷。三月一日復行
視事，恢復其總統身份後，三月七日提名陳誠為行政院院長，
八日，立法院同意陳任行政院院長後，在民國三十九年三月二
十一日，任命蔣經國為管理軍人思想統制與政工幹部的「國防
部總政治部」主任，來企圖教育軍隊，絕對的効忠蔣氏家族。

五、韓戰的爆發，以及台灣海峽的中立化

　　民國三十八年十二月十六日，毛澤東到莫斯科與史達林會
談，企圖收回蔣介石在「中蘇友好同盟條約」下，給予蘇聯的
重大東北利益後，美國總統杜魯門，於民國三十九年一月五
日，表示美國不再軍援國民政府，來向中共表示友好外，美國
國務卿艾契遜（ Dean Acheson ）於一月十二日，又發表了美

國的國防界線（ Defense Perimeter ）演說表示，美國的太平
洋防線是自阿留申群島，經日本、沖繩到菲律賓，而不包括朝
鮮半島和台灣在內，準備正要拋棄國民黨政權時，在民國三十
九年六月二十五日爆發了「朝鮮戰爭」。這時國府在美國的敵
人之敵人下，驟變為盟友，致使美國總統杜魯門於六月二十七
日，就立即宣佈「台灣海峽中立化」外，並派遣第七艦隊巡邏
台灣海峽，以防止中共入侵台灣的同時，也遏止國民黨軍隊藉
機攻擊中國大陸，另啓戰端，使東亞局勢益形複雜。民國三十
九年十月八日，中共中央作出「抗美援朝、保家衛國」的決
策。同月十九日，中國人民志願軍渡過鴨綠江。民國四十年一
月時，美國則進一步的企圖以台灣做為「圍堵中共」的前線基
地，而開始援助國民黨政府，至民國五十四年止的十五年間，
每年提供一億美元（約佔台灣國民生產毛額的百分之五至十左
右），總共援助有約十五億美元之多。至於在它的援助內容
上，除了大部份用於補貼政治和軍事等財政的赤字外，還從事
於工業的設備投資，以及農業的振興等項目，對於戰後的台灣
經濟，有了「輸血」的效果。自民國四十年二月十日，美國和
國民黨政府簽有「中美共同防衛相互援助協定」後，即在台北
設置有美國軍事顧問團，以及「中央情報局」（ CIA ）的在台
機構。在當時，由於美、蘇兩大陣營的尖銳對立，美國急需日
本的協助，做為太平洋反共防衛線的重要一環，而加緊對日簽
訂和約的同時，也重新考慮到有關台灣的主權問題。因此在民
國四十年（西元 1951 年）的九月八日，也就是在日本無條件投
降的六年後，以美國為主的五十二國，不包括中國、蘇聯、韓

國、印度等國在內的四十八國，和日本共同簽署了「日本放棄所有對福爾摩沙（台灣）及澎湖群島的權利、領權」等主權歸屬不明的「舊金山和約」。民國四十年十一月時，國民黨政府在軍事學校中，設有「政工幹部學校」來培養政工人員，並由蔣經國親自擔任校長。在民國四十一年十月時，蔣總統介石先生受到第七屆中國國民黨黨員代表大會的擁護與支持後，就開始推動著所謂個人崇拜的「造神運動」，在台灣各地建立了無數的銅像，來供人瞻仰、鞠躬的同時，在民國四十一年十月三十一日，蔣總統介石先生六十歲生日時，為了擴大對社會青年層的掌握，而設有「中國青年反共救國團」來培養學生以及青年對國民黨政權的忠實思想，並由蔣經國擔任團主任。民國四十二年一月二十日，艾森豪就任美國總統時，韓戰已經接近尾聲。但在越南方面，由於受到蘇聯與中共的軍事支持，有越演越烈的跡象。為了牽制中共，艾森豪總統於二月二日時，就宣佈廢止杜魯門時代的台灣海峽中立化政策，允許國民黨軍隊反攻大陸。民國四十二年七月二十三日韓戰停止，中共除了把軍隊南移到中南半島邊界防衛外，還在福建沿海集結十萬大軍。民國四十三年八月一日時，人民解放軍總司令朱德宣佈「解放台灣」，並於九月三日開始砲轟金門、馬祖。這時自大陸撤退以來，並向台灣人民喊著要以六十萬大軍來「反攻大陸」的國民黨政府，在事實上，根據史明的「台灣人四百年史」一書中指出，蔣總統介石先生在民國四十三年九月時，就清楚而且明確的向美國國務卿杜勒斯表示：「本人坦率且完全的認識著：㈠以現有兵力不可能反攻大陸；㈡為了維持士氣非宣傳進攻大

陸不可。」（美國參院外交委員會「一九五五年秘密聽證會議
錄」──一九七八年六月四日公佈發表）⑭的情形下，在民國
四十三年（西元 1954 年）十二月時，美國又和國民黨政府簽訂
有，保障台海安全，但不包括反攻大陸的「美華共同防衛條
約」。民國四十七年八月二十三日，發生第二次台海砲戰，在
蔣總統介石先生和杜勒斯，共同聲明放棄「用武力收復大陸」
之後的該年十月，台灣和大陸之間，就保持著「不戰不和」，
並且相互隔日發射裝有「宣傳品」的空砲彈，直到民國六十七
年年底才停止。

六、虛構「反攻大陸」神聖使命下的文化與思想改造方面：

　　僅管蔣總統介石先生向美國當局坦白承認不可能反攻大陸
的情況下，爲了維持士氣而不斷的在台灣，上演著反攻必勝，
建國必成的戲碼。今將有關國民黨政府自被迫撤退到台灣以來
的思想建設方面，國府除了痛定思痛大力改革腐敗與無能的現
象外，還高喊著「一年準備，二年反攻，三年掃蕩，五年成
功」的口號，而台灣人民也被迫陪著國民政府婆娑起舞，枕戈
待旦，隨時準備抛棄家人，到遙遠陌生的彼岸，從事生死不知
的命運安排。爲了光復大陸，國府還不斷地推動著新文化運
動，參見蕭新煌教授，在行政院文建會所委託調查的七十八年
度「中華民國文化發展之評估與展望」中，指出，此新文化運
動政策，是把台灣先民從大陸所帶來的中華固有傳統文化、藝
術貶抑爲鄉野低劣邊陲與庸俗的地位。其若干具體的政策和手
段，例如限制台語歌仔戲、布袋戲，限制台語電視節目時段、
封殺客語、原住民廣播及電視節目、扼殺台灣文學、鄉土美

術、沒收台語（羅馬字）聖經（民國六十四年一月）、更試圖
制定語言法來全面禁止台灣話的使用……等情形。⑮國府又為
了對左翼文學傳統的恐懼、日據時代台灣文化協會精神的復
蘇，以及「反共必須專制」下，於民國三十七年時，就公佈了
「戒嚴法」，並於民國三十八年五月二十日時，正式宣告戒
嚴。此一戒嚴令剝奪了憲法賦予人民的言論、集會、結社的自
由外，也根本性的摧殘了憲法對基本人權的保障。許多的台灣
人並包括來台的外省人，在苦難的台灣邁向公理與正義的大道
上失去了自由。其情形有如民國三十八年四月，楊逵在上海的
大公報上刊載了他自己認為應該如此的「和平宣言」，就被判
處十二年徒刑。在這不幸的大興文字獄時代下，除了台灣文藝
鬥士紛紛入獄外，而從大陸來台的作家亦因恐「莫須有」的罪
名，而拋棄了大陸母體文學，取而代之的文學、文藝思想是從
一九四九年（民國三十八年）發軔的反共文藝，到五十年代中
期戰鬥文藝的崛起。這「反共文藝運動」的樣板，根據孫陵主
持的民族晚報副刊於一九四九年十一月十六日創刊宣言為：
「……文藝工作者，必須自動的配合客觀環境底要求！配合戰
鬥！配合建設！配合革命！我們必須歌頌戰士！歌頌英雄！暴
露敵人！暴露奸細！向前方的英勇戰士看齊！向後方的自由戰
士靠攏！創造士兵文學！創造反共文學！創造真正認識自由、
保衛自由的自由主義的文學！」⑯國府更透過黨、政、軍、
特、救國團、各級學校成立各種型態的反共文藝團體或以基金
會名義重賞大眾或文藝界人士撰寫特定標題。因此在當時反共
詩、反共歌、反共劇、反共電影蜂擁而出的，在台灣海峽這一

邊，扮演著劇烈的反對運動。在反共遊戲如火如荼發展的另一個西方現代思潮也趁虛而入並快速的發展。那就是一九五○年韓戰爆發。美國堅決支持「次法西斯・反共國家」（Subfascis-tahti-Communist-national security state），並發表了所謂「台灣中立化宣言」後，立即斷然武裝干涉台灣海峽，在第七艦隊封禁海峽的同時，來台的國民黨政府進行一次堅決、徹底的反共肅清，除許多人被捕下獄，一切現實主義的、反帝反封建的、新民主主義的思潮與創作均遭到禁絕的同時，美國經由強大對台軍經援助，改變了國民黨政府在台灣風雨飄搖的命運，並以極為強力的美式文化灌輸本省，使之台灣文化思潮至此發生巨變。首先引入的思潮，是以存在先於本質的「存在主義」為主幹的現代思潮，開始伸入而瀰漫校園、社會。存在主義的貢獻在於肯定生命的意義和價值。尤其是出現在慣性集權統治下，個人完全不受尊重，人性受到嚴重渺視、扭曲的時代，強調自我從荒謬、恐懼、頹廢、苦悶、迷失、悲觀、絕望中自求解脫與肯定的意義，就很不平凡了。在它的往後發展上，還有現代詩、現代畫、現代音樂、現代小說、實驗寫實電影⋯⋯等現代化的輸入，成為五○年代到七○年代的文壇顯學，而文學上個人主義、形式主義、心理主義和國際主義也成為主流思想。

七、農、工經濟的發展方面：

台灣的「土改」，與美國在全球對抗或圍堵共黨勢力的擴張，有著密切的關係。由於共產黨在亞洲，以「土地革命」、「沒收地主土地」、「土地重新分配」等口號，爭取廣大的農

民支持，而日益壯大。因此，美國乃提出「土地改革」的對策，在民國三十八年八月二十五日，農復會遷台辦公後，就積極介入台灣土地改革的工作，來抵銷共黨「土地革命」的號召。在民國三十七年四月所推行的「三七五減租」，是把原來的佃租一律減為 37.5 ％，以減輕佃農的負擔。在民國四十年六月所實施的「公地放領」，是以培養自耕農為其目標。到了民國四十一年十二月二日，陳誠發表關於實施「耕者有其田」政策書面談話時表示：「國父昭示我們，社會的安定與進步，基於大多數經濟利益調和，所以我們要防止共匪製造階級鬥爭，必須注意謀取全體人民的利益，絕不可專為少數人謀利益。我們在台灣推行土地改革所獲得的甜蜜果實，可以說已經由大陸同胞替我們付出了大量的鮮血代價。」[47]至於，他在民國四十二年一月所公佈實施的「耕者有其田」政策是以全年正產物（如稻穀，不包括雜糧）收成的二倍半計算，由政府給予地主70% 的米糧實物債券，分十年攤還，以及給予 30% 的台泥、台紙、工礦、農林等公營企業股票，來「搶購」地主的土地。這種不顧地主開發土地之艱辛的「土改」，其情形，有如分十年，繳了兩年半的房租，就可霸佔該房屋，以及銀行只要把兩年半的利息，分十年交給儲蓄者，就可名正言順的沒收了「本金」的作法。在當時，為何沒有受到地主的強烈反抗呢？其原因，被推測為，與在民國三十六年的「二二八事件」，二、三萬人被殺，以及在民國三十八年，政府撤退來台，上萬人在白色恐怖中失蹤，有密切的關係。這種用「槍口封住人民嘴巴」的「土改」或是製造地主與佃農糾紛，而有利於統治的「德

政」，對於須要「集資」方式，來從事農地的開發，是產生負面的影響，其情形有如，在以農業為經濟中心的時代，台灣雖然有良好的農業生長自然環境以及勤奮的人民，但是仍然需要資金來加以開發。自美援在民國五十四年（西元 1965 年）六月終止之前，在四月二十六日時，國民黨政府就和日本政府簽訂了到民國五十九年四月為止的一億五千萬美元的日圓貸款協定。其中一億美元的貸款是用來做各種的建設基金，其年息為5.7 ％，分十二年至十五年償還。至於另外由「日本海外經濟合作基金」所提供貸款給「曾文水庫建設基金」的五千萬美元，其條件為年息 3.5 ％，並分二十年償還。雖然日元的貸款不能和美援相提並論，但在「資本不足」的環境下，有它一定的貢獻外，從此以後，台灣的經濟就和日本的經濟，逐漸的結合在一起。在加工出口區的建立以及外資的導入方面。為了外匯的獲得、國民就業的增加、以及國內產業技術水準的提昇，國民黨政府在民國五十四年（即在美援中斷之年），本著自立更生的精神與態度，開始創設行政手續簡便，稅制優待的「加工出口區」辦法，來做為美、日資本主義海外衛星性加工基地的同時，台灣本身也開始從美、日兩國進口原料或零組件，經過加工，製成產品，再回輸美、日市場的方式，來穩定台灣的經濟基礎外，還從事於設法導入外資的獎勵辦法。國民黨政府雖然曾在民國四十三年施行「外國人投資條例」以及在民國四十四年施行了「華僑回國投資條例」等，在稅制上以及工業用地的取得上，給予優待的措施與辦法。由於當時局勢不穩，吸收外資的成效不大，直到六十年代以後，才逐漸顯著增加的同時，

又大量引進跨國公司，從事「你丟我撿工業」，來奠定我國的工業基礎。其中值得注意的是，台灣在那工業剛起飛的時代裏，不管是在加工、外商投資或是我國人民的設廠製造等方面，無不在從事，諸如紡織衣料、塑膠製品、水泥、合板、電器、電子以及其他雜貨等勞動力密集的產品為主。

八、在高壓統治下所發生的一些不幸事件：

自政府遷台以來，在高壓統治下，不管是在本省人或外省人的族群中，均發生了許多的不幸事件。尤其是在外省人方面，有的人被檢舉為共產黨活動而被捕入獄。有的人，因「思念家鄉」對政府有所批評或抱怨而被視為「想念共產黨」之罪嫌，被捕入獄。也有人，因個人之恩怨或派系之權力鬥爭，被陷害為「顛覆政府」之罪嫌被補，……等。在當時政府，在處理這些「中國人之間的事」時，往往以家醜不可外揚給台灣人知道的情況下，而採取一種秘密的作業方式，來加以「處理」，而少為外人所知。今將列舉一些在當時，在台灣所發生的一些重要事件，其中也包括了，在外省族群中，所發生而被迫「公開化」的事件在內，簡述如下：

1.麻豆事件：民國三十九年五月，台南麻豆鎮民三十三人，被以「顛覆政府」罪名被捕，有謝瑞仁、蔡國禮和張木火等三人被處死刑。九人被判無期徒刑。至於，其他的人，則分別被判十至十五年的徒刑。

2.台中事件：民國四十年五月，台中縣的中、小學教員、台大農學院學生、護士、勞工、泥水匠等六十三人被檢舉為從事台灣獨立運動。有張伯哲、陳福添、鄧錫章、李炳崑、陳孟

德、李繼仁和簡慶雲等七人被處死刑。十二人被判無期徒刑，至於其他的人，也都被判有罪。

　　3.孫立人事件：很受美國人信賴的孫立人將軍，在中國大陸情勢危急時，美國外交人員就曾考慮「棄蔣保台」政策。民國三十八年六月二十三日時，美國國務院政策計劃處主任肯楠（George Kennan）向國務卿提出「台灣意見」：「現在情勢已經明朗，欲使台灣免於遭受共產黨佔據，並與中國大陸絕緣，須先排除國民政府在台之統治，暫時由國際或美國加以管理。……美國應邀孫立人將軍參加佔領軍的新政權。」⑱自國民黨撤退來台後，美國還不斷地提出建議，由孫立人掌握軍事大權。從事北伐、抗戰多年經驗的蔣總統介石先生，不會察覺不出當時政治氣氛的同時，警告孫氏不要「不知天高地厚」。蔣氏基於爭取「美援」的緊迫性，在民國三十九年三月十七日，除了晉升孫氏為陸軍總司令外，同年四月二十日，又授予台灣防衛總司令的職位。其後，孫立人不贊成軍中設立政戰系統和蔣經國有所衝突的同時，他在鳳山所訓練的新軍對黃埔軍系又構成相當的威脅。在民國四十三年六月二十四日時，蔣氏把他晉升為總統府參軍長，使他不再直接指揮軍隊後，在民國四十四年八月二十日時，孫立人因他的部屬郭廷亮，「涉嫌」匪諜案而遭連坐被解職後，經陳誠、張群、何應欽、王雲五……等九人，所組成的調查委員會，於十月二十日，公佈調查報告結果，認為孫立人並無主謀判亂行動的證據，但應對親信人員的不法言行知情不報以及平日的管束無方與訓導失當負責。蔣總統於同日發佈命令「毋庸另行議處」，但「交由國防部隨時

察考，以觀後效」。（參見台灣人權報告書，P.179、181，魏延朝著）孫立人自民國四十四年八月一日後，即被限制行動。當年，外交部長葉公超，在答覆美國國務卿杜勒斯時，表示最高當局有維護之心，即是「不殺、不審、不問、不判、不抓、不關、不放」等「七不」立場。孫氏被遭到軟禁達二十三年之久的同時，鳳山陸軍軍官學校第四軍官訓練班同學會中，亦有六百多人遭到逮捕。

　　4.雷震事件：民國四十九年九月，國民黨高官雷震（外省人），在他所主持的「自由中國」雜誌裏，強調確立憲政、言論自由、司法獨立、重視地方自治以及成立反對黨等主張，而尖銳的批評國民黨政權外，又倡導所謂的「反攻大陸無望論」，被以庇護中國共產黨之罪嫌被捕，並以「煽動叛亂」罪被判處十年徒刑。至於在該雜誌社工作的劉子英，被以「匪諜」罪名，判處十二年徒刑。馬之驌被判五年徒刑。傅正被判三年徒刑。

　　5.蘇東啓事件：民國五十年九月，雲林縣北港鎮的蘇東啓縣議員，由於激烈的批評國民黨政權。當局乃以圖謀策劃台灣獨立之罪嫌，把他以及支持他的二百多人逮捕。蘇東啓被下獄達十五年之久。

　　6.高雄學生、軍官台灣獨立運動事件：民國五十一年七月，以高雄學生為主的台灣獨立運動中，有三十餘人被捕。施明德（砲兵學校候補軍官班學生）和陳三興被處無期徒刑。郭哲雄（學生）、蔡財源（陸軍官校三七期學生）、董自得（台大法律系學生）等被處十二年徒刑。吳炳坤（陸軍官校學生）

被刑求成瘋癲狀態。至於，其他的人，也分別被判處徒刑。

　　7.**彭明敏事件**：民國五十三年九月，台大敎授彭明敏和其門生謝聰敏、魏廷朝等人，基於在國際上有一個中國和一個台灣的存在事實，而主張「一中一台」之說。當他們正在印刷所謂的「台灣人民自救宣言」時，被捕。其後，國民黨政府在國際壓力下，彭明敏於民國五十五年十一月時，被特赦後，於民國五十九年一月經瑞典逃亡美國。而謝聰敏和魏廷朝兩人的徒刑，則分別被減半，改爲四年。

　　8.**林水泉事件**：民國五十五年十一月，台北市議員林水泉，和呂國民、張明彰、顏尹謨、吳文就、許曹德、黃華等人，爲推動台灣獨立，而成立「全國青年團結促進會」。在民國五十六年八月二十日被發現後，有二百四十七人先後被捕。其中林水泉、呂國民和顏尹謨等三人被處十五年的徒刑。由於這事件，又牽涉到宜蘭羅東一帶青年，熱衷台灣獨立革命所創立的「台灣大衆幸福黨」，而又有許多人被捕下獄。

　　9.**筆劍會事件**：民國五十七年六月，由一些熱衷於台灣獨立的青年、學生所組成的「筆劍會」被檢舉，廖登囑（電氣工人）、林永生（淡江學生）、吳義勇（海軍下士）、邱新德（學生）、羅子玄（世新學生）、李義億（商人）等被捕下獄。

　　10.**民主台灣聯盟事件**：民國五十七年七月時，由反對國民黨的「統派」民主人士，於前年所成立的「民主台灣聯盟」被檢舉，陳永善（作家，筆名陳映眞）、李作成（高中敎員）、吳耀忠（藝專助敎）、丘延亮（台大學生，蔣緯國太太的胞

弟）、陳述禮等三十六人被捕入獄。

　　11.山地青年團事件：民國五十八年四月，由桃園縣山地知
識青年所組成的「山地青年團」被檢舉，李義平、高陳明（國
校教師）、高博導（醫師）、曾金樟（鄉長）、邱致智（國校
教師）、葉榮光（國校教師）、黃春成等被捕入獄。

九、台灣在國際情勢不利打擊下的省思與覺醒：

　　自民國五十三年九月越戰爆發後，美國財政出現赤字，內
部的種種社會問題也暴露出來。諸如反越戰，黑人人權運動，
言論自由運動……等的校園思想和社會運動，啓蒙了台灣留美
和留歐學生的思想。不幸的，於民國五十九年十一月，美國片
面宣佈將釣魚台諸島於民國六十年劃歸給日本。之後，五角大
廈在越戰失利下，有意拉攏中共制衡蘇俄。因此美國總統尼克
森，突然於民國六十年七月十五日，公開發表，即將在今年到
明年的五月之間，訪問北京。這時，中華民國政府，在得不到
國際友邦的認同下，聯合國以五十九票反對、五十五票贊成、
十五票棄權，而否決了美國曾向聯合國所提出的議案，一是將
「驅逐中華民國」列爲重要問題，須三分之二絕對多數才能通
過；二是「雙重代表權案」，要求同時承認「中華民國」和
「中華人民共和國」等情形，而於民國六十年十月二十五日，
在蔣氏「漢賊不兩立」的原則下，徹底退出聯合國，使之，美
國也無心再爲中華民國力爭「雙重代表權案」了。在有關美中
（共）關係的改善方面，民國六十一年二月尼克森訪問中共
時，於二十七日，和周恩來，在上海共同發表了「上海公報」，
其中有關海峽兩岸的內容，大致爲：

中共方面：「中華人民共和國政府是代表中國唯一的合法
政府，台灣是中國的一省。台灣解放是中國的內政問題，他國
沒有干涉的權利。」

美國方面：「台灣海峽兩邊的中國人，均認爲中國只有一
個，台灣是中國的一部份，對此，美國加以認知（ acknowl-
edge ），而對於中共在這方面的立場不表異議（ does not chal-
lenge ）。」（尼克森回憶錄， 1978 年）

接著，美國政府在得到中共「不以武力解放台灣」的暗示
下，於民國六十一年停止第七艦隊在台灣海峽巡邏的同時，約
有九千的「在台美國台灣防衛司令部」人員（ 1.軍事顧問團，
約有 400 人； 2.陸軍人員，約有 600 人； 3.海軍人員，約有
1000 人； 4.空軍人員，約有 7000 人），也開始逐漸從台灣撤
退。在日中（共）關係正常化方面，日本田中角榮首相和太平
政芳外相，在民國六十一年九月二十五日訪問中共時，於二十
九日與周恩來，共同發表了「日中關係正常化公報」，表示：
「台灣是中國領土不可分割的一部分。日本政府十分理解中國
的這個立場，並尊重之。」的情形下，在其他國家方面，有如
法國、菲律賓、加拿大……等國，也都在這個年代走出台灣社
會。台灣在國際上漸被孤立的事實，不但不利於國內政治情勢
的穩定，而且有助於民族主義情緒的蔓延。其情形有如：

1.槍擊蔣經國事件：民國五十九年四月二十四日，留美學
生黃文雄和鄭自才，槍擊在美國紐約訪問的蔣經國，未果被捕
入獄。

2.美國新聞處以及美國花旗銀行被炸事件：民國五十九年

十月十二日，台南美國新聞處被炸。民國六十年二月五日，台北美國花旗商業銀行被炸。在這兩個相牽連的爆炸事件中，有謝聰敏、魏廷朝、李敖、李政一、吳忠信、劉辰旦、郭榮文、詹重雄、洪武雄……等二十三人被捕入獄。

　　3.海外的獨立台灣會對釣魚台列島的聲明：釣魚台列嶼（日本稱尖閣諸島）共有九個小島，位於日本石垣島北方185公里的東海上。民國六十年四月二十五日，海外的獨立台灣會在其會刊中，聲明釣魚台是台灣的神聖領土及其海域爲台灣人漁民覓得的生活圈。之後，於同年七月十四日，該會又發表了第二次的聲明，來反對美、日在「沖繩島返還協定」中，將釣魚台列島併入爲日本的領土。（參見，台灣人四百年史「精要版」P.417、史明著）

　　4.基督教長老會的「國是聲明」：民國六十年十二月，台灣基督教長老教會，在尼克森訪問中國大陸之前發表了，反對台灣成爲國際政治交易的犧牲品，而主張(1)台灣的將來，是有賴於住民的自決。(2)有關台灣民主化之推進的「國是聲明」後，該教會雖然曾經受到政府的彈壓，關係人也遭到逮捕的嚴厲制裁後，仍然無法阻止該教派所從事的政治性活動。

十、蔣總統介石先生的去世，以及蔣經國時代的來臨：

　　蔣總統介石先生於民國六十四年四月初「被宣佈」去世之後，雖然由嚴家淦繼任爲總統。但是實際治理台灣的大權，在蔣總統介石先生的晚年時，就開始被掌握在蔣經國先生的手裏。今將在蔣經國時代的一些現象與建設簡述如下：

　　1.在經濟建設方面：在民國五十五年（西元 1966 年），起

十年，中共在大陸上發動「文化大革命」，並且利用「紅衛兵」到處破壞，企圖徹底毀滅中華傳統文化的「十年內亂」中，不但中共沒有餘力關心台灣或解放台灣的同時，給了在台的人們，尤其是在台灣的統治者群方面，一個清楚的認識後，蔣經國先生於民國六十一年五月就任行政院院長後的第二年，即於民國六十二年（西元 1973 年）就開始著手十大建設。在交通運輸方面，有中正國際機場（桃園）、南北高速公路、西部鐵路幹線電氣化、北迴鐵路（蘇澳到花蓮）、台中港的興建和蘇澳港的擴建等；在動力方面，有金山核能發電廠的興建；在重工業方面，有高雄鋼鐵廠、石油化工廠和高雄造船廠等，總共大約五十八億美元（民國六十八年估計）的投資與建設。

2.在政治方面：在蔣總統介石先生時代，為其實施專制統治的軍隊、特務和警察等人員方面，經過二、三十年的歲月摧殘之後。這些從大陸帶來的軍人，大都已經相當老邁，而且逐漸退出工作崗位的同時，在徵兵制度下，除了職業軍人外，絕大多數的士兵是台灣子弟。至於在警察機構方面，其情形，也是大致相同。隨著國民黨政府一再受到喪失國際地位的打擊，以及台灣意識的覺醒與高漲，國民黨政府再也不敢隨便採取粗心大意的高壓手段。這時蔣經國為了國家社會的安定以及國民黨政權能夠繼續生存，不至於迅速瓦解。不得不在台灣的認同上有所妥協的同時，而採取鎮壓與懷柔並蓄的手段，來加以統治。在鎮壓方面，在國民黨黨內進行「整黨」，在社會上，則採取堅定的「肅清」黨外政策。在懷柔方面，當蔣經國先生就任行政院院長後，為了抑制「台灣人意識」的覺醒與高漲，而

開始嘗試採取「以台治台」的「崔苔菁」（吹台青）政策。所
謂的「崔」是指吹牛，具有專業化知識者；「苔」是指台籍人
士；「菁」是指青年才俊而言。在人事的任用上，雖然在當時
有較多的本土人士被起用或出任閣員，其情形，有如副院長徐
慶鐘、內政部長林金生、交通部長高玉樹、省主席謝東閔、台
北市長張豐緒、政務委員連震東、李連春、李登輝等人。但
是，諸如在國防、外交、經濟、財政、治安、情報和新聞等重
要部門方面，仍被排除在外。至於在舉辦定期改選中央民意代
表增額選舉方面。在大陸選舉區所選出的國民大會代表（法定
名額 3045 人，選出實數 2961 人，來台人數 1576 人），立法委
員（法定名額 773 人，選出實數 760 人，來台人數 470 人）和
監察委員（法定名額 223 人，選出實數 180 人，來台人數 104
人）等，經過一番篩選或是其他因素的影響，大約有一千八百
多人，在「動員戡亂時期條款」的保障下，成為終身代表，在
台灣徒食無為的過了二十餘年後，大多已呈高齡化，而且難逃
大自然的安排。國民黨政府為了維護所謂的「法統」存在。不
得不在民國六十一年時，開始在台灣實施所謂的「增額選舉」。
在這非真正民主體制下的「不樂之選」，除了選出國大代表 53
人，立法委員 51 人（其中還包括被指名的華僑 15 人）以及監
察委員 2 人等，極為少數的「中央民意代表」外，黨外不管是
在言論上或是在所散發的傳單內容上，往往會受到極為嚴格的
限制。其情形有如，在民國六十四年十月的立法委員增額（補
充）選舉時，白雅燦，準備對蔣經國提出二十九條的公開質問
狀，而被以叛亂罪嫌逮捕，未經公開審判，入獄約有十三年之

久。至於在黨外的「組織化」活動方面，雖然在當時，黨外在
公職的競選上，會受到許多有形、無形的阻礙與破壞。但是他
們在民國六十七年十二月的立法委員和國大代表選舉時，無畏
艱難的去突破一些不合理的遊戲規則，開始走向組織化的活動
而有「台灣黨外人士助選團」的成立。在該次競選中，首次由
黨外候選人，共同提出了十二項，具有積極意義的政治建設，
其內容為：

(1)國會全面改選，省主席及台北、高雄市長
　　直接民選。

(2)軍隊國家化、司法獨立。

(3)反對黨工支配學園。

(4)解除「黨禁」及「報禁」。

(5)國外旅遊自由化。

(6)解除戒嚴令。

(7)廢止刑求。

(8)實施農業保險、失業保險及全民醫療。

(9)制訂勞動基準法。

(10)制訂環境保護法。

(11)反對省籍差別及輕視台語。

(12)政治犯的大赦等。

　3.在思想方面：台灣在國際的打擊下，在民國六十五年秋

到六十七年春之間，終於掀起了所謂「鄉土文學的論戰」。在
這爲期一年半，背負有「中華民族的命運」包袱以及或許帶有
普羅意識的作家、學者爲主導下，在大大小小的數十個媒體刊
物上發表了不下百萬言的宏論，來反對「西化」、「現代化」
等崇洋媚外的嘔吐派。根據張大春學者，在「回顧鄉土文學論
戰」一文中，分析：「當時的論戰，絕大部份的爭議都只是拿
文學當掩體工事而已。眞正的殺伐目標則是在拉開一條意識型
態的陣線。站在陣線的某一面上看，一邊是本土的，另一邊就
是自由主義的；一邊是回歸傳統的，另一邊就是奔赴現代的；
一邊是認同勞苦大衆的，另一邊就是依附殖民經濟的；一邊是
揭發社會內部矛盾的，另一邊就得掩飾民間疾苦眞相的……。」
㊾這條陣線拉得很長，各說各話問題夾纏不休。事實上，除了
意識形態無意義的爭論外，對於他們拋家棄子，隔海思鄉思家
的情感之作，以及讚美歌頌故鄉之美，是無可厚非的。但他們
被本土派人士認爲：「他們似乎忘了吃台灣泥土種出來的蓬萊
米長大，卻和台灣的土地脫節；呼吸台灣的空氣，卻和台灣的
人民永遠隔閡；喝台灣的水卻不唱台灣的歌」。因此，就在此
時，又興起了純粹以本土主義爲中心的改革派，嚴正的提出對
鄉土文學再做一種的定義與詮釋。

十一、邁向本土化與民主化的發展：

　　自本土派確立了「洗滌社會、擁抱人民」以及要求更多的
社會與政治的參與爲未來奮鬥的方針與目標後，他們在推展理
念時，主動的結社組團上山下海，到山地、農村、漁村、工
廠、礦坑實地去調查了解，農業經營的困境、漁民生活的艱

苦、工人工作環境之惡劣的眞實面貌，並把文學的根眞正的深入民間、社會的最底層。在政治方面，這批的本土改革派的知識青年，包括大學雜誌（57年1月創刊）、台灣政論（64年8月創刊）、進步雜誌「這一代」（66年9月創刊）、美麗島雜誌（68年8月創刊）……等的成員，結合了原有前仆後繼的在野勢力，向萬年不改選的國會以及戒嚴之統治挑戰，逼使官方做某種程度的回應。其情形，有如早在民國六十一年，蔣經國先生擔任行政院長後，就開始較大幅度的起用本土人士出任閣員，並舉辦定期改選中央民意代表增額的選舉外，在民國六十二年時，又開始著手十大建設，使得國民黨政府有逐漸走向本土化，來延長其繼續統治台灣的壽命之際，仍然有一些不幸的事件發生。

1.中壢事件：民國六十六年十一月十九日的縣長選舉。在開票時，被懷疑作票，引起人民推翻警車、燒燬警局，及其宿舍等行爲中，江文國被亂彈打中頭部，送醫不治死亡的同時，國民黨政府還動用軍隊來加以鎮壓。但是，在這十個士兵中，有九個是台灣青年的軍隊，在面對著：你們也是台灣人，你們可以隨便射殺你們的父母兄弟姊妹嗎？而自動的後退與撤退，給了國民黨政府一個很大的警惕。

2.美麗島事件，以及林義雄母女三人慘遭殺害事件：所謂的「高雄事件」，也是俗稱的「美麗島事件」，是在民國六十八年十二月十日時，以「美麗島雜誌社」爲首的黨外勢力，在高雄市所舉行的「世界人權日」演講、遊行中，引發軍警的鎮暴彈壓，並以叛亂罪嫌，大規模的逮捕在任立委黃信介，以及

施明德、張俊宏、林義雄、陳菊、呂秀蓮、姚嘉文、林弘宣、
王拓、楊青矗……等一百六十餘位的黨外菁英。在審判之日，
全台灣的人民在收音機或電視上聽、看到這種與事實差距甚大
的政治性大審判時，無不暗泣。在不久前，因參加抗議政府任
意逮捕余登發父子案的桃園縣長許信良，被安排到國外散散心
後，就有家歸不得了。這時，在美國的許信良，又見到「美麗
島事件」的發生，而憤怒的表示：「要徹底鬥爭到國民黨自地
球上消滅為止」。此話一出之後，就被國民黨政府以「叛亂」
罪嫌通緝，並免去縣長之職。在這上述一連串的不幸事情發生
之後，不久，又發生了一件相當令人髮指的事件。那是台灣省
議會議員林義雄，也是美麗島事件的被捕者之一。當他正在被
軍事法庭起訴、拘留期間，在他的台北市住宅內，於民國六十
九年二月二十八日的大白天裏，他的年邁母親以及六歲的孿生
女兒等三人，慘遭殺死，並殺傷九歲的長女。這個頗不單純的
事件，除了引起全台住民的憤怒外，也對當局有了更進一步的
認識與覺醒。在民國六十九年的地方選舉中，除了有關美麗島
事件受刑（難）者的妻子或兄弟全部獲得高票當選外，又激發
了更年輕的社會菁英，在不惜犧牲自由、財產，甚至生命的狀
況下，在極短的時間內造成一股非常強大的反對聲勢，而奠定
了未來台灣走向民主化的基礎。

　　3.陳文成離奇死亡事件：民國七十年的七月二日，美國卡
內基美朗大學教授陳文成，從美國回來台北老家渡假時，被警
備總司令部傳喚去後，未曾回家。第二天，他的屍體被發現在
台灣大學的校園內。此事，除了在台灣引起各界的批評外，美

國的紐約時報、華盛頓郵報、時代、新聞周刊等有名的報章、雜誌，均有大篇幅的報導，有關特務學生被安排在美國校園從事間諜活動的情形後，而引起美國政府的關切。

十二、「編聯會」以及「公政會」的成立：

在戒嚴令的「報禁」下，對於新發行的月刊和報紙，往往是不被允許的。然而，它卻是推動台灣民主化時，所不可或缺的宣傳工具。黨外為了突破這個不合時代要求的禁令，不斷的出版所謂的「黨外雜誌」後，也不斷的受到政府的取締。大約有 90 ％的雜誌，在完成印刷，或是在印刷時，被警總扣查。黨外雜誌編輯人，為了維護自身的權利，於民國七十二年九月終於成立了簡稱為編聯會的「黨外編輯作家聯誼會」，不久之後，在民國七十三年的二月，由黨外立法委員以及各級的議會議員，也開始成立了簡稱為公政會的「黨外公職人員公共政策研究會」，來維繫黨外的團結力量。

十三、江南案與蔣氏王朝的即將結束：

民國七十三年十月十五日，江南（本名劉宜良，外省人），具有美國國籍的作家。當他出版了含有批評性的「蔣經國傳」一書後，台灣的「竹聯幫」黑社會首領陳啓禮及其二名幹部，奉國防部情報局長汪希苓之命令，把他槍殺在美國舊金山的自宅車庫，而引起美國方面的強烈反應，以及美台關係的緊張。由於此事件，在傳聞中，還涉及到與蔣氏家族有關，而迫使蔣總統經國先生，在他的晚年，即在民國七十四年八月二十六日時表示：「將來國家元首一職，由蔣家人士繼任一節，本人從未有此考慮」外，在同年十二月二十五日，在國代年會時，又

鄭重宣佈：「經國的家中，有沒有人會競選下一任總統？我的
答覆是：不能也不會。」等兩次發表聲明，蔣家之人不會競選
下任總統的結局。

十四、民進黨的誕生：

　　雖然，反對黨擅於在民間藉機造勢，形成一股強大的「民
氣」力量。然而，要面對一個組織性強，而且掌握了軍隊、情
報、治安（警察機關）、經濟（龐大黨營事業、國營企業以及
民間財團）、行政機關和主要傳播媒體的國民黨政府，是一個
相當大的挑戰與考驗。在民國七十四年年底的地方選舉之後，
黨外本著「無黨即是有黨」的精神，來相互協助，加強組織，
並有準備成立政黨的傾向。民國七十五年五月，美國參、衆兩
院的斐爾、甘迺迪、索拉茲、李奇和多里蘇利等五名有力的議
員組成，促進台灣政治改革的「台灣民主化促進委員會」，希
望在美國安全保障下的台灣，不要戒嚴令外，並警告國民黨政
府，若不實行民主化，必會帶來更激烈的解決方式。民國七十
五年五月七日，蔣經國總統，指示國民黨中央政策委員會與社
會人士（即黨外人士）進行溝通。在十日以及二十四日的兩次
溝通中，雖未達成任何一致的意見，但從此以後，國民黨對
「黨外」的政策，以溝通爲主，而不再只是一味的鎮壓。六月
時，參院亞洲太平洋小委員會與人權小委員會，通過台灣民主
化決議案，要求國民黨政府 1.允許成立新政黨。2.廢止檢查制
度，並保障言論、集會和結社等自由。3.實現充分而完整的議
會民主制。國民黨在此六月時，中常會的「十二人小組」（嚴
家淦、謝東閔、李登輝、谷正綱、黃少谷、俞國華、倪文亞、

袁守謙、沈昌煥、李煥、邱創煥、和吳伯雄等人）決議設置 *1.*
充實中央民意代表機關。*2.*地方自治法制化。*3.*制訂國家安全
法。*4.*民間組織許可制度。*5.*加強社會治安。*6.*刷新黨務等六
個個別小組等，⑤來做個回應。七月初，尤清和謝長廷開始成
立「組黨籌備小組」。八月時，美國民主黨的五名有力議員，
要求美國國務卿舒茲應展開活動，使國民黨政府允許成立新的
政黨。九月初時，爆發了台灣四十年來最大規模，而且長達十
二天的街頭抗爭活動。民國七十五年（西元 1986 年）九月二十
八日，在台北圓山大飯店所召開的「黨外選舉後援會公認候選
人推薦大會」上，以一百三十五位的發起人，遽然向國民黨政
府的「黨禁」挑戰，而宣佈成立簡稱爲民進黨的「民主進步
黨」。這時，國民黨政府的態度認爲，雖然民進黨是一個「不
法」的組織，但不能斷定它就是一個「非合法」的組織之下，
蔣經國總統隨即於九月二十九日、三十日和十月一日，分別召
見黨政、情治、軍事首腦，警告各單位未奉命令不得輕舉妄動
後，於十月七日，就對美國新聞記者表示：「任何新黨均要遵
守三項原則，即遵守『中華民國憲法』、堅持反共國策、和
『台灣獨立派』劃清界限。」等三要件，做爲解除「黨禁」的
附帶條件。十月十五日，國民黨中常會決議通過「十二人小
組」的提案，準備新訂「國家安全法」和修訂現行的「動員戡
亂時期人民團體組織法」以及「動員戡亂時期公職人員選舉罷
免法」等法規，來做爲未來政黨活動的規範，之後，蔣經國總
統即席講話，表示：「時代在變，環境在變，潮流也在變，因
應這些變遷，執政黨必須以新的觀念、新的做法，在民主憲政

體制的基礎上，推動革新措施，唯有如此，才能與時代潮流相結合，才能與民衆永遠在一起。」民國七十五年十一月十日，民進黨在召開的第一屆黨員代表大會時表示：*1.*解除戒嚴令。*2.*國會全面改選。*3.*廢止使憲法變成形式化的「臨時條款」。*4.*台灣的將來由人民自決，即台灣人民以自由、自主、公平的方法決定。*5.*將國民黨的軍隊改變爲國家軍隊等五大訴求或是綱領，做爲未來奮鬥的目標。

十五、戒嚴令的解除，以及政黨活動相關法規的制定：

　　民國七十六年，是一個人民向國民黨戒嚴全面挑戰的「人民大攻勢」之年。根據警察局的統計資料顯示，在該年的一月到九月之間，對於政治、環保、勞工問題、農業問題、學生要求「大學法的修改」以及「國民黨的學生統制機關自校園撤出」……等多方面的集會、請願以及街頭遊行示威等活動，就有一千二百八十五次之多。爲了繼續維護台灣的安定，於民國七十六年（西元 1987）七月，（也就是離蔣總統經國先生去世的半年又多十幾天之前），在台灣施行了三十八年之久的戒嚴令，在其被解除之前的六月下旬，國民黨政府就制訂了「國安法」來替代之後，又相繼於民國七十七年一月制訂了「集會遊行法」，以及在民國七十八年一月又修訂了「人民團體法」和「公職人員選舉罷免法」等，來加以規範人民或在野黨的活動。其情形有如，在民國七十六年七月，剛解除戒嚴令之後的十月十二日時，蔡有全和許曹德主張把這個在民國七十六年八月三十日，由會員一百四十三人所組成的「台灣政治受難者聯誼會」的組織章程中，加進了「台灣應該獨立」的條文，而觸

犯了「國安法」第二條：「人民的集會結社，不得主張分裂國土」之規定。在民國七十七年一月一日，蔡有全和許曹德分別被高等法院判處十一年及十年的有期徒刑。

十六、「禁止赴大陸旅遊」以及「報禁」的解除：

在禁止旅遊方面，自國民黨政府從大陸撤退來台後，就開始長期的對台灣人民灌輸有關中國的地理和歷史文化。但是，基於兩岸敵意甚深之關係，無法讓人民前往觀光旅遊，直到民國七十六年十一月二日時，開始正式解除對中國大陸的旅行禁令。在「報禁」的解除方面，於民國四十年六月十日起所實施的「報禁」，其根據乃是民國四十年行政院台四十數字第三一四八號訓令第七點：「……爲節約用紙起見，今後申請登記之報紙……從嚴限制登記。」在這種不准辦新報的限制下，使之擁有新聞紙登記證者，能夠在轉讓登記證時獲取暴利外，政府也藉此做爲控制各報社在言論上必須符合政府之政策，否則一經撤銷登記，則永無再成爲人民喉舌的機會了。有關這個限制辦報以及限制報紙張數的所謂「戰時節約用紙的辦法」，直到民國七十七年一月一日，在人民的強烈反對下，也正式解除。

十七、後蔣經國總統時代：

在「總統要繼續做」的使命下，蔣經國先生終於在民國六十七年時，就任爲總統。當時他身體健康還很好，經常穿著夾克上山下海，走遍台灣各地，並與當地的居民握手、寒喧。在民國七十三年時，蔣總統經國先生就任爲第二任總統之後，台灣人民對於民主的要求，也愈來愈強烈的同時，蔣經國總統則強調邁向本土化的重要性外，在他的晚年，還表示「已經住在

台灣四十年了，所以我也是台灣人啊！」。到了民國七十六年
的秋天後，身體顯著的虛弱。九月下旬，坐輪椅出席國民黨中
常會。十月十日，坐輪椅主持雙十國慶。十二月二十五日，在
台北市中山堂，所召開的「行憲四十週年紀念大會」時，民進
黨在台北市聚集約有三萬民衆圍繞在中山堂四周，要求國會全
面改選的同時，當蔣總統經國先生在演說時，民進黨的十一位
國民大會代表，一字排開，大聲連呼二十多分鐘的「國會全面
改選」口號後，退場。蔣經國總統見此場面，無言以對，一言
不發，不久之後，他一生在「犧牲享受、享受犧牲」中，於民
國七十七年（西元 1988 年）的一月十三日下午病逝，享年七十
七歲。

十八、李總統登輝先生的時代來臨：

　　自蔣經國總統病逝後的四個小時，這位暨沒有政治野心，
又沒有政治實力的李副總統登輝先生，依憲法第四十九條之規
定，於當天晚上八點八分時，開始繼任總統之職後，不久，於
一月二十七日，所召開的中常會中，又決定由李登輝總統代理
黨主席外，並於七月七日，所召開的中央委員全體會議中，正
式獲得通過就任爲中華民國的黨主席。

十九、在李氏「繼任總統」期間所發生的一些重要事情：

　　當李總統登輝先生，自坐上總統寶座以後，就面臨著「內
憂外患」的處境。他不但要安撫、平息來自國民黨黨內種種有
形、無形的杯葛外，又要面臨來自人民的強大「革新」要求，
以及反對黨的挑戰。然而他卻能本著理性的態度和誠信的原
則，來加以處理與克服，今將在他「繼任總統」期間所發生的

一些事情簡述如下：

1.鄭南榕的悍衛言論自由事件：一向以追求百分之一百言論自由爲目標的外省人第二代——鄭南榕。在他所主持的「自由時代」政論雜誌中，刊登有許世楷的共和國憲法草案。在民國七十八年一月二十日時，鄭南榕被高等法院檢察署以叛亂罪嫌傳喚。他除了拒絕前往，並堅守「自由時代」編輯長室，來加以抵抗外，並宣佈「國民黨抓不到我的人，只能抓到我的屍體。」在四月七日，當局派遣大批員警強制拘提時，他選擇了「自焚而死」的壯烈犧牲方式，來表達他的抗議，而引起全台人民的普遍關切。

2.二二八紀念碑的豎立，及其紀念儀式的舉行：過去每年在台灣各地密秘或暗地舉辦的二二八事件追悼紀念會，經過漫長的四十二年後，於民國七十八年八月，首先在嘉義公開建碑，以資紀念。之後，在民國七十九年的二月二十八日時，在台灣各地普遍都有首次二二八事件紀念活動的展開。

3.國民黨內部派別的形成：在民國七十八年十二月的選舉中，中央黨部組織工作部主任關中，和國民黨秘書長宋楚瑜失和，導致才組黨不到三年的民進黨，能夠輕易的贏得了台北縣爲首的六縣市縣市長寶座。李登輝總統爲了「刷新黨務」，把一些不適任的黨幹部加以整頓。關中辭去所有的黨務工作，並糾合了一些理念大致相同之士，開始籌組所謂的「民主基金會」，而造成了往後國民黨黨內派別的形成。在民國七十九年五月，李登輝先生所繼承的第七屆總統任期，即將屆滿前，中央委員會在三月間所召開的總統、副總統候選人的提名會議

上，李總統爲了避免被設計爲扮演「替角」的狀態，而沒有把有如蔣緯國（蔣經國之弟）、陳履安（陳誠之子）、李煥……等黨內實力派人士，做爲副總統的搭配人選。而選擇了沉默而且無實力的李元簇來搭配後，國民黨內部就開始逐漸走向分裂之途。從此以後，媒體就把支持以李登輝爲中心的改革派叫做「主流派」，而把反對李登輝的實力人物，有如謝東閔、林洋港、李煥、郝柏村、陳履安等，以外省人長老爲中心的另一派，叫做「非主流派」。

二十、第八屆總統的誕生：

　　有關在民國七十九年五月，總統、副總統的選舉方面，由於當時選總統、副總統的國民大會代表，幾乎都是從大陸選出，並且從未改選的「萬年議員」。他們除了每次在總統、副總統選舉之時，借機擴大待遇外，這次總統、副總統的選舉，除有被蠱惑，使之不過半數的隱憂的同時，還要擴大職權，把「增額」代表的任期延長爲九年，而引起社會各階層的唾棄。民進黨在三月十四日時，開始一連串的抗爭活動，而於十八日，有二萬多人的街頭遊行示威。另一方面，在三月十六日至二十二日時，有六、七千名的大專院校學生聚集在中正紀念堂（俗稱爲中正廟），以野百合爲象徵，採取罷課、演講、靜坐以及絕食等抗議活動。其後不久，由台大學生所組織的「學生民主行動聯盟」擴大爲全國性的「全國學生運動聯盟」時，並打著「停止總統選舉、召開制憲會議」、「不得承認由七百名老賊和小賊選出的總統」、「台灣是台灣，中國是中國」……等口號，頗有走向「大陸天安門事件」傾向。這時，李總統登

輝先生，於三月二十一日，在總統府接見五十餘位學生代表，並接受學生所提出的五大要求：*1.*解散國民大會。*2.*召集超黨派的「國是會議」。*3.*停止動員戡亂時期與廢止臨時條款。*4.*實施總統直接民選。*5.*提出政經改革時間表等建言，來壓制黨內的反對後，於五月二十日，終於順利的就任爲第八屆的總統。

二十一、李登輝總統的治國理念，及其民主化的改革：

自李總統登輝先生擔任在民國七十九年（西元 1990 年）五月，至民國八十五年五月，爲期六年的第八屆總統期間，有關他的治國理念，大致可以歸納爲：㈠在國內方面：在政黨政治的大環境下，有*1.*不可一黨獨裁，而且「黨」的利益，不可超越在國家利益之上。*2.*軍隊並非「黨」的軍隊，而是國家的軍隊。*3.*政治犯以及黑名單的存在，乃是一個民主進步國家的恥辱。㈡在國際方面：基於國際現實環境之考量，有*1.*除了在政治、外交上，應設法突破被孤立的困境外，在其他方面，也須更積極的返回在國際社會之中。*2.*除了避免與大陸當局的正面衝突外，應本著務實的態度，來化解海峽兩岸的長期敵對狀態。綜觀上述，其具體措施有：

(1)特赦政治犯：在民國七十九年（西元 1990 年）五月二十日，李總統登輝先生，就任第八屆總統時，就開始特赦被人民認爲是一種具有正義和公理的良心政治犯。

(2)成立「國家統一委員會」諮詢機構：在民國七十九年六月所召開的「國是會議」中，爲了安撫黨內保守派以及對大陸政權所做的特別處理，於十月間，在總統府設有由執政黨、在

野黨以及民間有識之士所組成的「國家統一委員會」做爲總統的諮詢機構。

(3)結束「萬年國會」以及中華民國在台灣國會全面改選的實踐：在民國七十九年十月，司法院大法官會議，做出「第一屆國會議員（國民大會代表尚存者 668 人、立法委員尚存者 163 人、監察委員尚存者 35 人）之任期，到一九九一年止」的解釋，來做爲「萬年國會」終了的預告，之後，於民國八十年（西元 1991 年）十二月底，四十多年來，從未改選的第一屆國民大會代表、立法委員以及監察委員等五百六十四名的萬年議員正式宣告退職外，並於民國八十年（西元 1991 年）以及在民國八十一年（西元 1992 年）年間，全面改選了國民大會代表以及立法委員，使之中央民意代表機構，更能充分的反映民意。

(4)廢止動員戡亂時期臨時條款：民國八十年（西元 1991 年）四月三十日，宣佈終止「動員戡亂時期」，並廢止「臨時條款」，來結束兩代蔣總統治台期間，視中共爲一個「叛亂團體」的狀態，而改稱爲「大陸當局」或「中共政權」等狀態外，李總統登輝先生在民國八十四年（西元 1995 年）六月（台北時間十日凌晨三時），在美國康乃爾大學歐林講座時，表示：「我（李登輝）曾一再呼籲北平領導當局放棄意識形態的對立，爲兩岸中國人開啓和平競爭與統一的新時代。只有『雙贏』的策略，才能維護中華民族的最佳利益，也只有互相尊重，才能逐漸達成中國統一在民主、自由和均富制度下的目標。」

(5)強調軍隊國家化：民國八十年夏季，軍方曾多次召開

「軍事會議」。八月間，李總統登輝先生爲國家之長治久安，不得不以「干涉統帥權」爲由，召集八名重要將領，前來總統府，並表示：「軍人應保護國家生存與國民利益，盡忠誠於國家與國民，不可効力特定團體或個人」等訓示，來解除軍人干政的危機。

(6)撕毀黑名單：民國八十一年五月，修正即使在言論階段也須處罰的刑法第一百條後，對於過去相當嚴重，而且相當敏感的所謂「思想問題」而逐漸消除之際，於民國八十二年四月時，被禁止回台灣的「黑名單」，在不斷的被闖關成功以來，也開始自動撤銷，而逐漸成爲中華民國有史以來，政治犯全無的狀態。

(7)落實省、市長以及總統直接民選：在民國八十三年（西元 1994 年）年底，完成了台灣省省長和台北、高雄兩院轄市市長的直接選舉外，並於民國八十五年（西元 1996 年）三月二十三日，中華民國在台灣，亦順利完成四百年來，在台灣，第一次的總統、副總統直接民選。

(8)開拓並宣揚中華民國在台灣的國際地位，及其貢獻：國民黨政府在民國三十八年撤守台灣後，在外交上即欠缺獨立自主的特性。它往往必須隨著華府的政策，而搖擺不定。在民國六十年十月二十五日，退出聯合國後，使之台灣在外交上，更是處於一種國際外交的荒野之中。因此，李總統登輝先生，於民國八十四年（西元 1995 年）六月，有機會，在美國歐林講座，講述「民之所欲，長在我心」時，很沉痛的表示：「坦白而言，我們的民衆，並不滿意我們今天所處的國際地位。我們

認爲，現今的國際關係不能只限於傳統國際法和國際組織的正
式運作。因爲事實上，國家之間也有許多活動，仍然受到『半
官方』與『非官方』規範的制約。所以，一個國家對國際社會
的實質貢獻，即使是在非官方活動範疇中的表現，也應受到重
視」外，李總統登輝先生還表示，台灣在國際上的貢獻方面，
其大意爲，台灣通過香港對中國大陸南部沿海地區之投資接近
四十億美元，此類經濟活動也擴及東協國家、越南、俄羅斯、
中美洲及非洲等國家的同時，在中華民國政府遷台初期，美國
對台灣經濟發展的多方援助，我們未曾忘記這一份「雪中送
炭」的溫暖外，現今我們在緊密的傳統情誼下，台灣是美國政
府公債的第二大購買國。

二十二、社會、經濟的快速變遷方面：

　　在社會方面，除有關「台灣前途」的政治性活動外，自民
國八十年代以後，過去以「革新政治」訴求，佔絕大多數的街
頭運動，已逐漸被民主議會所取代後，轉而從事，諸如反核、
反空污等環保運動；女性自主、雛妓救援等女權運動；反黑、
反毒等社會安全運動；以及爭取殘障、老年福利，八十四年開
辦全民健保等社會救助、福利運動，逐漸成爲社會的新焦點。
在經濟方面，在民國七十三年，政府除了推出十四項重要建設
外，在民國七十九年時，爲了謀求全面平衡發展，使之台灣成
爲西太平洋金融、交通轉運中心和科技重鎮，而又推動了所謂
的「國家建設六年計劃」。至於，在民國七十三年所宣佈的經
濟自由化和國際化政策方面，它在民國七十六年戒嚴的廢除，
以及在民國八十年宣佈對動員戡亂時期的終止下，隨著台灣工

商業經濟實力的不斷壯大，而逐漸一一拋開過去太過保守性的
枷鎖。其具體措施，在國內方面，除了逐步解除進口管制、大
幅降低關稅稅率、以及大幅放寬外匯管制外，取消銀行利率的
管制以及開放民間設立銀行的同時，也大力推動公營事業民營
化的措施。在國際化方面，除了放寬外國公司在台投資的限制
外，積極設立台灣境外金融中心，使之新台幣朝向國際化發展
的同時，近年來，又籌設亞太營運中心，使之台灣成為未來亞
太地區運輸、金融和資訊的重鎮。

二十三、兩岸關係的演化方面：

自國民黨在大陸失敗來台後，為了力求生存以及確保我國
的國際地位，而在政、軍的發展上，大致可分為三個階段。

第一階段，是自民國三十八年金門古寧頭戰役以來，除了
陸續發生了多次的海戰、空戰以及在民國四十七年所發生的
「八二三」炮戰外，國共雙方正處於一個極為緊張的軍事對抗
之中。然而，在國際發展上，在此期間，則是屬於一個全面鞏
固外交的時期。它自民國三十九年六月，韓戰爆發後，蘇俄就
屢次提出、排斥中華民國在聯合國的代表權問題。然而，在各
友邦的支持下，數次否決了該提案，而暫時保住了中華民國在
聯合國的合法地位。

第二階段，在民國六十年到民國七十六年間，在軍事上，
台灣雖然面對著中共武力解放台灣的威脅，但是幾乎沒有大規
模軍事衝突的爆發。在外交的發展上，在此期間，則是屬於一
種的彈性外交時期。自民國六十年十月，在蔣氏「漢賊不兩
立」的決策下，被迫退出聯合國不久後，於民國六十一年時，

日本就率先承認中共，而其他國家也陸續跟進。至於，在美國方面，則於民國六十八年元旦時，也正式與中共建交的同一天，中共全國人民代表大會常務委員會，就發表了「告台灣同胞書」。其內容大致為，中共將「尊重台灣的現況及台灣各界人士的意見，採取合情合理的政策及方法，避免使台灣人民蒙受損害。」外，還從事和平統戰策略，倡議雙方通郵、通航和通商等「三通」，以及從事學術、文化、體育、以及藝術等「四流」呼籲。這時，蔣經國先生在美、中（共）建交聲明中，堅持：「國民黨在任何情況下，都絕不與中共政權進行交涉，又絕不放棄收復大陸、解救同胞的神聖使命，這個立場絕不變更。」的主張，即為後來的所謂「不接觸、不談判和不妥協」等「三不政策」。然而，在國際現實主義下，為了打破「漢賊不兩立」，導致敵進我退，逐漸被孤立的事實後，則又被迫改採彈性外交策略，諸如，在政府活動方面，雖然仍採「三不政策」，然而，在民間參加國際活動方面，則採「不迴避、不退讓」等彈性原則，來致力與無邦交國家發展經濟、貿易、文化和科技等實質關係。

　　第三階段，為民國七十七年，李登輝繼任總統後，所進行的「務實政策」，其大要為，不再堅持「中華民國」是中國唯一的合法政府外，強調中國處於分裂分治的兩個對等政治實體，以及中華民國是一個主權獨立的國家的同時，以經貿實力，來打破中共的外交封鎖，以及確保「中華民國在台灣」的國際地位，為其施政理念後，而於民國八十年又通過了所謂的「國家統一綱領」，希望透過交流互惠、協商溝通等漸進方

式，來達成國家的統一。但是，由於中共無視於分裂分治的事實，堅持其一國兩制的主張，致使兩岸關係，至今民國八十六年底，仍未有突破性的發展跡象。

二十四、隨著政治而起舞的文化方面：

　　台灣的文化，除了受到地理位置（環境）的影響外，它往往也隨著政治的轉變，及其各項的經濟建設，而呈現出種種不同的文化風貌。其情形，有如台灣是一個島嶼型國家，交通四通八達，國際貿易繁盛，因此人民胸襟開闊，很樂意吸收外來新的和好的文化外，至於在其他方面，也相當受到當代政治形勢以及外來勢力的影響，其情形，有如政府遷台，台灣被迫承接大量的中國文化外，台灣在戰後的邊陲資本主義發展過程中，也幾乎全面的接收了西方文化的移植與架構。長達五十年的日據時代所遺留下來的文化，即使國府曾刻意剷除，而禁映日本電影、禁講日語、拆除日本神社……等手段，不但無法根除日本文化對台灣的影響，而且逐漸發展爲模仿的對象，尤其是在生活文化方面，諸如電視節目、休閒娛樂、服務人員的訓練方式……等，均能看到日本文化的影子。在上述種種的環境下，所孕育出的文化傾向，以旗袍爲例，在歐美流行迷你裝時，旗袍的開叉更高了，歐美流行緊身裝時，旗袍跟著窄了，而且旗袍可以配洋式鞋子，洋式大衣，洋式裝飾品……等，顯得台灣文化比較活潑、多樣化且具有伸縮性。在思想、觀念方面，對於固有文化道統的舊禮教，在「時代在變、潮流在變、環境在變」的衝擊下，各種價值觀念急劇轉變，過去古聖先賢所重視的禮樂教化似乎也得不到大眾的青睞，即使是琴、棋、

書、畫等藝術修養也被看作「舊式士大夫」的清閒活動，被嗤
之以鼻外，而崇尚昂貴的打高爾夫球運動。在戲劇方面，不但
典雅且具有兩、三百年「雅俗共賞」的戲劇，已爲電影、歌舞
節目所取代，而少人問津了。在娛樂爲主導的文化取向上，從
事文學、藝術之工作者，反而遠不如影星、歌星受到社會大衆
的注意與重視。在民主、自由思潮的興起以及在工商業快速發
達影響下的自我（主義）思想方面，當代人只迷於物質、看不
到精神，只顧到現世，忘掉了永生；他們爭取解放，追求自我
意識，爭取思想獨立，言論自由的同時，往往侵犯了他人自
由，把他人變成俘虜。在社會上也大量地出現貪污走私、仿冒
僞鈔、詐欺、勒索、殺人搶劫等現象，因此陳其南學者，在文
建會所出版的「文化傳播叢書」第一册中，指出，台灣目前所
出現的種種畸形文化爲：

　　1.住宅區裏比美萬里長城的「圍牆和鐵窗文化」。

　　2.不能再更亂更糟的「交通文化」。

　　3.滿街的攤販和市場景觀所表現出來的「髒亂文化」。

　　4.空頭支票滿天飛的「票據文化」。

　　5.工商及學術出版界抄襲之風所孕育出來的「海盜文化」。

　　6.隨處可見街頭巷尾的廣告牌上的「色情文化」。

　　7.另外，加上紙醉金迷的「馬殺雞文化」。

　　8.隨著經濟發展所帶來的「暴發戶文化」。

　　9.以及殘留在各級政府機構的「傳統官僚文化」等。[51]

二十五、自解嚴以及終止動員戡亂時期後的文化變遷，
##　　　　及其走向方面：

　　自民國七十五年（西元 1986 年）九月二十八日，民主進步黨愴促成立，正式打破了國民黨一黨統治七十五年的局面，以及在民國七十六年七月十五日，國府被迫宣佈解嚴，終止長達三十八年的戒嚴統治政體，而大力修法改革，回歸憲政體制之際，於民國八十年四月三十日，又正式宣佈終止動員戡亂時期，來承認大陸爲一個政治實體時，台灣又面臨一個新而複雜的挑戰。在文化的發展方面，自解嚴後，當台灣人民剛注意到有關台灣主體性的發展以及文化問題時，又隨著開放大陸探親、觀光旅遊、投資設廠、官員互訪、以及定點直航的擬定等因素的影響，而形成一個相當錯綜複雜的局面。今就兩岸之關係以及台灣自主性之文化發展方面，摘錄一些比較有代表性的看法簡述如下：

　　㈠、當政府宣佈終止動員戡亂時期時，行政院文建會郭爲藩主委，正在立法院備詢時提及，將在下列幾個大方向做適當的修正：*1.*大陸地區文化資產的維護。*2.*關於台灣經濟的傳承及出版品將有系統輸向大陸。*3.*成立中國語文研究所，保存不同方言，研究中國字形、字義。*4.*與大陸學者從事學術合作，有系統整理、著作大型學術作品。*5.*舉辦可讓大陸人參與之各類獎項等。（自由時報 80.5.1.）。

　　㈡、在重視本土文化方面，諸如關心熱愛台灣的有識之士見到台灣文化的危機，也做適時的呼籲。

　　1.**在消極方面**：要設法消除有如陳儒修學者在民國八十二年十二月所出版的「台灣新電影的歷史文化經驗」一書中，指出：「……在剛過去不久的歲月裏，台語仍被認爲不適合在大

衆媒體出現，台灣的音樂與台語歌被定義爲『地方民謠』或『民俗音樂』，無登大堂之雅，不能在電視或國家音樂廳表演，台灣文學被認爲是『鄉土（區域）文學』，總是不如中國本土文學；台語片則被認爲相當低俗；電視或電影中說台語的演員，不是小丑就是呆子。教育系統則不斷強化，任何與台灣有關的事物，都比較差，說台語的人，更是低人一等。由於政府的『一個中國』政策，教科書教導中國的歷史地理，台灣的學生熟記中國大陸所有的山川，以及歷朝歷代的王公將相，但是學生在地理課本學不到台灣的地理，在歷史課本學不到台灣的歷史。」㉒等現象。

　　2.在積極方面：有如陳銘城學者，於民國八十三年一月五日，在自立晚報談「台灣文藝復興運動」一文中所做的呼籲，認爲社會大衆應該重視：「(1)本土人物傳記、兼及邊緣傳奇角色，(2)兼具文學與歷史意義的口述作品，(3)生態保護、族群和諧爲主題的報導文學、通俗論述，(4)原住民，以及『外省人』認同台灣的文學作品、文化論述，(5)可讀性高的民俗、民藝、神話、傳說、地方文物等，(6)優秀的詩、散文、小說，尤其鼓勵實驗性的作品等。」㉓

　　㈢、有關上述的情形，在官方的反應方面，根據立法院教育委員會於民國八十四年（西元 1995 年）一月九日，通過了一項臨時提案，要求未來在中、小學地理課程中，有關區域地理應分成鄉土、台灣、中國與亞太、世界四大部，並以「１：１：1.5：1.5」的比重進行配編時，教育部次長李建興表示：「本次國民中小學課程標準之修訂，是基於立足台灣認識台灣

的理念。在國小部份，新公佈的社會課程標準，已將各縣市鎮的自然、人文環境、台灣地理環境、民俗藝文、社會變遷、經濟發展、習俗與生活列入教材綱要中，作為未來編寫教科書之依據。」⑭然而在它的具體實踐方面，在民國八十六年九月時，在國民中學教科書中，已經正式有〝認識台灣歷史篇〞、〝認識台灣社會篇〞和〝認識台灣地理篇〞等教材的出現。

　　不管上述，企圖把原住民、閩南人、客家人、外省人以及歸化為台灣人民之世界各國之人，凝聚為具有「台灣意識」的努力，會有什麼重大突破性的發展？然而，在急速蛻變中的台灣〝五族共和〞社會，相信能夠建設出一個富有人性、正義和民主自由的社會與文化，乃是人人所希望的。至於，有關台灣在近五十年的發展情形方面，尤其是民國七十七、八年以來，國民黨當局在李總統登輝先生的領導下，所做的「寧靜」大革命，由以下十七篇，來加以更詳細的說明。

命運之島～台灣～
福爾摩沙人的悲歌（總論篇）

　　自辱國格陷孤島的國民黨，在聖旨、官意「一言堂」的專制決策下，危機四伏，險難重重。台灣島內民怨日甚一日。在民國七十六年（西元 1987 年）初，是人民開始向國民黨戒嚴體制全面挑戰之年，根據警方的統計資料顯示，在該年的一月到九月之間，對於政治、外交、環保、勞工問題、農業問題、學生要求「大學法的修改」以及黨、政、軍、特退出校園……等集會、請願以及街頭遊行示威等活動，就有一千二百八十五次。至於在民國七十六年（西元 1987 年）七月解嚴後的一年內，又根據統計資料顯示，人民的聚眾遊行、請願有一千七百多次，而動員維持秩序的警力達二十七萬人次之多。究竟他們在抗議些什麼呢？要求些什麼呢？而國民黨政府，又在民國八十五年（西元 1996 年）三月下旬舉行總統民選，五月二十日正式登基，成為台灣四百年來首位民選總統誕生之前，又改進了些什麼呢？根據他們的演講，所散發的傳單，以及書本、報章、雜誌的刊載，加以整理出，命運之島～台灣～福爾摩沙人的悲歌總論篇外，還有 1.冤案、假案與錯案不斷篇 2.民主萬歲篇 3.選舉選黨外，民主有後代篇 4.落實憲政以杜絕亂源篇 5.強人不死，民主不生篇 6.國會全面改選篇 7.堂皇包裝的地方自治

篇 8.二二八遲來的喪禮篇 9.苦難的台灣人民，有家歸不得篇 10.黨、政、軍、特盤踞校園的恐懼篇 11.落實軍隊國家化篇 12.情治系統須國家化、合理化篇 13.外匯存底神秘運用、國庫通黨庫以及經濟腐敗篇 14.外交一敗塗地篇 15.監察院千古篇 16.請勿踐踏基本人權篇 17.政治受難者不復權，民患永不絕篇等十七篇，而其內容之大要為：命運之島～台灣，在馬關條約下，李鴻章以「花不開、鳥不語；男無情，女無義」割之無足以為惜下，於西元一八九五年（光緒二十一年，明治二十八年）五月八日，拱手讓給日本達五十年之久。在民國三十四年（西元 1945 年），日本被美國投下兩顆原子彈，無條件投降後，台灣獲得短暫的解放。不過四年後，台灣又回歸到蔣介石統治的中國之手。台灣和大陸沒有實質關係，又再度中斷了四十餘年。近百年來，台海一水之隔，帶來了分離的政治實體，這是誰之過？目前以社會主義為面具的北京政權隔著海峽宣稱台灣是中國的一部份。以台灣特殊的歷史背景而論，中共急於武力「解放台灣」實在匪夷所思。然而做為以資本主義為中心的美國，也插上一手，並把台灣視為她遠東「不沈的航空母艦」。回顧近四百年來，苦難的台灣人民，在異族的統治下，或淪為農奴，或淪為二等國民，一再受外來政權的擺佈、侮辱，台灣人民始終扮演著舞女生涯，首先陪著荷蘭人，而後陪著鄭成功、滿清帝王、日本軍閥和國民黨。國民黨政權全力禁止人民唱「苦酒滿杯」，卻禁不了人民內心的苦酒滿杯。可憐的台灣人民，陪著國民黨忍辱歡笑，前程黑濛濛，不知什麼時候我們才能出頭天，真正做自己的主人？

國民黨政權自大陸敗退台灣後，整軍經武，枕戈待旦，喊出反攻必勝，建國必成，「一年準備，二年反攻，三年掃蕩，五年成功」，四十年來虛無漂渺的夢想，最終被證實是一場大欺騙。四十年來反共必須專制，對內殘酷統治，對外金錢外交的偽善，仍然無法擺脫被列強遺棄的命運，以及被一些芝麻小國從事國際敲詐勒索的對象。腐敗內政，萬年老賊繼續混，官員繼續刁難百姓，軍警繼續踐踏人權，稅賦繼續提高，從大陸帶來的貪污惡習照舊，一切照舊。

蔣經國在其父親要死時有交代，總統要繼續做，繼續做，不要換……。四十年來，台灣人民在動員戡亂時期臨時條款的束縛下苟延殘喘毫無人權。國民黨以一紙戒嚴令剝奪了憲法賦予人民的言論、集會、結社的自由。一些愛國志士內爭民主、外爭國格，用合理、合法手段爭取改革。不料國民黨在廁所裏閉門造車有四十年之久，黨外菁英居於愛國心切敲敲廁所之門而被套上野心份子，敵人走狗，陰謀加陽謀等罪名，被誣陷整肅，監獄額滿，有的老死獄中，有的家破人亡，甚至有的禍延祖孫慘遭滅門。這些台灣愛國志士究竟犯了什麼滔天大罪！

蔣經國及其父親兩代強人政權結束以來，台灣人民面臨著是否能夠過著人性尊嚴生活的抉擇。偉大的台灣人民已經堅決地、勇敢地站了起來，阻止國民黨繼續宰制台灣命運的企圖和野心。尤其這幾年來，國民黨和中共政權關係早已從「熱戰」降為「冷戰」，而且從「冷戰」逐漸朝著「冷和」方向前進，使得一些激進的台灣人民，憂慮著台灣可能一夜之間被出賣的命運。不管台灣是獨立或是中國統一，或是以三民主義統一中

國，則必須經過台灣絕大多數人民的同意與認同。武力統一必會造成「三年一亂，五年一反」而走向台灣與大陸「分則治，合則亂」的歷史軌跡。

歷史告訴我們，什麼人與眞理爲敵就會失望，什麼人與人民爲敵就會慘敗。沒有其代表而對其施以統治就是暴政。四十年來國民黨以禁忌、神話隱蔽許許多多國家社會問題，扼殺了我們的政治生機。在許多大規模的警民衝突中，我們不禁要問，誰在製造事件？誰在倡言暴力？誰在非法活動？誰在猖狂？誰在假「暴」之名，行「鎭」之實？我們豈能容忍，國民黨不尊重台灣的歷史、文化、語言和習慣，只想把台灣當作殖民地和反攻的跳板。我們豈能容忍，國民黨用人循私，以庸才指揮人才，有主義不能行，有好政策不會用。我們豈能容忍大中國沙文主義者，「人在台灣，心在大陸」或「立足台灣，意淫大陸」始終不肯認同這塊土地之人，或是以台灣爲第二故鄉，而心存美洲大陸之人？我們豈能容忍蔣經國大限之前，國民黨政治權貴就佈下奪權計畫。蔣經國屍骨未寒就出現「狗咬狗」似的人面不如豬頭的醜態，在台灣上演著戰國風雲？我們豈能容忍黨內大老「世代利益」在台灣，把舊的一代交棒給衆多的「阿斗」之流，繼續雄霸、盤踞、胡搞瞎搞，禍害胼手胝足苦難的台灣人民？我們豈能容忍國民黨當局所謂的「解除戒嚴」只是把憲法從冷凍庫擺到冷藏庫？我們豈能容忍民主社會的獨裁變相政制，強行制訂戡亂時期「國家安全法」、「集會遊行法」及人團法等違憲建築？我們豈能容忍國民黨三十七年的「報禁」和利用百姓血汗錢補貼、收買許多的大衆傳播「工

具」爲國民黨美容外，這些御用的大衆傳播傳聲筒，還假惺惺
地扮演客觀、公正貌，對黨外人士的犯規明察秋毫；對國民黨
的犯規視若無睹；對黨外人士的過失做惡意的誇張；對國民黨
的過失做善意的解釋？我們豈能容忍國民黨不保障人權，打、
刺、吊、灌、電等刑求，樣樣具全。我們豈能容忍部份軍人、
警察、和公務人員，無法超出黨派，嚴守中立立場，以杜絕社
會亂源外，抱著「惡法亦法」的落伍觀念蠻幹？我們豈能容忍
和平力量的失落，這些不守憲法的軍、警公務人員推出「愛國
是惡棍最後的招牌」，以「愛國者」自居以暴力對付「非我族
類」任意踐踏人權，製造暴亂，棒打手無寸鐵，頭戴斗笠的農
民；拳打腳踢高呼和平的四、五十位純潔的學生。我們豈能容
忍在自由民主和具有人權思想的社會中推出強權即是公理，國
民黨立委黨部書記長林棟公開發表「權力本來就是用『奪』
的，要奪就奪大家各憑本事。」㊽我們豈能容忍國民黨特權瓜
分公有地和權貴佔用公宅的同時，我們豈能容忍黨國不分，國
庫通黨庫，視天下如私產，任意揮霍百姓血汗錢。我們鄭重呼
籲尊重人權請刪黑預算。我們更不願見國民黨每月分別用兩百
五十萬的津貼收買中國民主社會黨與中國青年黨充當民主政治
的花瓶。我們豈能容忍黨政不分，人事黨化、軍隊黨化、行政
黨化、教育黨化，我們也懇切的呼籲黨棍爪牙請勿對善良民衆
施以暴虐，而對大陸共黨束手無策。我們豈能容忍，在台灣居
住四十年，吃台灣蓬萊米長大之人，尤其是第二代或第三代的
子弟，不能和台灣人民和睦相處外，還無恥的提出特權，來享
有大陸籍民意代表的主張。我們豈能容忍國民黨和特權、豪

門、黑道、投機政客和陳腐教條主義者廝混，造成台灣目前混亂的局面。我們豈能容忍苦難的台灣人民為自己的幸福、前途爭取發言權及決定權時，而遭受政治迫害或生命威脅。現今台灣正面臨繼絕存亡的關鍵，我們對國民黨的信心已經動搖，台灣人民除了走上街頭，對它還能期望些什麼？我們期望台灣自由、正義的守護之神，能夠大顯靈威。我們也期望過去四十年來，受到特務、政工所迫害以及二二八枉死的冤魂野鬼，全部出來討回公道，共同衝破歷史累積下來的黑暗與腐敗！讓我們祈禱一個豐收，明天——自由民主的花朵開遍美麗島！

一、冤案、假案與錯案不斷篇

在國民黨來台的早期，除了爆發莫名奇妙的二二八事件外，爲了長期的統治與奴役其人民，在蔣氏的威權統治下，根據法務部的報告，軍事法庭受理的政治案件（白色恐怖案件）有兩萬九千四百零七件，而受難者在十四萬人以上（自晚85.11.19 魏廷朝，也談綠島垂淚碑）。然而，又根據司法院透露，政治案件達六、七萬件，使之當代的許多苦難人民，在情治單位，爲爭表現，誇大「匪諜」本領、或是擴大解釋不忠於國民黨政權，不知犯了什麼罪，就被抓去坐牢、槍斃或失蹤的情形，因而，有李總統登輝先生，發自內心深處很感慨的表示：「以往像我們這種七十來歲的人，在晚上都不曾好好睡一覺；我不想讓子孫受到同樣的境遇。」

壹、安息吧！死難的台灣人民：

看守所爲他準備了饅頭、滷蛋及一小瓶高粱酒是永別的早餐，藉著酒精的麻醉減少子彈穿身的痛苦。

安息吧！死難的台灣人民！

別再爲台灣的民主擔憂。

你的血照亮了台灣民主之路，引導全台灣的人民向前走。

你是民主的鬥士，你爲正義而犧牲。

我們會踏著你的血跡，追隨你的遺志永遠向前走。

安息吧！死難的台灣人民！

我們會踏著你的血跡，繼續民主的香火，永遠向前走。

在打、刺、踢、電、灌、吊下，苦難的台灣人民，血一直的滴，血一直的流在受苦受難的土地上。當統治著恣意踐踏台灣人權的時候，朋友，你站在那一邊？當黑牢酷刑不斷，台灣人民哀號四起的時候，朋友，你站在那一邊？沒有法紀的國民黨口口聲聲要堅守民主陣容，一天到晚對外宣稱沒有政治犯。然在國民黨獨裁專制下，警察、特務被賦予「生殺予奪」的濫權，製造了無數的冤獄、假案、錯案。生存在國民黨統治下的台灣人民是何等的悲慘，生命是那麼的沒有保障。看看二二八事件，有多少無辜之人被殺。看看政府自從頒佈戒嚴令以來，多少人被隨便扣上帽子就被抓去槍斃或坐牢。只要是與國民黨意見不合的就被認為是共產黨或是共產黨的同路人。台灣人民在殘酷的統治下掙扎。多少人在尊嚴與凌辱之間為台灣的民主前途奉獻生命與青春。多少人民在正義與不義之間永遠站在第一線反國民黨。多少台灣人民風燭殘年、老弱貧病交加的活著是為了控訴國民黨。又有多少人在苦難的台灣邁向公理與正義的大道上失去了自由而寫下"民主尚未成功，兒子仍須努力"。

貳、莫名其妙的罪刑：

在談到莫名其妙的罪刑之前，首先須了解什麼叫做「良心犯」？什麼叫做「政治犯」呢？所謂的良心犯是不曾運用或擁護暴力，只因本身的信念而遭受監禁之人。政治犯是由於思想或信念與統治當局之不同而主張使用暴力的被監禁者。由此可知良心犯只是一個思想和言論自由的問題。因此國際特赦組織

的判斷標準認為良心犯是無罪的，應立即無條件釋放。對於政治犯方面，則要求做公正的審判。至於對良心犯、政治犯以外的囚犯方面，國際特赦組織也要求給予公正、人道的處置，反對刑求、虐待與處死。

今摘錄自民國七十七年以來，在社會上形形色色對當局不滿的控訴，以供國家在轉變期，邁向真正民主的參考。

一、四六事件：

民國三十八年四月三日，發生了台大和師範學院的學生與警察衝突事件。四月四日、五日晚上陳誠先後約集台大校長傅斯年，教育廳副廳長兼師範學院院長謝東閔，以及省府秘書長蒲薛鳳會商後，四月六日，早晨命令師範學院即日停課解散，所有學生一律重行登記，違者除名的同時，大舉搜查學生運動據點──省立台北師範學院（今國立師範大學）學生宿舍，並逮捕台大、師範學生二、三百人。在被移送軍事法庭審判的十九名中，有數人被認定為首謀，被判處死刑，並執行槍決。這就是轟動一時的「四六事件」。

二、台中事件：

二二八事件後的三年，國民黨持續以高壓手段統治台灣。當時有血性的知識份子再也不做沉默的大眾，他們紛紛在各地成立牛犁會、讀書會、國語講習班……等。民國三十九年五月中旬，讀書會的成員五十四位男士、九位女士共六十三人行蹤不明。在他們被移送軍法處前，他們在保密局（國家安全局的前身）渡過了一段暗無天日，慘無人道的悲慘歲月。保密局的刑具比當今的調查局及保安處更齊全。除了五花八門的刑具

外，更有叫人屍骨無存的鹽酸池。九位女同志無一倖免的都遭
到用牙刷刷下體的刑求，男同志都享受了坐飛機（手、腳反縛
連在一起，中間插上木棍吊在半空中），坐老虎凳、拔指甲、
以長針由指甲穿過等不同的招待。除了日夜遭受刑求，不准與
家人通信外，晚上睡覺沒棉被可禦寒，只好縮成一團，蹲在押
房的一角挨凍，衣服穿破了就撕成布塊圍住下體。伙食千餐一
律是冬瓜湯和紅燒冬瓜。每個人都患了營養不良症及皮膚病，
請求看病的結果，醫官的處方是「開水」，要他們多喝開水。
當他們被移送軍法處後，不久，第一批七個人被捆上刑場槍
決。第二批五男一女，第三批六位男士等，被判處無期徒刑。
其餘的四十四位都被判處十二年以上的有期徒刑。（出土政治
冤案，P.7 台灣 1947-1985）

三、麻豆案三十六人盡成「匪諜」：

　　民國三十九年五月下旬，留日醫師，初中老師，鎮公所課
長、職員，麻豆糖廠工人等三十六人被捕。理由是「你們是有
組織的匪諜組織，因為你們的組織中已有人向我們自首了。」
謝瑞仁理事長在刑警隊時，兩根大姆指被套上繩子吊在半空中
外，並用粗鐵線從輸尿管（尿道）穿進去。這種刑罰該是野蠻
落後國家所僅有的。該年八月第一批三人被槍決，第二批九人
被判無期徒刑，第三批及第四批等十八位被判處十年、十五年
不等的有期徒刑。第五批六人較幸運，被以知情不報罪判處二
年到五年的有期徒刑。（出土政治冤案 P.19，林樹枝著，台灣
1947-1985）

四、為獎金、升官製造了無數的「匪諜」案：

自民國三十六年以迄於今，所有情治單位對政治案件最感興趣，他們能將一個無辜的善良百姓，「製造」成萬惡不赦的匪諜。在獎金與升官的鼓勵下，案子愈大，牽連的人愈多，羅織的罪名愈重，則獎金愈多，官也升得快。反之，如被補的人被無罪釋放，則承辦人就要被記過處分。所以凡是被他們以叛亂嫌疑犯逮捕的，即使經查毫無犯罪事實或實在是逮錯人，也要隨便按上個知情不報或為匪宣傳等較輕的罪名，給予三、五年的判決，算是向上司有所交代。如此的判決在情治單位有一定的行情；以一九七〇年（民國五十九年）左右為例，凡有人被判死刑且又槍決的，則辦案人員有獎金貳拾萬，法官拾萬，執行槍決的那天，看守所的所長、政戰官、監獄官及押解人犯的憲兵及班長（及獄卒）都有獎金。其他以懲治叛例第二條第一項、第二條第三項、第五條、第七條……就看判刑的輕重而發給獎金。

㈠靠檢舉升官、發財，老鄉害老鄉：

　　一九六五年（民國五十四年）二月十三日，台北市警察局安全室的數位情治人員，到邱宏臣的住處「請」他到警局一談。這些情治人員非但都是山東老鄉，多數還是萊陽小老鄉，更是坐同條船到台灣來的。李××對邱宏臣說：「我們是小同鄉，我會害你嗎？我在青島的時候能到海事警察局任職，還是你叔叔幫我介紹的，算起來你們邱家還是我的恩人，我會騙你、害你嗎？」當李××無法勸服邱宏臣後，則換了三位高頭大馬的便衣人員，把邱宏臣的雙手反銬在鐵柱上，脫掉他的褲子，用新的牙刷刷他的龜頭。剛開始刷時，邱宏臣還極力忍

受，但刷破了皮，又流了血水後，刑警又把鹽巴灑在傷口上……。他痛得昏了過去。刑警用冷水潑他，邱宏臣醒來後覺得疼痛愈烈……最後爲了保住「那玩意兒」被迫承認參加共產黨，並擔任山東軍區的聯絡員。在毫無佐證下含冤坐完十二年黑牢。他恨自己生不逢時，更恨自己生爲中國人。（出土政治冤案 P.81，林樹枝著，台灣 1947-1985）

㈡洪文慶的「台灣民主自治同盟」案：

　　一個天眞善良的台灣土蛋——楊文源，在一九五九年（民國四十八年）九月底，因欲參加律師高考而翻閱六法全書。發現戡亂時期檢肅匪諜條例第九條，明知爲匪諜而不告密檢舉或縱容之者，處一年以上七年以下有期徒刑。他憶起了十二年前二二八事件不久後的三月十一日，蔣介石在南京廣播，所謂「台灣民變的處理方針」，他說：「此次民變，只不過是前被日本遣送到南洋的台灣軍人，爲共黨所煽惑，圖投機取巧……。」又以後因參予二二八事件，台籍同胞凡被逮捕治罪的都被冠上「匪諜」之名。這土蛋楊文源自認爲向治安機關承認「曾藏匿過陳柏淵，我就清白了。至於陳柏淵參加二二八事件，已經過了十幾年，他們也應該不會再追究才對，即使要追究，陳柏淵也不會那麼容易被逮到才是吧！」於是楊文源就向警總保安處台南站自首。參謀人員告訴他：光是你自首，沒有用，你一定要把陳柏淵找出來，向治安機關投案，否則你也有罪。如果人死了，就拿他的死亡證明書來銷案。……如果一個月沒找到，我們就把你移送軍法治罪。

　　在這種的威脅下，這個土蛋，不得不四處打聽他的學生陳

柏淵的住處。二十餘日後，終於輾轉打聽到陳柏淵母親的住處。他向陳母說：「治安機關已經知道柏淵曾參加二二八事件，也知道他的住所，他們不逮捕他，是希望他能主動出來投案，投案就可沒事，如果叫他們逮到的話，就要被判死刑，你趕快叫柏淵出來投案吧！」陳母信以為真，也判定老師絕沒有害學生之理，故將楊文源的話轉知其子。以為投案後就可以自由自在的過日子。那知道事實與他所想像的差距那麼大，參謀首先要他交出組織的名單。陳柏淵說二二八事件是一件突發事件，那會有組織。參謀當即以警總的全餐招待。他被刑得迷迷糊糊，拼命回憶當時結識的朋友，他隱隱約約的說：「……高雄漁會的洪德龍、曾滄水，當醫師的魏通、做工的王鳳鏘…」雖已說了數個，參謀仍覺不夠，定要他繼續回憶。陳柏淵問參謀：「只有一面之緣的也要說嗎？」參謀答：「當然要，你現在不說，將來我們也會知道，現在坦白了就表示你有誠意，一切都交待清楚了，你就可以馬上回去，以後也不必躲躲藏藏……」陳柏淵被酷刑的數次昏迷，也無法再提供更多的資料。陳柏淵雖已做了最坦白的招認，卻無法如參謀所說的——馬上釋放。他非但仍繼續遭到羈押與毒打，接下來是要他承認，曾於一九四六年（民國三十五年）參加「台灣民主自治同盟」。最後依懲治叛亂條例第二條第一項判刑無期徒刑，但一九七五年（民國六十四年）減刑關十六年。

在洪文慶的案子方面，自洪文慶承認曾與陳柏淵有一面之緣後，保安處的參謀，就要洪文慶承認，十二年前曾做了有利於共產黨的事情。洪文慶是一個殷實的商人，從不過問政治，

更不可能爲共產黨做事。所以他當然不會承認。經歷三天不眠不休的苦刑，只要他們發覺洪文慶的體力稍感不支，就立即給他強灌興奮劑要他喝咖啡與濃茶。到了第三天晚上，洪文慶的意志力與體力已完全崩潰，「生不如死」，他終於向參謀作了違心的告白，說他曾在十二年前批評國民黨政府，並說中共要統一台灣只是時間問題。參謀說不行，這與事實不符。洪文慶就在自白書上寫曾參加中國共產黨。參謀說不對，將洪所寫的自白書撕毀。洪再重寫曾參加台灣獨立黨，參謀說更不對，因爲只有海外才有台灣獨立黨，島內沒有台灣獨立黨，再次的又把自白書撕毀。這不對、那不對，洪文慶實在不知道要如何寫自白書才正確？更不知道應該承認參加什麼組織才能滿足參謀的意願。洪文慶實在痛苦到了極點，他的肉體遍嘗毒刑，人性的尊嚴更被侮辱得消失殆盡，如果不是腳上戴有腳鐐，如果不是連自殺的氣力也被耗盡，他眞想與面前那幾個毫無人性的「人形禽獸」同歸於盡的同時，他經過了更豐富的特餐後，又在自白書上寫曾參加台灣共產黨，但參謀又搖頭。就如此這般的經歷三小時的猜測，也是參謀的一再提示，最後他在自白書上寫了曾參加「台灣民主自治同盟」，這才讓參謀滿意。

洪文慶，自此以爲旣讓參謀滿意，痛苦就可解除，豈知他們又來了一招。參謀又問他在高雄有些什麼朋友？洪文慶心想橫豎都是一死，於是就將他記憶中的幾個，也是認爲應不會讓他們受苦或判刑的人說出來——他的表兄——在高雄市政府做事的陳天明，他的朋友——枋寮國校教員戴揚文、高雄市議會組長陳國坤等，一切都交待清楚，也讓參謀十分滿意後，洪文

慶就被移送到台北保安處，三個月後再移送軍法處。一九六〇年（民國四十九年）十二月中旬，洪文慶接到起訴書，翻閱起訴書他才知道他當時隨便說說，也認為應不會受牽連的陳天明、陳國坤、戴揚文的名字都同列起訴書中。最後洪文慶、陳柏淵、洪德龍依懲治叛亂條例第二條第一項判刑無期徒刑。魏通，依懲治判亂條例第五條判刑十二年。曾滄水、王鳳鏘、陳天明、戴揚文，依懲治判亂條例第五條判刑十年。陳國坤，依懲治判亂條例第五條，又因自首刑期減半，判刑五年。曾松，依檢肅匪諜條例第九條，判刑五年。林順德、陳亨仁、陳亨豐、陳國泉、楊枝勝等依檢肅匪諜條例第九條判刑各三年。（以上節錄出土政治冤案 P.27-33，台灣 1947-1985，林樹枝著）

五、李大全的「為匪宣傳」：

　　李大全出生於一九二五年四川省的巴縣。他是軍人、導遊、舊貨商，最後成為「為匪宣傳」的政治犯。一九七九年（民國六十八年）十一月二日，兩個便衣人員取締他辦公室隔壁的四個女人在打麻將。由於不得其門而入，所以就由李的房子攀登而上。李大全見他們穿得流裏流氣，又不表明身份，故不准他們過去，同時也請教他們的身份。他們答是警察。李又問他們是如何上來的？那兩個便衣人員就把李帶到陽台邊手指陽台下說：「就是從這個地方上來……」。李大全突然的被一位警察扭住左手，另一人則揮拳猛打，結果李大全的左手被扭斷，牙齡被打斷數顆，眼睛差點被打瞎後從二樓陽台推下。

　　十二月六日中午，李大全在中山分局附近，豎起了抗議的

牌子，中文寫著：「主持正義，警察在公衆場合是褓姆，在沒人的地方是後母。」英文牌子寫著：「Justice! The Act of Bandit Police」牌子一豎起，當場數百民衆圍觀，也驚動了中山分局的警察，因此七、八位警察推開群衆要抓李大全。這時，圍觀的群衆有數十名人士對警察大呼：「你們要幹什麼？你們把人家的手腳都打斷了，難道還不准人家吐苦水……」警察看到情勢不妙，個個都抱頭鼠竄不敢再惹衆怒。結果中山分局局長又派了一位督察來，對李大全說：「李兄，請到我們局裏有話好談，你所損失的一切我們賠償你，即使要天上的月亮都可以給你……」

李大全進到分局後，受到貴賓似的招待，除督察請他寫下事情發生的經過外，並要求賠償二十七萬元的醫藥費即可和解。督察室的人告訴李：「警察絕不能承認打人，因此只能說你因參與賭博，見警察取締驚懼而逃以致摔傷，在道義上我們可賠你四萬元。」李大全不答應，當天就不了了之。

幾天以後，管區的警察幾乎天天去拜訪李大全，謂李經常賭博，並要他在訪問表上簽名。原來中山分局已將李大全列爲莠民而往上呈報。如此被連續干擾了近十天，李大全被搞得不勝其煩。在萬般無奈下他求助於監察委員王爵榮。王要李循法律途徑解決，如法院做了不公平的判決，他將爲李討回公道。李大全當即寫了告訴狀投遞到台北地方法院，官司拖了數個月，開庭三次被告都不出庭，最後法官宣判：「經查告訴人是片面之詞，宣判無罪。」李大全再一次認識到在國民黨控制下的司法機構的眞面目，他實在爲這個政權感到非常的悲哀。

　　李大全向中央黨部、省黨部、市黨部、警備總部、市政
府、監察院、立法院、國民大會、警政署等單位投書。而這些
單位置若罔聞。因此李大全決心與國民黨週旋到底：「只要我
有一口氣在，你國民黨休想有好日子過；只要我有一口氣在，
我定與你周旋到底。」李大全就大量書寫大字報，其內容大要
爲：「蔣經國三十幾年都不反攻，趕快收攤吧！」、「民主是
少數服從多數，多數尊重少數，國民黨如有實行民主政治的誠
意，就該讓台灣人民選舉總統」、「日本天皇雖是戰犯，但在
緊要關頭仍有明智的抉擇，消弭二百多萬軍民的災難。國民黨
不懂政治、又緊抓政權不放，是不是要台灣人民陪葬國民黨？」
……除大字報外，還以漫畫陪襯。李大全將大字報從台北的各
公共場所張貼到台中——車站、戲院、市場、公私營各機構的
佈告欄……。一九八一年五月十日台中火車站出現了李的大字
報，台中警察局以爲捉到了匪諜，急告警總，警總回告：「李
大全患嚴重精神分裂症，不必理睬。」

　　一九八一年十一月十三日上午，十二個便衣人員浩浩蕩蕩
的到李宅，向李大全說：「……你含冤受屈的情形，警政署已
調查得很清楚，警察願與你和解，賠償你的醫藥費，並鄭重向
你道歉，請你不要再寄發傳單及貼大字報，所以現在要懇求你
和我們到警察局。」李大全信以爲眞與他們同往。在警察局枯
坐了數小時後，四個年輕人對他說：「有關警察打你的事需依
法處理，但因爲多日來已有七、八個人檢舉你爲匪宣傳，所以
我們必須先處理此案。」之後，他們就展開問口供，做筆錄的
八股程序，李大全當然不會承認他們所欲羅織的罪名。警察在

無可奈何下只得對他說：「沒什麼事了，我們送你回家吧！」
這一送竟然送到景美軍法處的看守所。

　　李大全被警總裁定感化三年的裁定內容為：「李大全因賭
博而誣告警察，又日夜散發傳單，主張與『共匪』三通，以文
字、圖畫『為匪宣傳』，觸犯懲治判亂條例第七條，應予交付
感化三年。」（以上節錄出土政治冤案台灣 1947-1985 ，P124-
128 ，林樹枝著）

六、雷震「匪諜」與台灣民主運動：

　　李筱峰教授對雷震一生的經歷頗有研究，他指出雷震回憶
錄是近代史上的重要史料。「因雷震出身於國民黨的權力圈。
戰前曾任南京市代表大會主席團主席、教育部總務司司長；中
日戰爭時，曾出任國民參政會副秘書長，經常斡旋於各黨派之
間；戰後更擔任政治協商會的秘書長；政協閉會後，參與憲法
草案審議工作，國民大會召開，被選為代表，兼任副秘書長，
在大會期間為審議憲法，與各方折衝頻繁；憲法公佈後，政府
改組，雷震被任為行政院政務委員，兼任行政院法規整理委員
會主任委員及國防經費籌劃監理委員會秘書長；國府在大陸軍
事逆轉期間，雷震曾努力協助安定上海金融；上海保衛戰時，
他更是協助保衛上海的三要角之一；國民黨遷台前夕，他被聘
為總裁辦公室設計員；來台後，被聘為總統府國策顧問，並與
胡適、杭立武等人創辦『自由中國』雜誌。」（自立早報
77.7.23 ）

　　雷震於民國三十八年十一月二十日所創辦的「自由中國」
半月刊，致力於台灣政治民主化運動，不時地批評政府不守憲

法，如黨化軍隊、黨化司法、奉命不上訴、取消救國團、取消
臨條款、實行地方自治……等有關民主的基本主張，闡揚民主
憲政理念，強調以民主憲政反共，反對以法西斯反共。當年他
的最大罪狀是「反攻無望論」明白表示反攻大陸在短時間內不
可能，而要求政府要面對現實，培養持久的心理基礎，停止製
造精神緊張，努力把台灣建設起來，不要有「暫時遷就」的心
理而讓政府因此可以爲所欲爲。諸如蔣介石連任第三任總統
時，「自由中國」更主張不宜如此，大聲疾呼不可毀憲。

　　民國四十九年五月十八日，雷震、傅正和吳三連、李萬
居、高玉樹等台籍人士，以及夏濤聲、朱文伯等民、青兩黨人
士，共七十二人，集會討論有關國民黨在地方選舉舞弊行爲
時，有人提議，須組織反對黨來加以制衡，才是根本解決之
道，經過與會人士的一致通過，並決定成立「地方選舉改進座
談會」，做爲籌備機構後，不久，美國「時代」雜誌負責人亨
利‧魯斯（ Henry Luce ）、美國駐華大使莊萊德（ E. Drum-
right ）以及大使館參事奧斯本（ Osborn ）向胡適表示歡迎
外，還稱讚中國可以步上民主國家之列。56六月二十六日，該
座談會宣佈雷震、李萬居和高玉樹等三人爲發言人，夏濤聲、
吳三連、郭雨新等十七人爲召集委員後，國府不再容忍，除了
對本省籍政治家採取各個擊破外，在民國四十九年九月四日即
是新黨正式宣佈成立前幾天，雷震等人被捕，理由是「爲匪宣
傳」和「知匪不報」。在拘票上面只寫著「叛亂嫌疑」四字，
雷震被捕送到青島東路警備總部。當他走進看守所，獄卒要他
把全身衣服脫掉，說是他衣服不清潔或著有蝨子、臭蟲之類，

還要檢查他的肛門，不悉其用意何在？

　　雷震在所有人的心目中是清白的。雷震案是「欲加之罪，何患無辭」的典範。雷震的太太宋英說：「這是民主史上的一個大案，是爭民主與反民主的一個大案。」她表示，這也是人權的問題，她不願雷震的子孫永遠背著「匪諜之後」的罪名，因此她要求平反。⑤⑦

　　現今（民國七十七年）雷震案當事人之一傅正赴監察院討論翻案問題。傅正指出雷震案是由政工人員一手導演的冤獄。該案是起始於警備總司令部政治部挑起，其後保安處又牽扯進劉子英、馬之驌二人。其中劉子英在雷震案發時，早已離開「自由中國」多時，而竟使雷震因劉的「匪諜」嫌疑入罪。⑤⑧在當時軍事審判時，警總不准雷震與劉子英對質，也不准雷震辯護人梁肅戎向劉子英詢問之後，就被草率定案。在民國七十七年時，宋英打算為夫翻案，未料竟翻出如此結果。雷震在獄中十年嘔心泣血困頓煎熬所寫的四百萬言回憶錄。軍方以「內容不當」並指稱其「攻詰主義」、「詆譭國父」、「污衊先總統蔣公」等罪責為由，自監察院展開調查後極短時間內在警總、軍法局、軍監處之間移送，而後終遭迅速被銷燬的命運。（參見中時晚報 77.7.29 ）

　　雷震四百萬字的回憶錄，據說內容包括刺殺廖仲愷內幕，虞洽卿和執政者的關係，許崇智事件，胡漢民湯山事件，政治協商會議的破裂，大陸的戰敗，以及王世杰下台的經過等對最高當局有所批評和揭露不為人知的史實。

　　至於，內容之正當與否，自有歷史學家去研究處理。況且

雷震並未因寫回憶錄判刑。也不管雷震犯什麼刑、定什麼罪，
旣已獲得出獄，即是刑期已滿，罪已贖完。即使罪未贖完，人
死已多年，亦應已無罪。國民黨統治下的軍人監獄竟充當「眞
理專賣局」檢驗重要的思想史料，並燒燬青史，引發前任監察
委員陶百川先生的表示：「這眞是一個笑話！」的情形。⑤在
中外歷史上，在獄中留下有價值的歷史共有思想結晶，諸如，
對中國文化思想極有貢獻的集法家思想大成韓非子的著作在獄
中完成。司馬遷的史記。開啓西方人對東方嚮往，馬可孛羅獄
中的口述遊記。索忍尼辛的古拉格群島……等對人類文明有著
不可磨滅的貢獻。孰知國民黨容忍異己的胸襟是如此狹隘，以
致雷震身後遺著都要趕盡殺絕，不見天日。國民黨軍人監獄湮
滅史料的暴行，足以和兩千多年前秦始皇焚書坑儒，項羽火燒
咸陽城媲美。國民黨軍人監獄劫掠文明的愚行，使之國民黨隨
著雷震的活在中國青史而遺臭萬年。

七、余登發的「知匪不報」和「爲匪宣傳」的事件：

　　民國六十七年（西元 1978 年）十二月，余登發、余瑞言父
子，以「涉嫌參與吳春發叛亂組織」被捕。余登發被判刑八
年，余瑞言被判刑二年。

　　吳春發是眞匪還是假匪？根據吳春發被判死刑的案情摘要
是，吳春發等一群旅日台灣人，在與中共駐日工作人員的統一
戰線政策聯繫下，並在蔣家國民黨在日特務串通下，於一九七
八年二月在日本成立「台灣自由民國革命委員會」。六月吳春
發返國，到處散佈「細菌」，陷害他人。九月以「叛亂罪」被
捕。自靠寺廟生活的吳春發（吳泰安）被捕後，即誣指余登發

為他的南部地區總指揮。警總乃於民國六十八年一月二十一日，以「涉嫌參與匪諜吳泰安叛亂」案逮捕余登發、余瑞言父子。一月二十二日，桃園縣長許信良、立委黃順興、省議員張俊宏、林義雄、邱連輝，中央民意代表候選人姚嘉文、王拓、陳鼓應、陳婉眞、周平德、邱茂男、施明德和陳菊等人，聚集在高雄橋頭余家，高舉「反對政治迫害」的白布條、遊行抗議、並散發傳單。

吳春發被判決死刑後，不久即被槍決，以免來日透露以「匪」陷害他人之實情外，余登發以「為有利於叛徒之宣傳」及「知匪不報」罪，被處有期徒刑八年，余瑞言以「知情不舉」被處二年有期徒刑。國民黨政府用這種卑鄙手段迫害台灣民主的前途，因而又引起各界的強烈反應。諸如台灣人權委員會一篇「我們願為台灣民主的前途坐牢」的全文，文中針對軍事法庭以「知匪不報」與「為匪宣傳」的罪名，判處余登發八年徒刑，提出沉痛的呼籲：「我們似乎隱約的看到一種悲劇命運正在萌芽；我們幾乎十年辛辛苦苦建立的微小民主政治的成就，已經搖搖欲墜，我們擔心這一代人政治錯誤所遺留的仇恨與不滿，會為下一代人創造無可挽回的悲劇。這是我們萬萬所不願意看到的。但是我們能做些什麼呢？……我們寧願自動的分攤余老先生的刑期……有的一天，有的一星期，有的一個月，有的一年，來挽救千千萬萬繼起的『良心罪犯』的不幸，來挽救台灣進一步走向軍事統治的不幸。」（參見，美麗島第一卷第四期 P.26 ，出土政治冤案 P.209 ）

八、自由報人李「匪」荆蓀含冤坐牢十五年：

　　民國七十七年（西元 1988 年）三月十一日，是中央日報的
六十年社慶，在它氣勢非凡的盛大酒會上，達官顯要集聚一
堂。次日，當年負責督導中央日報遷台工作，並擔任中央日報
在台第一任總編輯的李荆蓀，卻已悄悄地入土安葬。他之死，
在中國的新聞和政治史上所留下的墓誌銘卻應是───一位在黑
暗的政治下被犧牲的新聞鬥士。

　　李荆蓀生前，曾對「中央日報」四個字做個有趣的比喻。
他說，早期的「中央日報」是「只有日報，沒有中央」，所以
還像一份報紙；到了後來卻成了「只有中央，沒有日報」。他
又說：「受到（上面）的指示與指責愈多，一份報的編輯部就
愈沒有自主權。編輯部沒有自主權，報還能成其報嗎？」

　　民國五十九年十一月十七日，李荆蓀以「匪諜」的叛亂罪
被判無期徒刑。當時他的職位是「國家安全會議」經濟建設計
劃委員會的機要秘書（主委是周至柔）、中國廣播公司副總經
理及大華晚報董事長。

　　李荆蓀和十多名資深記者的被捕是因中華日報總主筆俞棘
被捕後所檢舉。俞在偵訊中供稱早年曾與李荆蓀在福建參加讀
書會，也曾被中共誘引秘密參加文化工作成為黨員。

　　李荆蓀匪諜案的軍事審判曾「公開」進行，當時，情治單
位曾提出條件，如果李荆蓀能自認有罪、坦承（坦白承認）悔
意，將僅判二年的感化教育，並迫使李寫下自白書，然而，在
宣判之日，李荆蓀卻只平靜地在庭上表示：「我不認罪，一切
全是冤枉。」結果法庭當場宣佈李荆蓀被判處無期徒刑。李荆
蓀在聆聽審判後，只沈重的表示，他在失望之餘，決定放棄上

訴，以示內心抗議。

民國六十四年，在先總統逝世減刑條例下，改爲十五年，並在民國七十四年十一月十七日刑滿出獄。他含冤坐了十五年的政治牢之後，他只享受了二十七個月的天倫之樂，便與世長辭。（以上摘錄自立早報 77.3.13，徐璐報導）

九、郭「匪」廷亮，再愛國一次！別翻案

孫立人事件的關係人，郭廷亮以及受刑人賴卓先、田祥鴻等十多人打算在國民黨十三全會舉行前，走上街頭。

爲了方便讓大家，對於該事件有所了解，故今將自立早報，於民國七十七年三月二十三日所刊載的郭廷亮於民國七十二年的陳情書（摘要）抄錄如下：

四十四年初，於步兵學校高級班十九期畢業後，即留該校任戰術教官。同年五月二十五日下午六時，忽奉校長吳文芝少將召見，竟出乎意料之外，當我進入其辦公室即遭扣押。在南部經過十晝夜之嚴酷刑求後，於六月六日被押到台北國防部情報局偵防組，再經過月餘之偵訊，於七月十四日下午八時，即隨該局特勤室主任毛惕園少將同往北投毛公館，晉謁毛人鳳上將，旋蒙毛上將親切接見，談話兩個多小時，當時毛上將對我訓話要點爲：

爲了使這次的案情不要擴大而能圓滿解決，只有委屈你了，所以我要毛主任勸告你，站在黨國的立場和我們密切合作，這不但是爲了當前黨國的利益，也是爲了處理參軍長孫上將的唯一辦法。你要知道，作爲一個革命軍人，不但在戰場上要勇敢的爲黨國犧牲，以達成任務，而平時在某一項政治事件

中，如果爲了黨國利益，上級需要我們扮演任何角色，或採取任何行動時，就要把個人的榮辱得失完全置之度外，毫無遲疑的遵照上級的指示去做，以達成政治上的任務。本案是以你的自首來辦理，所以旣不公開，也不起訴，僅在政府內部辦個手續，然後我將眞實情況向領袖提出報告，以政治方式來解決。所以你不必再有所疑慮。從現在開始，在案情方面你必須完全聽毛主任的指導。

我保證你的軍籍、軍職和事業前途，絕不會因本案而受到任何影響。等到案情結束後，我就給你調更好的軍職。

你的家眷現在保安處，只要你照我的話去做，我就立即派人送他們回家。你必須多爲你的妻室兒女著想。

當時我聽了毛上將的訓示，爲了黨國的利益，只有遵照他的指示去做。因此，後來所有的自首書和口供筆錄，都是以當時案情發展的需要，由毛主任等所杜撰編造。

四十四年九月十二日，毛主任告訴我說：「你的自首業已經政府批准，本來很快就可將所有被捕的人釋放了，但是由於部分本黨從政同志和無黨派人士，不相信你所說的是事實，因而紛紛請求調查。所以 領袖已下令指派陳誠、何應欽、張群、黃少谷、兪大維、王寵惠、吳忠信、王雲五、許世英等，組成九人調查委員會，專責調查本案。現在委員會已推選王雲五委員，在最近要和你談話。」

當時聽完毛主任的談話，使我非常驚愕！所以我對他說；「目前 領袖特派陳副總統等地位崇高的黨國大員來調查本案，很顯然的案情已經擴大，我必須坦誠的向調查委員說明事

實眞相。因爲你們替我所杜撰之自首書和口供筆錄，既非事實又不合邏輯，不但無法瞞過調查委員，而且我根本就沒有與任何共匪有過接觸。加以多年來，我爲黨國流血流汗的事蹟，以及平時工作言行的表現，我的長官、同事、部屬，沒有任何人相信我會與共匪有關係的。而今既已引起黨內外人士之懷疑，且由調查委員會推選王雲五先生來和我談話，我想最好將事實眞相向王委員提出報告，並將所杜撰僞編的自首書和口供筆錄等，加以說明和否定，以免犯下欺騙和僞證罪。」

毛主任說：「你的想法也有道理，但是這件案子之所以如此辦，我也是奉命行事，所以我只能將你的意思轉報毛上將，再向他請示。」

九月十三日晚間十時許，毛上將倏然親臨偵防組召見我，並對我作了下列諸點訓示：

一、明天上午調查委員王雲五先生就要和你談話。你的想法毛主任已報告了我，因此，我特地到這裏來作進一步的和你說明。

二、爲使本案能圓滿順利的結束，你必須毫無遲疑的照我話去做，特別是王雲五先生問話時，一定要根據我們爲你所編的資料去回答，以免引起不良的後果。

三、王雲五先生不但在學術界具有崇高的地位，而且也是無黨派人士有力的代表人物，作爲一個革命軍人和忠貞的國民黨員，絕不可在無黨派人士之面前，說出有損黨國利益之言論。所以王雲五先生問話時，必須特別謹愼。

四、現在可以坦白的告訴你我們之所以要你這樣做，完全

是執行上級的決策，因為我們不能因本案之處理不當，而產生不利於政府的輿論，致影響到中美間之合作關係，更不能為本案在處置上有欠週之處，而導致軍中意見之分歧，損及部隊之團結。所以你必須站在黨國的立場，以大智、大仁、大勇的犧牲精神，將此案件承擔起來。

五、只要你照我的話去做，不但對你軍籍、軍職和事業前途不會受到絲毫的影響，而且我保證你未來的事業前途將更光明、更遠大。

當時在此情況和壓力下，我除了向毛上將表示，照他的意旨去做外，別無考慮之餘地。

按照毛上將非要作如此安排，依當時狀況，顯然政府對孫上將在處置上有所顧慮，惟恐外界發生不利於政府之輿論，而影響到中美合作之感情，傷害國家利益，故此一再囑咐陳情人要扮演此一角色，並杜撰不實之自首書及偽編口供，其用意無非以另一方式歸罪於陳情人以表明政府純係基於反共措施，處理叛亂事件，並無其他政治因素，以正社會與國際間之視聽。因此陳情人當時處此情勢，在黨國利益之前提下，亦惟有抱著犧牲小我，完成大我之意願，即或明知承認此一毫無事實根據罪名後果之嚴重，亦在所不惜，故而遵照毛上將意旨而行。

四十四年十二月二十六日午後八時，毛上將又在其辦公室召見我，其訓示要點如下：

一、由於你能站在黨國的立場，照我的話去做，這不但有益於黨國，而且也解決了處置上之難題，領袖因念孫上將抗戰有功，已明令免於議處。昨天孫上將和我還一同去晉謁　領

袖，當時　領袖對他在過去在帶兵、用兵、作戰、訓練方面之
成就，曾加慰勉。

　　二、我曾經對你說過，只要照我的話去做，本案僅在政府
內部辦個手續，對有關單位作個交代，即循政治途徑解決，既
不公開，也不起訴。但由於調查委員會的調查及新聞界的傳
播，上級不得不決定依法來處理。所以本案必須移送軍法局辦
理。但無論將來案情如何發展，我再度向你保證，對你的軍
籍、軍職和事業前途都不致受到絲毫的影響，所以你不必因為
要軍法審判而有所憂懼。

　　三、將來無論軍法局對你的判決如何？那都只是一個形式
而已。所以在案情方面，仍然照我的話去做，等在軍法局的手
續辦完後，我就完全恢復你的自由，並給你調更好的軍職。

　　四、我一向言出必行，從不輕許任何諾言，所以你盡量放
心，如果我有意欺騙你，就不會一再和你見面，並將案情坦誠
的告訴你。

　　五、你在本案中和我們合作的經過情形，明天我就去向
領袖提出詳盡的報告。當時，我除對毛上將的坦誠訓示，表示
感激外，並誓言今後當永遠效忠　領袖，願為黨國利益而犧
牲。在案情方面，將完全遵照毛上將的指示去做，只要我所作
的犧牲，對黨國利益有所貢獻，能獲得有關單位的瞭解，履行
諾言，其他就沒有考慮之必要了。不久，軍法局的一位軍法官
曾上校來和我談話，他首先拿出一份保證文件給我看，該文件
的內容指明：「我的自首有效，保證絕不判刑。」在該文件
上，還有當時國防部總政治部主任張彝鼎中將、軍法局長汪道

淵中將，以及該兩單位上校以上的長官十餘員，分別蓋有其識銜官章。

　　民國四十五年九月下旬，本案於軍法局審判終結。陳情人經國防部四十五年九月二十九日㈣典字第零貳零號判處死刑在案。而就在同一天，經奉總統　蔣公以四十五年九月二十九日台統㈡進字第一一六九號代電核定減爲無期徒刑。然而不幸得很，毛上將卻因公積勞成疾，在審判定案不到半個月，於十月十四日與世長辭，這使我悲痛失望萬分。由於毛上將之逝世，不但使他所說在軍法局辦完手續，就立刻給我恢復自由和調派軍職之諾言未能履行，而反使我身陷囹圄二十餘年之久。

　　　　謹呈
　　本案前調查委員會
　　委員張群先生
　　蔣總統經國先生
　　　　　　陳情人郭廷亮呈
　　　　　　住址：桃園縣平鎭鄉長安路一巷二十六號之四
　　　　　　中華民國七十二年三月十六日

　　由於這事件不但牽涉到許多的人，而且也可能會影響到「中」美關係的發展。因此，有關單位要郭廷亮「再愛國一次」，別翻案！再續約五年「軟禁」在綠島與鹿爲伍，以免返台透露出當年兵變內幕而傷害到轉型期的國家。根據消息來源指出，警總與郭廷亮的溝通達成初步協議是：

一、通令全省戶政單位塗銷郭廷亮同案三十五位受刑人的「黑名單」資料。

二、今後所有政戰教科書不得再提「匪諜」郭廷亮。

三、對三十五位同案受刑人，將作適當的物質賠償。（自早 77.6.19）

　　但它未被接受的主要原因是，部份參與溝通人士信不過警總。他們表示，民國四十四年，毛人鳳要求郭廷亮一人擔起「匪諜」責任，所開的條件是要釋放同案受刑人，淡化孫立人事件，以對國際及社會有個交代，然後不判刑，以化整爲零方式調職。但不久後，毛人鳳的承諾隨著他的可疑死因而石沈大海，郭廷亮成了匪諜，孫立人成了叛國份子。

　　現今郭家再度面臨更恐怖的威脅。郭廷亮的兒子郭志忠表示：有些人士除了關懷外，並威脅其父別搞翻案，因爲他們爲保護自己的既得利益，決定採取「反擊」行動，屆時郭家會受到更大的傷害。因爲郭家勢力單薄，不堪一擊。因此郭志忠沈痛指出：「國家正朝民主坦途邁進，處理任何事情應面對事實解決，展現有擔當有魄力的作爲，怎可爲了區區數人的既得利益，以愛國的美言，一再要求我們郭家『含冤莫白』，這種行爲令我們痛心疾首。」（自立早報 77.6.18）

十、李鴻之喪、黨、政、軍輓聯雲集：

　　李鴻將軍字健飛，湖南湘陰人，生於民前九年。民國十七年，軍校五期畢業後，在中央軍事教導隊任中尉班長時，孫立人任中校排長。此後，孫任稅警總團團長時，李任團長；孫任新三十八師師長，李任一一四團團長；孫升新一軍軍長，李任新三十八師師長；新三十八師擴編爲新七軍時，李升任新七軍軍長。孫立人「兵變」案發生後，李鴻甫自淪陷的大陸來台，

旋被逮捕，並因此坐牢二十五年。⑥

　　李鴻驍勇善戰，深受孫立人倚重。孫立人說：他倆是「生死兄弟」，孫李相知六十年，從印緬之役到東北各大小戰役，戰績彪炳，李鴻來台後，被以匪諜罪名判刑入獄達二十五年。孫立人說：「他的不幸遭遇都因我而來……」，孫立人認為政府應該為李鴻「洗沈冤，還清白」，以稍能告慰已過世的李鴻。（自立早早報77.9.3）

　　同時被關在龍潭「臥龍山莊」一間斗室長達十一年的郭廷亮表示，李鴻將軍的「含冤而去」，這根本就是「政治迫害」事件，而不是單純的個人問題所引發出來的事件。他認為：「李鴻將軍的『匪諜』罪名，何時能洗刷清白？相信總有一天會撥雲見天日。」⑥

　　孫立人將軍因身體欠安，由其子孫安平南下屏東致意。公祭時，五百袍澤有的拄著拐杖，有的由旁人攙扶前來拈香祭弔。在會場上掛滿著黨、政、軍致贈的輓聯，包括國防部長鄭為元的「懋績長昭」，國安會蔣緯國秘書長的「勳光炳耀」、參謀總長郝柏村的「勳績永昭」、中央黨部李煥秘書長的「勳業長昭」、輔委會主任委員許歷農的「福壽全歸」、陸軍總司令黃幸強的「碩德長存」、組工會主任關中的「德範長昭」……等。但郭廷亮表示，這些輓聯已不具實際意義，因為，李鴻自己也看不到了。⑥

十一、林宅滅門血案，真相未白！

　　四十一年前的二月二十八日，在國人心目中印下了難以磨滅的烙痕；八年前的二月二十八日，發生了慘絕人寰震驚全國

的林義雄祖孫三人滅門血案。

　　民國三十六年的「二二八」事件，是非自有公論；但連殺四人，死三人的林宅血案，延宕八年，眞相至今（民國七十七年）仍杳如黃鶴；這到底是有計劃的政治事件，還是單純的命案，至今仍衆說紛云，找不出強有力的佐證。

　　根據撥雲專案小組經過多次查訪目擊者及開會硏討，林義雄祖孫三人命案的發生經過大致如下：

　　民國六十九年二月二十八日上午約十一時十餘分許，林妻方素敏接獲秘書田秋菫電話後匆匆離家，當時家中留有林亭均、林亮均二個六歲女兒，林母林游阿妹則到別人家燒飯。

　　十一時三十五分，根據目擊者事後指出一名年約三十歲至四十歲的男子，身高約一百七十公分，留有大鬍子，操國語的黃種人，出現林宅大門。林義雄二個雙胞胎女兒開門讓其進入後，悲劇於是發生。

　　由警專案小組勘查命案現場硏判，該男子進入林宅後，先在門邊，將雙生女之一背後捅一刀，當場斃命，另一個女兒驚嚇之餘，躲到地下室，被兇手尋獲，在地下室樓梯口以同樣方式行兇，一刀斃命，當時大約十一時四十分許。

　　而林游阿妹燒飯回家，發現二個孫女不見了，到處尋找，尋至地下室，亦慘遭兇手毒手，其死亡時間約十一時四十五分至五十分許。

　　林義雄大女兒林奐均於十一時五十分許由幸安國小放學回家，大約十一時五十二分到家，亦遭兇手以同樣方式刺殺，幸林奐均身背書包，兇器周隔著書包背帶未能深及要害，所以林

奐均雖被殺六刀，卻仍躲過一劫。

　　林奐均被殺六刀，跑到母親的床上，以棉被蓋住佯裝死亡，兇手在未詳查下，離開林宅，時間約中午十二點左右。

　　刑事局外勤隊組長周俊彥回憶說，依他在現場的勘案及對案情的研判，兇手殺了四人，前後停留在現場的時間長達八十分鐘以上，就算他是職業兇手，在心理上也不大可能承受得住當時的氣氛，除非是「心理不正常」的人。

　　楊法醫表示，根據他多年參與勘察命案發生現場的經驗，以及驗屍傷痕的情形研判，兇手至少應在二至三人，而虎口餘生且已讀國小二年級的林奐均，依據她當時受傷後所說的隻字片語判斷，是認識兇手的，如今事隔八年，林奐均已痊癒，她絕對可以說出兇手是誰，但何以沒有說呢？楊日松博士對此則不願深談。（參見自立晚報 77.2.27 ）

十二、萬惡不赦的施明德！

　　人道！人道！本著人類互信、互愛、互諒的生存信心。尊重生命！讓施明德活著走出黑牢！

　　四十八歲，入獄二十四年，身體羸弱，生命垂危的施明德，不只一次的說著：那一天我死了，記得，抬著我的棺材、我寫的文字，台灣頭尾走一遍。活著的時候不能如願，死的時候，也得看一看台灣每寸土地，我才甘心。施明德胞妹施明珠淚水盈框的說：施明德是無罪的，若施無罪，則應立即釋放，若他有罪，就讓他餓死在獄中好了，不要違背他求死的意願。

　　自施明德於民國七十七年四月二十二日，三度絕食抗議，生命垂危後，引起島內、島外社會各界的一致關心，透過各種

管道並熱烈展開援施活動。

　　在「望你早歸」的悲傷歌曲下，施明珠走在隊伍前面，隨後則是由六位甫出獄的良心犯抬著銅棺緩緩前進。牧師團、宣傳車、旗隊還有老兵自救會均加入隊伍行列。（參見自早77.5.18）這十餘個團體呼喊著同一個要求——釋放施明德，還我同志。隊伍所過之處，行人莫不駐足，肅穆致哀。

　　若非公理，正義已淪喪，誰願抬棺上街頭。一聲聲的「施明德無罪，釋放施明德」就彷彿對不義政權一次次嚴厲的指控。施明德的大哥施明正，是台灣的詩人畫家，為了支援胞弟而進行絕食，因身體虛弱逝世於民國七十七年（西元 1988 年）八月二十二日。（參見自早，77.8.23）

　　冬天有淒涼的風，卻是春天的搖藍。抬棺抗議反應了過去戒嚴體制下冤屈了不少反對人士。他們為民主付出了青春、自由、甚至生命。不知什麼時候，美麗的春天，才能降臨到所有為台灣而承受苦難的人們身上？

十三、反對運動的良心犯元老人物——黃華

　　黃華的民主理念——「人民是國家的主人，政治是人民的事業。」黃華組黨獻身三度進出監牢，坐滿二十一年的政治黑牢。

　　黃華現年（民國七十七年）才五十歲，他曾經參與雷震籌組新黨。民國五十二年（西元 1963 年）一月二十三日，成立了三十二位黨員的「中國自由黨」，該年年底登記參選基隆市議員，領表後，情治人員多次約談、脅迫不得在候選人資料中的黨籍上，填寫「中國自由黨」。黃華不從，在競選基隆市議員

的前一天，即以甲級流氓罪名被移送小琉球管訓兩年半。

　　民國五十六年（西元 1967 年）八月，黃華因和彭明敏、郭雨新、林水泉……等人，組成「全國青年團結促進會」，第二度入獄以「判亂」罪罪名，被判刑十年，坐滿八年的牢。民國六十五年，他擔任「台灣政論」副總編輯，因「涉嫌散播叛國思想」被判刑十年，加上前次未坐完的刑期，共十二年。但坐了十年十個月半後即出獄。（參見開拓時代周刊 200 期 P.653，自立早報 77.3.28）

十四、陳文輝為正義坐牢義無反顧：

　　陳文輝充分顯露出檳榔樹似的台灣客家人的個性。四季翠綠高聳雲霄、毫不彎曲、果實纍纍、子孫綿延。去年（民國七十六年）才出獄就職的民進黨籍苗栗縣議員，最近又因「三一六果農抗議事件」被移送偵辦。他出庭時，隨身攜帶棉被、盥洗用具以備收押，義無反顧地坐牢去。（參見自早 77.5.1）

　　陳文輝目睹好友，二度高票當選的新竹市市長施性忠為政治所迫害，又被重囚似地在新竹市市民面前粗暴逮捕。在友情加上正義的驅使下，他全力支持施家班的選戰。在新竹投開票所的風波中，又把陳文輝推進了黑牢。當他被釘上腳鐐，隔離獨囚之際。牢外的一群朋友和他家人為他缺席候選人的選戰奔走呼號，甚至他那唸小學六年級的小兒子，為了爸爸分發傳單，而被抓到派出所斥責羞辱。⑥③這場分不清是汗水、淚水或是鼻水的感人選戰。終於皇天不負正義之人，陳文輝當選了苗栗縣縣議員。

　　為了抗議「一路哭」的錯誤農業政策，陳文輝在「三一六

果農抗議事件」中，又再度入獄，在牢裏只能思索著重覆的動作～如何脫下褲子，又如何才能再穿得回去。（自早 77.5.1）

十五、吳大清的「獄政考察」

自稱比民進黨更黨外的前省議員吳大清。在桃園機場事件中，吳大清衝入人群排解衝突，奪下警棍避免流血事件，警方以妨礙公務、襲警為由，將他移送法辦，被判刑兩年。

在二月二十五日，到案服刑前夕，他以「考察獄政」為名在高雄縣政府前舉辦演講說明會和遊行，向民眾控訴國民黨的司法不公。他說：「到監獄裏，我也要衝！」要爭取受刑人的閱讀自由和人道平等待遇，列為「運動目標」，準備在獄中發動絕食抗爭到底。（參見，民進時代 54 期 P.35 ， 77.2.26 ）

十六、演不完的時代悲劇人物──陳婉真

在民國六十八年時，黨外人士的每次集會與活動，總是要面臨大批軍、警、特的壓境外，還要面對所謂「反共義士」的吶喊與咒罵，而導致群眾衝突事件的不斷發生。陳婉真在「潮流」第四十一期推出時，表示：「現在一切的遊行示威、散發傳單，都已經無濟於事，目前黨外人士面臨的只有兩種抉擇：一是以力對力、以暴對暴；一是沉默下來，任其自取滅亡！……」在民國六十八年七月五日，陳婉真二度茫然出國時，海關人員對她進行鞭辟入裏的大「洗澡」，內衣褲盡脫，隱私無存，她在強忍、無助之中，感受到的是被祖國的統治體徹頭徹尾的屈辱盡了，所剩餘的只有垂死天鵝的那口未斷的傲氣，以及人世間永遠不可屈辱的抗議意志。（美麗島第一卷第四期 P.27 ，68.11 月）

　　爲節省篇幅，故摘列以下十六個對言論自由而遭到迫害的實例：

　　1. 1949 年，楊逵的「和平宣言」事件：楊逵（日據時代以來的社會主義作家）因撰寫短短六百字的「和平宣言」轉載於上海大公報，被判刑十二年。

　　2. 1964 年，彭明敏事件：台大教授彭明敏結集門生撰寫，並印製「台灣人民自救宣言」時，被發覺，彭明敏（鳳山人）被判八年徒刑、謝聰敏被判十年徒刑、魏廷朝被判十年徒刑。其後，在國際壓力下，彭明敏於民國五十四年十一月三日，被特赦，而謝聰敏和魏廷朝兩人的徒刑，分別被減半，改爲四年。

　　3. 1967 年，馬正海案：建國中學中校教官馬正海，因全家與警察衝突打鬥，以妨害公務罪被捕，卻送進軍法處。他多次利用在台北地方法院刑事庭出庭機會，叫其女兒帶出文件，到處亂告，從看守所所長到警備總司令。在當時，已有被軍事法庭引用最多的司法院大法官會議第六十八號解釋：「凡曾參加叛亂組織者，在未經自首或有其他事實證明其確已脫離組織以前，自應認爲係繼續參加，……」。由於他在政府剿共期間，被俘三日後，逃回，未辦自首，被視爲繼續參加組織而被起訴。軍法處初審判他十年有期徒刑。他不服，多次申請覆判，越判越重，最後，以無期徒刑確定，於民國六十四年十二月，被移送綠島。⑭

　　4. 1969 年，郭衣洞（筆名柏楊）案：因他在自立晚報上改寫大力水手漫畫，被指爲諷刺蔣家父子家天下，以「挑撥政府

與人民的感情」罪名被捕，而遭司法單位判刑十二年。服刑期滿後，仍被軟禁於綠島監獄，最後於民國六十六年（西元 1977 年）獲得釋放。

5. 1970 年，黃明澤（黃華之兄）案：他被控「明知彭明敏偷出國而不報」，被判五年徒刑。

6. 1970 年，于長城兄弟案：于長城、于長庚兩兄弟，在菲律賓馬尼拉辦「商報」。由於該報言論不符合台灣當局的立場。國民黨當局乃買通菲律賓保安隊司令，把他們用專機送回台灣。由於于氏兄弟早已放棄「中華民國」國籍，這種非法逮捕報人的行為，除了引起菲律賓報界的強烈抨擊外，還透過國際新聞協會的公開施壓下，警總軍法處，乃裁定于長城、于長庚兩人分別交付感化教育二年、三年後，中華民國也因而被國際新聞協會開除會籍。⑥

7. 1975 年，白雅燦事件：立委增補候選人白雅燦，熱衷台灣民主化運動，散發傳單二萬張，在其「聲明書」中，向蔣經國質詢，並要求公開其私人財產，被以「散發傳單、主張與蘇聯建交並與中共貿易、違反基本國策、顯然企圖鼓動叛亂情緒⋯⋯」等為藉口，將白雅燦及其胞弟等四人逮捕，並判處無期徒刑。

8. 1980 年，鄒進福案：鄒君於「美麗島」事件前，張俊宏於省議會質詢時，國民黨「大軍」示威於省議會，震驚海內外，為此，鄒君寫信給張俊宏曰：「有關大軍壓境一事，顯然，國民黨軍隊是在壓制言論自由，槍口不朝外而專朝內轟擊，那麼人民不必服從，如果，警察之專門對付人民，人民就

不要警察。」國民黨以鄒君「意圖推翻政府」罪名，被判感化三年。

9. 1980 年，同情美麗島事件案：高雄路竹教會執事王先賀寫信給高俊明，表示同情之意，被以「煽惑公務人員不執行職務或逃叛」之罪名，判刑五年。

10. 1980 年，江添壽案：江添壽嘉義人，因不滿國民黨政府，被以「爲匪宣傳」論罪，感化三年。

11. 1981 年，張春男案：在選舉官司中，以觸犯「選罷法」之規定「以競選言論煽惑他人之內亂罪」罪名，被判三年六個月徒刑。

12. 1981 年，宋磊明案：由於宋磊明，在言論上同情美麗島事件，被視爲「連續以演說爲有利叛徒之宣傳」，被判刑感化三年。

13. 1983 年，盧修一案：盧修一在留學法國巴黎大學時的博士論文題目爲「日據時代台灣共產黨史」，回台後，擔任文化大學政治系主任。由於史明（施朝暉）在「台灣人四百年史」中，撰述了許多有關日據時代共產黨在台灣的發展歷史。盧修一在路過日本東京時，順便拜訪該作者，被警總視爲接受台灣獨立運動左派的領導，潛伏在國內，而以「意圖以非法之方法顛覆政府」罪被起訴。由於警總當局無法提出盧氏在台發展組織、顛覆政府的具體證據，受到輿論的強烈抨擊後，警總軍事法庭乃裁定交付感化教育三年。⑯

14. 1984 年，吳振明案：吳振明是美麗島雜誌事件的受難者之一，在他出獄後，積極參與政治，在「一清專案」中，被列

爲掃黑對象，以流氓管訓論罪，交付感化，刑期不知。

15. 1985 年，余新民案：余氏爲退伍軍人，河南商城人，曾任職美軍顧問團司機，於車上向乘客發表不滿國民黨政府之言論，以及在民國三十八年到台灣時，偷聽大陸廣播，被控爲「爲匪宣傳」，被判感化三年。

16. 1985 ，李亞頻案：李亞頻女士是國際日報的發行人。該報因刊登有關與中共談判之見解，於九月十七日被警總以「連續以文字爲有利於叛徒之宣傳」的罪名逮捕後，由於李氏擁有美國永久居留權，美國國務院乃發表強硬的放人聲明，十月一日軍事法庭裁定交付感化三年，不久，以「保護管束」爲由，於二十六日釋放。（以上參見史明的四百年史，以及節錄出土政治冤案，台灣 1947-1985 ， P.179-212 ，林樹枝著）

二、民主萬歲篇

　　二十世紀民主運動在世界各地澎湃發展下，許多獨裁腐敗政權在全國上下一致的憤怒反對聲中走上滅亡的悲慘道路。雖然民主制度不是百分之百的完美，但在世界上現有的制度中，民主政治是最符合人性和社會進步的需要。民主不會給一個多難的國家帶來更多的危機，反而卻是給予多難的國家擺脫險境惟一的生路。實施民主在表面上產生一些衝突與對立。因爲民主政治在符合公平與正義的競賽規則下容許不同的利益集團，互相刺激、觀摩、競爭、展現出活力的社會而不影響社會內部的眞正安定，有利於國家安全。反之，一些自命爲安定的專制獨裁政權，依靠特權壟斷所有資源，因此缺少制衡與衝突，在過程上似乎很和諧，很安定，聽不到反對聲音，但是內部卻暗濤洶湧、危機四伏，執政當局不應倒果爲因，阻礙民主的發展。

國民黨在台灣追求民主近四十年，卻未曾民主過：

　　民國三十八年（西元 1949 年）五月二十日，台灣進入實施國家緊急體制、宣告戒嚴的時代。於民國三十六年十二月二十五日，開始生效的中華民國憲法，在民國三十七年五月十日，國民大會制頒實施「動員戡亂時期臨時條款」之外，又多了此一掣扣。此戒嚴令的頒佈摧殘了憲法對基本人權的保障，諸如身體自由、不受軍事審判的自由、居住遷徙自由、言論出版自由、秘密通訊自由以及集會結社等自由。使之台灣的民主與自

由根本無法與各先進民主國家相提並論。

在蔣介石總統時代，許多人因言論問題被槍斃，許多人因追求民主被推入黑牢。蔣經國先生，雖有「民主」的印象，曾經搖旗吶喊民主十餘年。但是台灣的「民主」一直被視為與「動員戡亂」對立，而毫無具體成果。

一、蔣經國先生曾說：「我們力行民主政治，不僅因為那是一種理性的合乎現代潮流的制度，更是因為我們深信唯有民意為依歸的民主政治才是最有力量也最鞏固的政治，唯有合乎人類追求自由平等需要的民主政治才是最有前途的政治，所以我們用最大的熱忱要來建立一個良好的民主政治制度，為中華民國的長治久安厚植根基。」（中國時報 77.1.14）

二、蔣經國先生，在民國六十七年十二月十六日，美國與中共建交當日，對全國同胞所發表的談話中，仍然表示：「為了應付當前這個變局，政府已決定採取種種必要的措施，就是依據既定國策，政治上我們將繼續堅守民主陣容、保障人權。」⑥⑦

三、蔣經國先生，在國民黨四中全會上再度表示：「本黨反對的就是專制和獨裁，因此本黨決不會在執政期間發生任何軍事統治的情形，我們所追求的是一個自由、民主、開放的社會。」⑥⑧

四、蔣經國先生，在民國七十五年十月九日發生了「世事在變」的講話，他說：「今天國家所面臨的局面，是非常的。世事在變，局勢在變，潮流也在變。但我們必須堅信的是，我們的主義、政策、黨綱以及總裁所訂定的反共復國基本國策，

是絕對正確的。」（中國時報 77.1.14 ）

在「民主」謊言下的台灣民主：

　　國民黨由於掌權太久，而蔣總裁以及蔣主席又運作了強而有力的「領導式強人政治」，使之在野的民、青花瓶黨和黨外人士無法發揮朝野政黨競爭牽制功能。國民黨在黨治主義下，加上三、四十年專政觀念的侵蝕，不但鼓舞黨內反民主外，還傾一切力量遏阻整個社會的民主運動發展。國民黨早已走上背離土地與社會人民大眾的方向。它給國人留下一個無法擺脫軍事、特務統治誘惑與眷戀的「惡黨」印象。諸如一九七七年爆發了中壢事件，一九七八年余登發無辜地被逮捕，民選縣長許信良，經十數人的決議，憑一紙簡單的命令，就把縣長休職，一九八〇年「美麗島」大審，判決了大批黨外菁英長期的牢獄之罪，其間又發生了令人髮指痛絕的林義雄母女被殺事件，一九八一年陳文成教授慘死台灣大學校園，一九八四年國府情報局長，在蔣家的主使下，派竹聯幫黑社會人物去美國加州謀害作家江南，一九八五年十信弊案爆發了三十多年來最大的經濟犯罪案件。（參見民衆日報 77.2.2 ）對於多少人苦心經營的書籍刊物，不經任何司法程序，一紙命令就沒收查禁毫不補償。這種違反民主原則，違反憲法保障人民基本權益的政策，使之許多黨外菁英對國民黨政府許多法令、政策的合法性和權威性提出強烈質疑的同時，人民對這個政權的代表性、能力、道德……等，沒有信心。因此一些有志之士呼籲改革而主張廢棄法統、拋棄現有的憲政體制，要求國會全面改選，甚至主張在台舉行普選產生總統。他們為求社會之和平進步及正義之伸張

及保障，在恐怖的環境中從事民主運動，訴諸於同胞民眾的公決，沒有一次集會不是面臨「重兵警特壓境」的威脅和包圍。

國民黨被迫走上民主不歸路：

　　民主的浪潮是無法圍堵的，為了三民主義的理想，必須民主；為了人民的意願，也必須民主；為了執政黨的利益，更要民主。蔣總統經國先生，在民主憲政大工程基架上倒下。在他生命歷程最盡頭時，以國民黨黨主席的身份盡他最大的力量，做了解除戒嚴、黨禁、報禁等突破性的決定，來挽救國民黨的危機。因為他了解到民主化是台灣社會不可避免的趨勢；因為他看到了民國七十五年（西元 1986 年）初春菲律賓發生了「人民革命」路線的不流血政變，柯拉蓉在民眾鮮花對坦克中，出任總統，結束了馬可仕的獨裁政治。又因為他更清楚地認識到南韓苦於因應在野勢力的強烈對抗和流血暴亂。因此他生前一再強調「時代在變，環境在變，潮流在變」，必須以新的觀念，新的做法，在民主憲政體制下推動革新，儘量做得完善，不要留下一大堆的政治定時炸彈，以免把台灣的民主憲政炸得四分五裂，殘缺不全，如此中國才有前途。

「不民主則亡」的一九八六年民主憲政的轉捩點：

　　走民主之路是國人的共識，也是台灣社會不可避免的趨勢。雖然民進黨表面上只有百分之三十的選票，但實際支持人數是絕對超過這個數目。國民黨隨著蔣總統經國先生生命的垂危，面臨了統治台灣四十餘年來最大的政治危機。原因是佔全台灣人口百分之八十五的台灣本土出生人士要求民主落實的呼聲日益增高，迫使國民黨不得不在這種政治環境下帶著掙扎、

傍徨的矛盾心理迎接新一代的挑戰，而義無反顧地繼續民主改革。因此蔣總統經國先生在臨終前，除了留下三民主義統一中國外，還留下了五句令人深思的話：

㈠始終一貫積極推行民主憲政；

㈡憲法即是法統；

㈢蔣家不能繼承總統；

㈣軍人不能當政；

㈤我也是台灣人。（民衆日報 77.2.2 ）

　　當中華民國總統蔣經國先生於民國七十七年（西元 1988年）一月十三日去世後，執政當局立即做了相當明確、直覺的反應，一、是頒佈緊急處分令，在三十天內禁止一切示威、集會活動；另一則是保證繼續經國先生所發動的民主改革。國人無限哀思把蔣總統經國先生的遺體送到大溪賓館後，國民黨才開始面對推行民主憲政的困境，以及如何應付來自社會各種層面的逆政治化運動。目前所推行的民主憲政方針大略如下，以適應這個大時代的變局。

　　㈠貫徹解除戒嚴、回歸憲政——終止三十八年的戒嚴令，解除黨禁、報禁，黨、政、軍分開，即是政黨政治正常化，政府公務機關非黨化、司法獨立、和軍隊國家化。

　　㈡保障國民之自由與人權——重新規範人民的權利與義務，言論、集會及新聞自由的開放，大陸政策的重新定位包括大陸探親的開放，外匯管制之解除，海外台灣同鄉自由返鄉等問題。

　　㈢加速國會結構之充實或全面改選。

㈣促進地方自治法制化，並排除直轄市長、省長官派的問題。

㈤執政黨的革新，以及杜絕國庫通黨庫的弊病。

國民黨如何面對全國百姓？國民黨如何面對民進黨的挑戰，以及如何納入黨政分立的多黨運作。國民黨如何面對來自國民黨內部民主化的要求和如何安排老邁的功臣班底。國民黨如何面對政治權力分配問題，諸如政治參與方面，縣市議會的參政者一般多爲本省人。中央文官體制上，中央司科長級以上有百分之八十多是外省人。

無庸置疑地，上述改革自然會觸及國民黨的權力核心，也必會遭到一定程度的抗力。國民黨若不捨棄一批班底則政府必須冒著觸發反對派爆炸性要求的危險。倘若國民黨政府政權不能照顧中下階層利益而卻只從滿足統治階層和打擊異己方面去表現，只有使人民對國民黨政府更沒信心。國民黨應該以眞誠的反省、切實的改革，排出致力於民主規範與制度建立的優先次序與時間表來向全國民衆表示推動民主的誠意，並藉此挽救人民對政府的信任危機。

過去台灣的「團結」是透過警察、行政、軍事等手段造成；而今天，台灣的團結是要透過民主的手段來凝聚。歷史告訴我們，古今中外沒有任何一個政權，在廣大人民要求改革的浪潮下，能以虛僞的、鴕鳥式的改革，來挽救政權合法性的危機。國民黨必須要作大幅度的調整，將其角色由絕對的「支配者」改變爲「競爭者」繼續創造民主的有利條件，充實民主內涵才能化解「台灣是台灣人的台灣」、「台灣人回台灣、大陸

人回大陸」的分離意識。

一九八八年反民主的「民主革命政黨」以及重溫戒嚴的舊夢：

一、沒有民主的執政黨，就沒有民主的社會：

要實現民主，就先讓「革命政黨」自這塊土地上消失。因為政治民主化的努力並不期待透過革命的手段來完成。執政黨不必玩革命的籌碼，反對黨也不會玩革命的把戲。因此才不會，你否定我，我不承認你，又走回了過去「國共」鬥爭的老路。

現今的國民黨，仍然堅持潮流中頑石的位置，以充滿神祕性而不合時宜的革命政黨色彩爲己任。到底國民黨要「革」誰的「命」？依孫中山先生成立革命政黨的理論，國民黨只能在「軍政」時期，最多再勉強加上「訓政」時期，可以維持其「革命」的特殊地位。到了「還政於民」的憲政階段無論如何不宜再濫用「革命」兩字。當局把「革命」辯解爲不斷革新。「以革命手段，達成民主目的」或「以革命精神，保障民主制度」，這種論調不外乎要「革」掉國民黨「革命權威」的「命」。另一說法，是「以民主法治常規，在復興基地參加選舉，推行憲政；以革命組織及革命精神對大陸共黨鬥爭」這理論也不通，因爲「革命」和「戡亂」之間是無法劃等號的。要「革」中共的「命」，無異是承認中共是中國合法正式的政府。倘苦革命是要「革」民進黨的「命」，這無異是台灣面臨危機，要走鬥爭、廝殺的老路了。（參見聯合報77.7.2）從國民黨的黨紀看來，若國民黨是「革命民主政黨」，黨員就應絕

對服從黨的決議，其領導方式就必然是由上而下。你加入這個團體就註定要被教育、被動員，要「犧牲奉獻」、「忠貞不二」。如果認為國民黨是「民主政黨」就應聽從基層黨員的意見而朝向民主化政黨發展，進一步地帶動台灣政治的全面民主化。（觀察週刊六期，P.25，77.2.5～11）

國民黨「革命」了九十年，國民黨所到之處還是不民主。國民黨應該多言民主，少談革命，因為國民黨以戴面具方式來贏取民衆認同的時代已成過去了！國民黨已經走到繼絕存亡的關頭了，國民黨要繼續做一個老大霸氣的革命莽漢，還是丟棄假面具承認他黨有平等存在權力的民主紳士。這就要看看國民黨的智慧與抉擇了，否則國民黨就會被時代及環境給「革命」掉了。（自立早報77.5.30）

二、國民黨製造「五二〇」事件，準備恢復戒嚴的陰謀：

主子解嚴，臣子復辟。台灣才剛從蔣總統經國先生於民國七十七年一月十三日逝世前不久解嚴，而一些賊臣亂黨，又打算在民國七十七年五月二十日，所製造的「五二〇」事件中，恢復局部「戒嚴」或發佈「緊急處分」令來陷害蔣總統經國先生淪為「民主騙子」的不義行徑。

這些中戒嚴遺毒甚深而毫無法制知識、開民主倒車的聯署者，是由軍方黃復興黨部支持的立委周書府所發起，該聯署共獲七十五人支持，除周書府、蕭楚喬、潘至誠、黃武仁、李宗仁、黃明和、張世良、黃書瑋、賴晚鐘、黃澤青、謝美惠、林健治和溫錦蘭等十三人外，其餘的六十二人均為「老賊」資深委員。（自立早報77.5.27）這些知識淺薄，迷信戒嚴權威，重

溫舊夢的夢遊人企圖再度奴化人民變成溫馴的綿羊。他們似乎遺忘了國民黨的解嚴是被時勢潮流所迫，是被廣大人民民主意識的覺醒所迫。在戒嚴解除前就有成千上萬的民主人士，心連心、手攜手，不怕犧牲流血，不怕被抓坐牢的抗拒國民黨用戒嚴扼殺民主生機的壯舉。這些狗腿子，殊不知再度戒嚴，必將導致社會亂源更加深重、秩序更加失控而使預期的目標適得其反。⑥

　今引用學者專家對「緊急處分」令的使用情形，就足以判斷提議要「緊急處分」、「局部戒嚴」之一小撮份子是何等的無知了。所謂的「緊急處分」令是國家遇有天然災害、癘役或國家財政經濟有重大變故時，為避免國家和人民受到緊急危難才發佈「緊急處分」令。當危難狀況一結束，「緊急處分」令也就必需結束。從政治觀點來看，根據台大政治系教授呂亞力所言：由總統發佈「緊急處分」令，從憲法上來看，並沒有法源基礎。即使依臨時條款，也必須國家社會出現很嚴重的危機，才構成「緊急處分」的條件，但現在並沒有出現這種情形。從法律觀點來看，根據台大法律系教授李鴻禧所言：雖然憲法第四十三條有關於「緊急處分」的條文，但是該條文首先規定得經行政院會之決議，依「緊急命令法」才能發佈緊急命令。而我們並沒有「緊急命令法」，所以，從憲法上來看，並不能成為「緊急處分」令的法源。⑦

　頒佈「局部戒嚴」或「緊急處分」絕不能當兒戲。四十年來，我國一共發佈過四次「緊急處分」令，第一次，是在民國三十八年，因發生嚴重的通貨膨脹；第二次，是民國四十八年

的八七水災發生之後，第三次，是民國六十七年，中美斷交，
為了暫停選舉；第四次，就是民國七十七年初，蔣總統經國先
生去世，繼任的李總統登輝先生發佈「緊急處分」令，規定國
觴期間，不得舉行示威遊行等。這些「緊急處分」令，應是屬
於臨時條款之授權，從憲法上來看，是很難成立的。再根據
「五二〇」事件，並沒有槍戰、刀殺的場面出現，也沒有嚴重
的危難狀態，要用什麼「法」、「理」來宣佈。（參見自立早
報77.5.26）

△台灣民主在何方，以及「黑道治國」的隱憂

在過去國民黨所辦的國建會政治大拜拜方面，它花了人民
血汗錢一千九百多萬元，也不邀請黨外人士參與國事，似乎台
灣是國民黨少數人建設起來的，這種國民黨不民主的「小家
子」氣度，實在令人不齒的同時，也令許多的台灣人民，很感
慨的發出台灣民主之神在何方的同時，在國民黨「黑道治國」
的錯誤觀念上，它除了一護再護少數貪污枉法的特權人物，使
之我們的國家與社會已經變成了無是非，無正義、公理的霉爛
地步外，根據 M. 韋伯說：「國家是個擁有合法性暴力團體」。
暴力只准許國家擁有，至於，其他任何組織的擁有，都是不合
法，也是政府「取締」的對象。為什麼在台灣會有「寶島無處
不是黑，人民又恨又怕黑，政府立誓要掃黑，掃來掃去黑又
黑」的嘲諷詩句出現呢？有關這個「暴力統治」、「黑道治
國」……的問題，曾經引起朝野廣泛的討論。在各種複雜的因
素中，它除了法治不彰、公權力的式微，而導致「黑道」的猖
獗外，執政黨的長期與「黑金」的掛勾，是最為人民所詬病的

同時，許多的台灣人民無不希望國民黨將過去所提名的黑道份子能夠加以約束或是快速做個垃圾分類、資源回收的工作，以期達到「政治修明」黑道自然衰微的目標。

△在政黨政治下的「政治中立法」的擬定方面：

自民進黨、新黨、建國黨（於民國八十五年，選十二月十日世界人權日為創黨日，正式掛牌運作）……等組織或政黨被政府承認以來，台灣可以說是已經步入了政黨政治的不歸路。為了各政黨之間的公平競爭，於民國八十五年（西元 1996 年）十月二十三日，立法院法制委員會，終於首次審查通過，明定公務人員不得為支持或反對特定政黨、其他政治團體或公職候選人，從事各種政治活動的「政治中立法草案」。有關它的規定：

㈠適用對象：

1.司法院、監察院、考試院、國家安全會議所屬國家安全局、法務部、行政院人事行政局的政務官以及前述以外的其他政務官；省（市）政府的一級政風、警政、人事機關首長。

2.法定機關依法任用、派用的有給專任公務人員及公立學校的職員；現役軍官及其他政戰人員；公立學校校長、國民教育學校的教師；公營事業機關相當經理或處長級以上職務，或對經營政策負有主要決策責任的人員；各機關及公立學校依法令聘用、僱用的人員。

㈡禁止事項與行為：

凡被明文列舉必須謹守「政治中立」的各類執行公務人員，不得利用職權使他人加入或不加入政黨或其他政治團體；

不得在職務所掌管或在執行職務的場所，爲任何政黨作爲與本
身職務無關的宣傳、教授、指示及相關的行爲；也不得阻止或
妨礙他人爲特定政黨、其他政治團體依法募款的活動。

其他如主持集會、發起遊行、領導連署活動，在辦公場所
印發、散發、張貼文書、圖書或其他宣傳品，在辦公場所穿戴
或標示特定政黨、其他政治團體旗幟、徽章及類似服飾，在大
衆傳播媒體具名廣告，爲配合某特定公職人員的選舉、罷免預
作人事上的安排，干預各級選舉委員會的人事運作等，也都是
各類執行公務人員必須禁止的行爲。

草案中同時明定，除法令有規定不得登記爲公職人員候選
外，公務人員成爲政黨提名候選人時，必須自政黨公佈提名名
單之日起，至投票日止，依規定請事假或休假；公務人員雖未
成爲政黨提名候選人，也應自有事實足可認證有從事競選活動
行爲之日起，至投票日止，依規定請事假或休假。（參見民衆
日報 85.10.24 ）

在法官將禁止參選及不得加入政黨的具體行動方面，司法
院司法制度研修委員會終於在民國八十五年十二月十四日通過
了研議多年的「法官草案」，其重要條文規定如下：

法官於任職期間不得參加任何政黨，任職前已參加者，應
退出政黨。法官參與各項公職人員選舉，應於選舉投票日前一
年辭去其職務或依法辦理退休、資遣。法官違反前項規定者，
不得登記爲公職人員選舉候選人（參見聯合報 85.12.15 ）

雖然目前有關這種強制軍、公、教、法官政治中立的草
案，尚未正式成爲法律。然而這種具有高度民主素養的法案，

除了全民須有這種的共識外，還期望執政當局能夠確實實行民主憲政的決心，使之台灣能夠成為遠東最具民主、自由的聖地。

三、選舉選黨外，民主有後代篇

　　在國民黨未必永遠是執政黨，以及基於兩大黨交替執政的理念下，「選舉選黨外，民主有後代」，似乎是一個民主社會的必然趨勢。由於國民黨長期執政有八十餘年之久，它除了有許多的包袱外，還有許多不為當代社會所認同的事太多，而註定是要被批判或監督的對象。近年來，許許多多的台灣人，越來越不信任國民黨，眷村選票逐漸消失，榮民也逐漸不支持國民黨了。國民黨政府一談到選舉就好像辦喪事一樣，然而負責黨提名的一小撮人物卻是鈔票滾滾來之時，台灣人民無不熱烈歡呼「民主假期」的來臨。

　　政大教授李國雄指出民主政治有兩個危機，如果不予克服，就無法對付共產集團。其一、民主政治講求談判、妥協、容忍在效率上不如專制政體。其二、秩序不易維持，由於人民是主人，很容易由街頭示威轉變為暴動。他又指出我國缺乏民主基礎，實施民主政治，必須有良好的基礎才行，否則將是大的挑戰。然而一般人民相信台灣早已具備民主的基礎和自治的能力。台灣人民現在迫切需要的是一個真正民主制度的落實。對於專制政體較為有效的理論方面，從長遠看來是不切實際的，因為在短期五年、十年或許有效，但長期下來易走向絕對的專制成為絕對的腐化，而導致革命事件的爆發。在歷史上許多專制國家一但獨夫死亡，就有許許多多「政策性的認錯」和「翻案」的平反。在國際上，蘇聯可在一夜之間就瓦解，而越

南、捷克、波蘭、南斯拉夫……等共產專制國家，無不相當貧
窮與落後，它們的效力究竟到那裏去了？在國內方面，我們所
熟悉的滿清政府不能不說專制，其結果又如何？專制政體一旦
瓦解卻導致上千萬人命的犧牲和過去辛辛苦苦建設的成果，付
之一炬。由此觀之，在二十世紀末期的現今，還有人憧憬著專
制政體的效率，實在匪夷所思。然而一般人民普遍的認為，凡
是施政，唯民眾意願為依歸，才是國家施政的正確目標，而其
中選舉是表現民主的主要特徵。任何大、小規模的選舉關係到
民主的前途，更攸關國家的聲譽、政府的形象，故必須本著公
平、公正、公開的原則，和理性、和諧、踏實的態度辦好選舉
的同時，善於應用反共的利器，不是武力，而是民主、自由和
法治。

　　在國民黨統治台灣四十餘年來，許多的選舉糾紛無不被非
國民黨候選人指責與選舉不公有關。今簡述其選舉情形如下：

壹：從「民主秀」似的選舉到人民自治版圖的縮小

　　*1.*民國六十七年（西元 1978 年）十二月十六日，政府以美
國與中共宣佈建交為由，停止當時正如火如荼進行的增額中央
民意代表選舉。事隔一段很長的時間之後，經過「中央民意代
表選舉黨外候選人聯誼會」共同聲明，要求政府「從速辦理選
舉以維護憲政」後，才恢復，這證明了國民黨沒有信心，也沒
有處變不驚的能力。因此流傳著「選舉是辦給美國人看的，美
國不跟我們做朋友了，選舉也免了」的嘲諷。

　　*2.*高玉樹兩次當選台北市長，而國民黨方面已經盡了最大

的動員支持該黨所提名的市長候選人，仍然落選。經過這種的慘痛經驗後，於民國五十六年，政府刻意的把台北市升格為院轄市，以脫離台灣省自治的範圍，並於民國五十七年，把民選市長改為官派。民國六十八年，高雄市又告升格，市長亦由中央派任。台灣人民，從北到南，台北市長、台灣省主席、高雄市長，一個也做不了主！因此，在民國七十七年（西元1988年）八月三日，台北市市議員顏錦福抗議市長官派，在吳伯雄市長施政報告後，衝到備詢台前自割手指書寫「誓死反抗市長官派」以血濺議場方式表示嚴重抗議。

貳、黨外在選舉過程的困擾與迫害

　　非執政黨所推薦的候選人，通常在選舉過程中，遭受到許許多多莫名奇妙的阻礙與困擾，這是一個不爭的事實，其情形有如：

一、禁止出租房子給黨外候選人使用

　　在選舉正式開始前，情治人員會不斷的警告或威脅民眾，不得把房子租給黨外候選人，從事競選活動。因此，在選舉時，有不少的黨外候選人在荒地上，搭起棚子，就開始從事競選的活動。

二、利用年幼無知的學生，充當傳聲筒

　　國民黨往往透過教育界在朝會時告訴中、小學生說某某人是壞人，回去告訴家人不要選他外，有的還編了一些諷刺性、中傷性的兒歌，教導學生來惡意醜化黨外候選人。

三、公務人員利用職權的助選

公務人員，可以不須放棄他個人的權利和自由，去協助競選，尤其是在國民黨的總動員之下，但是公務人員不能利用他的「職權」去協助競選，這點是值得生長在民主社會之人，應有的共同認識。

四、文攻「毒」術，黑函滿天飛

執政黨往往在選前半年，開始以驚人的經費，大量印製各種雜誌刊物，其中以「雙十園」、「中央」月刊爲其主線刊物，而「我們的」、「青年週刊」、「眞相」、「民主平等」等爲其外圍工具。這些刊物先以報導風光、美女、家庭生活等爲表象，但實質上則以穿挿對黨外人士的惡意批評，做爲主要目標。⑦在選舉期間，無頭傳單極盡醜化的黑函大量湧現。國民黨爲了文宣對黨外發動攻擊，往往還動員了上千的教授、學生、廣告公司的企劃人才，進行醜化黨外候選人。據傳聞「關中」是黑函營的幫主，他曾率領五十名文宣特案小組紮營岌岌可危的選區，從事扭曲事實和作醜化性的重點攻擊。

五、用恐嚇，職業打手、殺手或車禍暗算……等招式

選舉越是激烈，越是容易產生非理性的行爲與動作，這雖是無可厚非之事，但它仍爲大家所擔憂之事。然而，若是在政黨方面，從事有計劃動武或是暗算等卑鄙手段，是值得檢討的。今以民國七十四年的選舉爲例，在十一月十日，私辦政見會的最後一天，陳水扁所喝的茶水，被人偷放瀉藥，頻頻如廁，腹瀉愈來愈嚴重。午夜陳水扁病情惡化緊急送醫急救。十一月十三日，李雅樵所在地下營鄉的一批嬉皮，前往陳水扁競選總部大肆挑釁，說陳水扁膽敢進入下營鄉，將有百餘把的武

士刀伺候。當晚一名歸仁鄉某村長，因公開支持陳水扁，突然遭到不明的流氓毆擊成傷。十一月十四日，陳水扁的兩名助選被巴士故意撞成腦震盪，先後送往台南逢甲醫院急救。十一月十七日選舉結束的當天，陳水扁競選總部接到一封恐嚇信，信中大意是「陳水扁少年得志，將有喪妻之痛」。果然「不幸言中」，第二天謝票時，陳水扁的太太吳淑珍，被肇禍拼裝車「倒車三次」吳淑珍被一輾、二輾、三輾的欲將置之於死地。車禍後的吳淑珍，根據醫師診斷，下半身已全無知覺，除非奇蹟出現，勢將終身癱瘓。（參見伸根 2 週刊，P.22、23、39，74.11.30）

六、政見發表會的限制以及監察小組對黨外的言論干涉

競選活動期間，辦理政見會，對黨外而言，不但處處要核備，而且須接受多方限制的挑戰。在公辦政見發表會上，監察小組的組員，就像影、歌星的星媽一樣，經常黨外稍微講錯一句話，就按紅燈、敲桌子、開警告單……等現象。今以台北市市議員顏錦福的官司爲例。顏錦福在庭上陳述他所參加的是苗栗縣陳文輝先生的坐牢說明會，而不是陳文輝先生的政見發表會。因此，國民黨說他違反選罷法，根本文不對題的同時，顏錦福並抨擊選罷法已經是惡法了。

七、賄選是執政黨的護身符嗎？

國民黨經常被黨外批評，不但不掩飾賄選，而且經常鼓勵金牛，不擇手段，不惜一擲千金，請客送禮，透過各種管道準備進行賄選。長年以來，這個賄選歪風已經狂吹全島，金櫃之囂張無不令人嘆息。其中令人痛惜的公開秘密，是在選前發動

村、里、鄰長造名册，準備買票活動，或是大開某里投票給國民黨候選人超過 60 ％，將會有多少錢的補助支票……等。暨然賄選風氣如此盛行，爲什麼總是抓不到呢？許多人相信只有智能偏低的人才會期待司法人員偵辦賄選犯罪。經驗告訴我們偵辦結果往往是「事出有因，查無實據」。因此，民間對公信力充滿著無力感而盛傳「做賊的怎會喊抓賊，國民黨籍候選人買票，而國民黨操縱的司法當局怎會吃裏扒外，往外彎呢？」

八、據説「做票」是國民黨拿手的本領

不知國民參政水準的提高？或另有他因？在早期，諸如在民國四十九年，蘇東啓與國民黨提名的林金生競選雲林縣長時，由於古坑鄉的投票率，竟高達百分之九十九點九八的情形下，蘇東啓以七千餘票之差而落敗。⑫這個超高投票率的出現，人民在當時無不表示執政黨有作票嫌疑外，在往後的選舉中，國民黨還發明了許許多多的新招術。

1. 幽靈人口打垮不少黨外候選人：人人記憶猶新的涉嫌因做票而爆發的中壢事件，這種做票方式已逐漸被新發明的「幽靈人口」所取代。這群「國防部」所屬的共同事業戶，平日即透過巧妙的戶口安排，機動的南來北往，隨時待命、準備空投到他們「前線最需要的地方」，上午某市一票，下午某縣又一票。根據施性融所打的選舉官司中，就有涉及幽靈人口的問題。在投票當日，在新竹第六十四投票所前，有數十輛花蓮遊覽車載來大批退役榮民進入投票所投票（有九幀照片爲證），經查該投票所在七十三年市長補選時，選舉人數一千四百十七人，投票率百分之七十二，而這次選舉人數卻是三千五百二十

八人，投票三千二百二十三人，投票率突增至百分之九十一，選舉人數增加二千一百十一人，是過去選舉人數的 249 ％。⑦

　　2.相傳軍隊也是國民黨贏取選舉的辦法之一：通常在投票日前一、兩天，會有一批批的部隊回家投票。有的人被叮嚀要投誰的一票，已算是違反公平的投票原則了。然而，更嚴重的情形，有如伸根 2 週刊所刊載的：「據高雄縣傳出的消息說，一名不滿國民黨作法的軍人拿出一張已蓋好『蔡明耀』的選票，指控國民黨假藉一項定名爲『華夏三號演習』的名義，要求國民黨籍的阿兵哥拿選票換空白選票回去交差。如果上述指控屬實，國民黨應付選舉實在無法無天了。」⑦

　　3.從「不到開票就不停電」到「當晚準備實施戒嚴」的涉嫌作票改進傾向：被黨外批評爲國民黨經常利用短暫停電，偷換票箱或丟入選票的糾紛時有所聞。而現今，有演進到配合鎮暴部隊，準備在開票當晚實施戒嚴的傾向，是值得大家重視之事。（參見伸根 2 週刊，P.22-25 ，74.11.30 ）

叁、省議會黨團用三億元整體規劃監委的選舉

　　相傳在民國七十六年的監委選舉，是由十二位監察委員候選人，共同出資三億元，用以整體規劃方式，在國民黨的背書下，絕大多數的議員，將百姓的託付拿去典當，可獲四、五百萬左右。而所選出的十二位金柏台中，有三分之一只有中學學歷，眞不知道國民黨把監察院當作什麼機構的同時，更不知什麼叫做選賢與能了。（參見領先叢書，第 7 期，P.23 ，76.1.17 ）

肆、國民黨內部十三全大會「人面不如豬頭」的選戰

　　在國家面臨新政治的形勢下，國民黨內部終於推出了「三連環」的新設計，諸如加強民主化、直接選舉制的擴大，候選人登記制的建立與介紹說明會等的創辦，來改善傳統不直接、不公開和不平等的國民黨黨員代表的選舉方式。在民國七十七年五月十四日，國民黨自身所舉辦的十三全大會縣市代表選舉中。有許多的黨員發現，有黨務不中立、選舉不開放、賄選不阻止的「三不當」反應，其情形如下：

　　1.「黨內有黨」的選舉操縱：利用權勢透過協調，頻頻大開小組長會議，商量配票、交代投票等，甚至有的學校為支持某位候選人而停課等現象。（參見自立早報 77.5.15 ）

　　2.賄選：賄選傳聞甚囂塵上，嚴重損傷黨形象。但最後均以「事出有因，查無實證」落幕。劉景義台北地檢處首席檢察官指出，他在台北第四選區，包括城中、龍山、大安區等三區，參加黨代表競選時，有許多人夾著「手錶、菜刀、戲票」及招待郊遊的優勢，使得他大嘆「人面不如豬頭」，要選上恐怕相當艱難。他強調，寧可光榮落選，也不願破壞司法人員應有的操守。（參見自立早報 77.5.11 ）

　　3.選務人員，只認身分證，而不認人的「槍手」代投情形嚴重：許多投開票所的監票員與一些特定的候選人期約暗號，公然讓候選人的助選員攜帶大把他人的黨證、身分證、私章入場代投，其中還涉及到地方黨部的「默許」行為，自然令人關

切。⑦

　　嘉義縣登記為農民團體的蔡豐文，他在這次選舉中，指出
在特權、金錢介入下的國民黨黨內選舉，已使垂危的國民黨病
情更加惡化，他在挽救國民黨的努力失敗後，大聲宣佈「國民
黨真的死了！」之後，退出選舉，宣佈脫黨。⑦至於，此次選
舉的另一事情，國民黨雖然「壯士斷腕」，要求全國商業總會
理事長王又曾撤出選舉，顯示國民黨的若干用心，但是這項行
動真能達到「殺雞儆猴」的功效嗎？有待往後評估之外，至於
在全國性的選舉方面，諸如，在往後的立委選舉中，黃信介在
花蓮所參加的競選，因被作了票而落選後，經查證問題票箱
後，黃信介又被宣告為當選人。有關這種令人痛心之事發生
後，全國人民無不希望政府，能夠確實遵守遊戲規則的同時，
更能本著客觀、公正的態度，來舉辦各項的選舉。

四、落實憲政以杜絕亂源篇

今摘錄部份李不白的打油詩，來反映台灣四十年來非常時期的種種百態。

1. 非常時期不尋常，法定民權泡了湯：
   集會長官來「指導」，結社涉嫌通匪黨；
   書信外人共欣賞，通話旁人來分享；
   思想「純正」最重要，出版當心被禁掉；
   出入國境過關難，要當公僕應入黨；
   為了時局不平常，民權已經跌停板。
   ……

2. 非常時期不正常，中央民代任期長。
   說是選民淪陷了，定期改選莫要談；
   法統靠他來維繫，總統由他來選舉；
   官員對他懷畏懼，百姓拿他沒脾氣；
   革命先烈料不及，民國出了新皇帝。
   皇帝年老力不逮，開會永遠到不齊；
   出門歸途記不起，上得樓梯下不去；
   國會成了養老院，殯儀館前好聯誼。
   ……

3. 非常時期真稀奇，台澎宣佈為戰區。
   戰區高樓連雲起，戰地春光正旖旎。
   若說了無戰時意，卻有軍法治平民；

若說局勢不危急，安全人員遍各地；

創辦新報受禁止，說是爲了節約紙；

民選省長不容許，因爲現值戡亂期；

工人罷工違法紀，學生運動犯禁忌。

非常時期非常態，前後已經三十載；

時局非常三十載，非常豈不成常態？

非常旣已成常態，難怪大家亂亂來！（美麗島第一卷，
第一期，P.28）

落實憲政必須廢除戰時戡亂臨時條款

我國憲法制訂於民國三十六年，不久因戡亂需要，國民黨的尙方寶劍臨時條款，在第一屆國民大會開會時，三讀通過莫德惠等七十七人之提案：「於憲法中增訂『動員勘亂時期臨時條款』予政府以臨機應變之權力，俾可適應緊急時勢之需要。」後，並於民國三十七年五月制頒，使之我國政治體制錯綜複雜糾葛不清，形成立憲政治上史無前例的「複數憲法體制」。當蔣介石先生任職總統時，不少學者用了不少的苦心，將我國憲法解釋爲總統制；當嚴家淦充當總統時，則變爲內閣制；蔣太子經國先生接任總統時，又廢棄內閣制理論復辟爲總統制。雖然國民黨政府目前（在民國七十六年七月）爲時勢所迫而宣佈解嚴，但並未廢除「動員戡亂時期臨時條款」及其相關法令且有加重援用及擴大使用的現象。

四十年來，在「威權領導格局」下，人治因素高於法治因素，導致這兩種都具有憲法之實質與形式意義的最高法典，矛

盾之處甚多。因此當某一法律或命令因違反「中華民國憲法」，
應依憲法第一七一條規定宣告違憲無效時，卻因其符合「臨時
條款」之規定或需要，就不能不承認其仍有效力；反之亦同。
因此夾在這兩種「母法」當中之所有法律或命令就面臨了未必
違憲也未必合憲，未必有效也未必無效的奇異狀態。⑦

　　據台大法學教授李鴻禧表示：「動員戡亂時期臨時條款」
制頒之原意，僅在授予總統在「動員戡亂時期」，「為避免國
家或人民遭遇緊急危難，或應付財政經濟上重大變故」時，為
「緊急處分」，不受憲法第三十九條（總統依法宣佈戒嚴）或
第四十三條（總統依法發佈「緊急命令」）所規定程序之限
制。不但具體明確規定總統發佈「緊急處分」之條件，而且明
白規定須經行政院會議之決議，特別又表明立法院對總統所為
「緊急處分」，得依憲法第五十七條第二款規定之程序變更或
廢止之。一方面，授權當時國家領導中心之蔣中正總統以「緊
急處分」大權，來因應國家之緊急危難，克服「中華民國憲
法」對總統職權之授權不足的困難；另一方面，則對憲法之內
閣政體細心呵護，以免受到總統擴充權力之危害；所以原定
「臨時條款」頗能兼顧因應中共兵變之非常事態而又不傷害
「中華民國憲法」之本質。⑧

　　李鴻禧教授又表示：憲法所保障的基本自由與人權，常在
「動員戡亂時期」的「大義名分」下，受到扭曲與抑壓；憲法
所原設之「內閣制」也逐漸增濃了「總統制」的色彩。引出爭
訟不息的「總統制或內閣制」的論爭。最後李教授主張，目
前，台海兩岸已進入以和平競爭代替武力抗爭時代，國家社會

已無「現實而立即的危險」狀態；政府執政黨似應開始研究如何逐步或快速廢除臨時條款、回歸憲法了。臨時條款一去，困擾憲政的葛藤癥結，自然可以滌除，就是資深中央民代也因無臨時條款之奧援，無法再阻撓國會改革呀！（參見自立晚報77.3.5）

從戒嚴到解嚴

　　黨外菁英張俊宏先生，於民國六十八年九月表示：我們到底要不要進入法治社會？如果仍沿襲傳統性的「制法從嚴、執法從寬」的觀念來執法，我們的法治社會將永遠無法達成。警備總司令說，戒嚴法我們只實施了百分之六，百分之九十四未執行，表示很寬大，何必如此呢？法旣然制定了，就必須百分之百執行，如果窒礙難行，那麼就廢止或修改，法治才有希望。制法從嚴，執法從寬所展示的精神是「備而不用，隨時可用」要不要整你完全看執行者高不高興。此種從嚴到寬的距離幾乎是從可致人於死地到使人榮華富貴的距離。這個距離則可任令一個執行人員來翻雲覆雨，怎不可怕？⑦

一、蔣總統經國先生的解嚴眞正動機

　　一般人認爲他解嚴的眞正動機有下列三點理由：

　　1.台灣四十年來，幾乎完全依靠美國在軍事科技上、政治上及經濟貿易上的扶持，由於國民黨政權一黨獨大，台灣有經濟上的奇蹟，爲何不能有政治上的民主奇蹟出現，執政黨若有誠意民主，台灣早就民主了，因此美國有不再支持像這樣不很民主的政權傾向外，爲了與中共在國際舞台上，有一較長短的

機會，唯有實施更徹底的民主政治，才能扳回劣勢。

　　*2.*為了緩和國民黨的立即危亡，有如菲律賓馬可仕獨裁政權一夜間的崩潰而被迫走向較開明政策的同時，藉此整頓內部，接受更多外來力量的督促，來改造黨的體質，以延長國民黨在台灣繼續統治獲得最後利益的機會。

　　*3.*蔣總統經國先生自知生命之有限，在垂暮之年，為了讓後人有所有惦念，而於民國七十四年所舉行的國民黨三中全會中，就率先提倡四大政治革新的要求。

二、解嚴後，過渡時期的紛爭與百家爭鳴的現象

　　蔣總統經國先生雖有誠意推動革新，然受天年之限，致使國民黨內部的既得利益保守派人士，有如谷正綱、俞國華、沈昌煥、郝柏村……等人的激烈反對，造成台灣一面實施開放政策，一面卻大肆整肅異議人士的局面。其短暫的混亂情形大概為，解嚴後的一些政治禁忌被突破，諸如二二八事件，組黨話題，似乎不再被抓去坐牢或槍斃。從「民主、自決、救台灣」到台獨雖不至於被槍斃，但蔡有全、許曹德的台獨言論案，於民國七十七年一月一日，一個被判十一年，而另一個被判十年有期徒刑。從以前警總公然「搶劫」黨外雜誌，到現今的新聞局沒收民進黨「五二○」警民街頭打鬥事件的錄影帶證物。最近一、兩年自力救濟或街頭運動風起雲湧似乎朝向更民主化，但由於警方防衛過當或甚至有意製造「五二○」事件來恢復局部戒嚴或緊急處分的陰謀，使之成為國內、外台灣人士一致關切的焦點。朝野立委關心解嚴將近一年後，究竟警總扮演什麼角色？執行那些工作？今參見自立早報，刊載有關立委對警總

的質詢情形大致如下：張世良質詢警總是不是仍繼續在管轄有關郵電檢查、電信偵查和政治犯調查等工作？國防部的答覆是，基於國家安全，這些調查仍有其必要。邱連輝在警備總部的預算中挑出一筆經費爲一千零七十多萬部署在觀光單位的「線民」（如導遊……）費用加以批評，並指出，目前已是解嚴時代，警總卻還維持這種「戒嚴」作風的預算，應予全數刪除。黃煌雄建議警總的預算不應列入秘密審查，他表示「戒嚴心態」是最可怕的，而且警總的陰影在各個部門，如港口機場、入出境管理局，甚至郵電檢查卻仍然是存在的。趙少康則批評警總不應該挾著國家安全的大帽子，造成國家進步的阻力，他並指出，目前，像汽車電話、無線電通訊等現代社會應有的進步設備，都因爲警總的阻撓而無法實施，應即檢討改進。⑧

三、「國家安全法」是不是解嚴的必要條件？

執政黨和民進黨雙方對於在解嚴前制定國安法的看法大相逕庭，其理由爲：

執政黨方面：
我國仍非承平時期，解嚴後對中共的陰謀侵犯，仍須採取必要措施，尤其關於入出境、山地及海岸管制、集會結社等，不能不立法予與規範。如不制定國家安全法，

民進黨方面：
　1.制定國家安全法將使國家緊急法制權益形雜亂，背離憲政精神，現有法律已足以保障國家安全、社會安定。
　2.憲法與戒嚴法所規定的解嚴條件中，都不包括制定國家安

無法澄清人民的疑慮，若要個別事件制訂法律，則曠日廢時，極不妥當。政府希望透過法律中的宣示性條文，建立全國上下的共識，以對付中共，反對分離主義。

全法，可見制定該法並非解嚴的必要條件。

3.為達成全民的願望，可由立法院作成決議，移請總統解嚴，再責成行政院制定過渡期間的「解除戒嚴過程條款」。

　　法學專家李鴻禧教授對國安法的看法：他指出，就「動員戡亂時期國家安全法草案」的內容觀之，較具體而有實質意義的，只有出入境與山防海防問題，前者不妨另定「出入境管理條例」，後者只要在「要塞堡壘地帶法」，增訂若干必要條文即可；實無必要硬制定冠以「國家安全法」的法律，既影響國際觀瞻，又引起國內部份民眾之疑慮，實在很不值得。在法條的重複規定方面，他指出此國安法第二條規定：集會、結社不得違背憲法或反共國策或主張分離意識。這些是政治性的宣示，語意不具明確具體之規範性質。況且已有「懲治叛亂條例」及「戡亂時期檢肅匪諜條例」等對共匪、台獨設有刑罰。對於行政裁量權過大方面，他指出，像第三條之限制出入境，第四條之實施檢查，第五條之劃定管制區等都賦予治安或軍事機關過大授權，影響人民之自由與權利頗大。最後他期望執政黨早日擺脫長年憑靠的「戒嚴情結」，不再迷信「國家緊急權」之法力無邊；早日從緊急戒嚴體制，回歸自由，民主憲政體制，必能和諧朝野、團結全民，邁向美好的明天；若仍迷信「國家安全法」，想以之為媒介，在解嚴後逐步使集會結社、

言論出版，乃至於居住遷徙等自由，一一回歸戒嚴狀態，必然
會招來朝野更多尖銳對抗。

△　動員戡亂時期「國家安全法」面對新局勢的考驗：

　　國安法第三條第二項第二款所列之情形，包括：

(1)參加共產黨或其他叛亂組織，或其活動者。

(2)參加暴力或恐怖組織或其活動者。

(3)涉有內亂罪、外患罪重大嫌疑者。

(4)在台灣地區外涉嫌重大犯罪或有犯罪習慣者。

(5)曾經前往淪陷區有助於中共叛亂組織者。

(6)離開淪陷區未在自由地區連續住滿五年，或已住滿五年
未取得當地居留權或在台灣地區無直系血親者。

　　民國七十七年（西元 1988 年）兩個關鍵性的政治案件考驗
戡亂條款，一個是中共高幹到台灣從事經濟活動；另一個是蔡
有全、許曹德的台獨案。

　　1.根據自立早報之報導，有關警備總部軍法處的起訴罪狀
指出：被告董立（男三十三歲，山東壽光縣人）係共黨高幹子
弟，少年時曾加入「共產黨少年先鋒隊」，大學畢業後，曾擔
任匪偽偽「南京電器總廠」黨委宣傳幹事、「南京日報」記
者、「江蘇民航局」助理、「武裝民兵生活雜誌」主編等職。
他來台從事經濟統戰、著手顛覆政府的被告董立，經警備總部
軍法處判處有期徒刑十二年，解嚴後案移由司法機關偵辦，二
月一日下午，台灣高等法院以罪證不足改判無罪。[81]

　　2.依民主年代雜誌指出，台灣高等法院竟然重判主張「台
灣應該獨立」的蔡有全徒刑十一年，許曹德徒刑十年的叛亂罪

刑。對「蔡、許案」的重判,不但偵查與審理過程太匆促與草率,而且違背人民言論及思想自由的基本人權。何況,「台灣政治受難者聯誼會」旨在聯誼性質,並且是公開式的新社團,雖然「台灣應該獨立」被列入章程,也僅是思想的認知而已,該團體並未構成叛亂團體的要件。更甚者,主持會議的蔡有全和提案的許曹德並無能力把該案強行列入其章程。如果列入該聯誼會之章程就被視為叛亂犯,那麼「台灣政治受難者聯誼會」是不是會為叛亂組織?如果是,那麼,何以僅僅許、蔡有罪,其他成員皆無罪?如果不是,那麼許、蔡兩人又何罪之有呢?(民主年代系列總號 105 , P.58 , 77.2.10)

四、動員戡亂時期「集會遊行法」的商榷

　　民國七十七年一月五日,「動員戡亂時期集會遊行法草案」是在何種情況下通過的呢?當院會一開始,在尤清針對第九條有關集會遊行之申請規定(室外集會遊行必須由負責人填具申請書,載明集會遊行事項,並於七日前向主管機關申請許可),發言完畢之後,劉碧良第三十一位委員提出停止討論交付表決案,在場委員舉手否決了尤清等五人的修正案,十時正通過草案第九條原文。此時,朱高正憤恨上台,他宣稱民進黨今後絕不遵守集會遊行法任何一條規定,並將展現實力給國民黨看,他說,四十年不改選的國會,有何權力制定如此高度政治性的法案,他並厲言指責資深委員是「老賊」、「孬種」,如此蠻幹實在不要臉。⑧

△集遊法的缺失方面

㈠劃定禁制區的不當:

*1.*根據集遊法第四條規定：集會遊行不得在總統府、行政院、司法院、考試院及各級法院、國際機場、港口及重要軍事設施地區等週邊範圍舉行。對於反對勢力的民進黨而言，其以往所習慣抗議的地點，幾乎全遭封殺。⑧這種不合理禁區的強行劃定，導致人民不屑一顧的向惡法挑戰，其情形，有如於民國七十七年七月二十四日，民進黨分批前往中正機場向國大代表洪奇昌接機之事的發生。

*2.*又根據內政部劃定禁制區原則，大致以三百公尺爲範圍，那麼行政院與市議會只距四○公尺與監察院只距三○公尺，與最熱鬧的立法院也僅隔一五○公尺，到市議會、立法院、監察院的集會遊行群衆，可不就誤蹈「法網」了嗎？⑧

(二)違背民主憲政的第四條：

加拿大維多利亞大學教授蕭欣義認爲：草案全文三十四條，幾乎半數條文有待商榷修訂。其中最不合理，最違背民主憲政原則的，莫過於第四條。這第四條規定：「集會、遊行不得違背憲法或反共國策，或主張分離意識，並不得違反法令、公共秩序或善良風俗」。他說，這一條表面上看似四平八穩，其實存在三個大問題。

第一、在台灣當前政治狀況下，「違憲」的含義被顚倒是非，頗爲吊詭。「反共」的定義含混不清。「分離」已是長期的既成事實。在名份上要予以肯定或否認，有待全民愼重探討，不宜由政府片面禁止談論。

第二、民主國家的集會遊行法，除了禁止蓄意暴力破壞，維持和平的集合遊行方式以外，是否可以禁止異於執政黨政綱

及意識型態的主張？第四條上半段的規定是否違背民主原則？

　　第三、「違反法令」一辭中的「法令」到底何所指？

　　蕭欣義教授最後強調，民主國家對於集會遊行的立法，只規定其方式之和平，而從未規定什麼樣的主張不准提出。以和平方式提出政、經、社、文化各方面的主張，是人民的基本權利。這些主張，不管是透過報刊書籍，或電台電視、或集會遊行，只要所用方式是非暴力的，就應受到保障。

㈢罰則過苛，超逾普通法之刑法：

　　生活雜誌第四十五期社論指出：集會遊行經主管機關命令解散而不解散，仍繼續舉行經制止而不遵從，首謀者處二年以下有期徒刑或拘役，未免過苛，而首謀定義如何，是否即為申請許可之負責人，亦不無疑義。集會遊行時，侮辱依法執行職務之公務員或公署，處二年以下有期徒刑，遠較刑法第一四〇條之最高刑度六個月為高。由於過去集會遊行時，軍警常有過度的包圍與阻擋，致侮辱誹謗不斷發生。可以預見此類官司，將會接二連三不斷出現。（生活雜誌 45 期，P.6 ，77.3.1 ）

㈣警察機關准駁權限太大而主觀：

　　近年來，許多集會遊行皆未依規定申請，便逕行舉行，在活動中更無視警方的制止及規勸，指責警方未處於中立，加上集遊法中，有若干明文不足或令人疑惑之處，致使接連幾次集會遊行，如「〇四〇五」及老兵抗議等，皆在提出申請後被駁回或根本不申請的情況下，仍然照常舉行。（自立早報 77.5.10)

㈤申駁時間太長以及集遊法立法的不週延：

　　集遊前七天，即要申請，似乎容易造成警方技術偷渡和時

間上的延誤。至於依集會遊行法規定，申請遊行抗議時間截止時，必須立即解散隊伍，但若遊行領隊尚與接受抗議單位溝通未有結論前，或者遊行至中途已超過申請時間，警方是不是要強制下令解散呢？「三一六」果農抗議事件，台北地檢處調查庭就遇到此問題。兩名被告律師提出，「三一六」當天，因申請遊行時間在下午四時結束，依法遊行隊伍應準時解散，但當時領隊林豐喜正與國貿局官員進行溝通，未有結論前，警方就舉警告牌下令群眾解散，執行技巧及經驗顯欠妥當。從常理判斷，任何群眾遊行示威活動若在此緊張狀態下遽然下令解散，必然會引起群眾情緒激昂的反應。⑧⑤

五、動員戡亂時期公職人員「選舉罷免法」

民主是一種手段，選賢與能才是目的。但民主選舉的過程，必須要公平、公正、公開，才能使選民選擇他們理想的賢能之士。因此，選罷法就是一部規範選舉過程中可能發生的一些違法脫序的法律。

(一)選罷法第三條造成封殺少數黨的事實：

該法條為：公職人員，以普通、平等、直接及無記名單記投票法行之。但監察委員選舉，由省（市）議會議員以無記名限制連記投票法行之，其連記人數不以超過應選名額二分之一為限。

由於現行「限制連記法」於七十五年選舉中造成封殺少數黨的事實，以致選委會修法委員認為限制連記法既未達遏阻賄選之初衷，復招來壓迫少數黨的惡劣印象，故決議恢復原無記名單記法，並訂定最低當選票數。但經辯論表決仍維持以二分

之一爲限的限制連記法。⑧

(二)選罷法第四十五條之四:

　　候選人競選經費及對候選人競選經費之捐款,得依所得稅法列爲當年綜合所得扣除額或當年費用。

　　國民黨除了與金牛爲伍外,還培養一些財力薄弱名望不高的所謂「人才」透過當地廠商或資本家分配捐款方式從事競選。而這些廠商旣可以扣除綜合所得稅,又可以從事執政黨給予某種的特權營業。反之,沒有廠商公開捐款支持黨外人士,以免遭到許多的不測。有如,王永慶與民進黨代理主席許榮淑、立委朱高正敍餐,就六輕設廠交換意見,而造成法務部調查局對數百位台灣籍的企業家展開廣泛的「身家調查」、「約談」、「查訪」行動。甚至連國民黨工商企業鉅子——列爲中常委的辜振甫、中央政策會副秘書長許勝發、與國民黨關係融洽的吳三連關係企業等都被列入名單。

(三)競選活動限制太多而且不切實際:

　　選罷法第五十五條規定候選人或其助選員競選活動,「不得」有下列情事:

　　1.在政見發表會或競選辦事處外,公開播放演講之錄影、錄音。

　　2.於規定期間或每日起、止時間之外從事競選活動。

　　3.聯合舉辦自辦政見發表會。

　　4.結衆遊行。

　　5.超越各該選舉區,從事競選活動。

　　6.發動選舉人簽名運動或於報紙以外之大衆傳播工具刊播

競選廣告。

又如第五十六條有「不得」的規定，第一款規定爲「公開演講爲候選人宣傳」、第二款規定爲「自行製作或張貼傳單、標語、壁報爲候選人宣傳」、第五款規定爲「發動選舉人簽名或利用大衆傳播工具刊登廣告爲候選人宣傳」等等。

謝漢儒先生（曾任民社黨中央黨部秘書長，現任中央選舉委員會委員）指出，以上這些規定，似乎是否定政黨在參與競選中的角色功能。一個政黨在各個選區提出其理想候選人參與競選，一定要盡全力運用各種方法使選民瞭解其政黨所提出的政策主張，並保證其所提出候選人必能忠實執行。隨時隨地，動員黨內精英，從事競選活動，包括候選人及其所屬政黨的領袖、幹部作口頭演講、刊登廣告、散發傳單名片，並利用廣播電台、電視台、錄影帶、錄音帶作競選宣傳。必要時，視選情的變化，可以越區競選，或集合候選人共同發表政見。因此，政黨納入規範後，只要不違反法律，不妨害公共秩序，不擾亂公共安寧，一切由各該政黨自行負責，各政黨爲珍惜其黨譽，未敢違法玩法，所以選罷法僅作最低限度之規範即可，倘有違越規範，即應從嚴執法外，謝漢儒先生又指出，選監機構應由各政黨比例推派參加，對於辦理選務工作的公開性，可獲得各黨派的信任與支持，對於幽靈人口問題、印發選票過程及選票外流問題、戶籍遷移及錯失問題……等，都可在和平、理性的和諧氣氛中依法予以解決。尤其是各政黨共同監察選舉，更可互相監督，防患未然，對於暴力的介入、金錢賄選的惡風、黑函黑傳單的制止，都會有顯著的改善。

　　中國時報記者陳守國、莊佩璋對於修改選罷法的評論方
面。他們認爲過去選罷法一直被詬病爲「立法太嚴、執法太
寬」，其原因即在於立法心態拘泥於「防弊」，著眼於「治安
層次」，旣昧於事實，則（又）難以執行。觀乎此次修正，修
法心態仍未改變。例如：引起選風敗壞，更授人「壟斷」口實
的監委限制連記法仍然維持；已成流行趨勢的放映演講錄影、
錄音，修正內容中卻增列禁止規定；遊行已受法律保障，但選
罷法仍予禁止；聯合舉辦政見發表會及政黨助選行爲旣已被允
許，又規定助選員不得越區從事競選活動……等。（中時
77.1.26）

　　在選罷法的百般限制下，黨外人士助選動輒得咎，其情形
有如：

　　陳文輝因施性忠受冤、挺身爲莊姬美助選，結果身繫囹
圄，顏錦福爲陳文輝挺身而出參加陳文輝坐牢的說明會，並不
是陳文輝的政見發表會，然而，國民黨說他違反選罷法，被判
處有期徒刑九個月，褫奪公權三年。

　　選罷法在這短短半年期間，還有鄭南榕、李明憲等人也分
別被判刑，他們對於「法庭暴力」式的判決，已經不再覺得遺
憾，而是憤慨之至！選罷法已不再只是一部惡法而已，它已淪
爲刑具，用褫奪公權處分來扼殺政敵的政治生命，凡對其政權
稍具威脅的全部判以政治出局。

　　在顏錦福的「坐監惜別會」時呼籲用「人民的『正義』反
審國民黨的同時表示：「面對惡勢力，我們只能要求自己更加
堅強，以堅決的態度接受任何不公不義的迫害。」面對這種

「莫須有」的政治判決，顏錦福特別聲明，爲了台灣的住民政
治，爲了我們社會的幸福，我不怕去坐牢，如果坐牢可以喚起
我們民衆的勇氣，而對民主運動有所關心，亦可促使所有黨外
人士更進一步的省思，那麼我去坐牢是值得的。

六、修改臨時條款，以落實地方自治

　　憲法第一三○條規定：「省自治法應包括左（下）列各
項。一、省設省議會，省議會由省民選舉之。二、省設省政
府，置省長一人，省長由省民選舉之。三、省與縣之關係，屬
於省之立法權，由省議會行之。」憲法第十二條規定：「直轄
市之自治，以法律定之。」若按省（市）同級而論，依法應民
選。目前（民國七十七年）台灣省所實施的地方自治是依據民
國十六年訓政時期國民政府建國大綱等公佈的法律，以及民國
三十七年以後行政院或台灣省政府發佈的行政命令來規範地方
自治。省主席一直官派。台北市及高雄市分別於民國五十六年
及六十八年升格爲院轄市後，在民國五十七年及六十八年，分
別由中央派任市長。這種台灣地方自治版圖的萎縮，使之台灣
人民從北到南，台北市市長、台灣省省主席、高雄市市長，一
個也做不了主！至於有關它的詳情方面，請參閱下述的「堂皇
包裝的地方自治篇」，即可了解。

　　綜觀上述，台灣目前的社會混亂，在於執政黨無誠意落實
憲政，而迷信動員戡亂時期臨時條款的「法力無邊」，因此，
台大教授李鴻禧先生沈痛的指出：政府執政黨似乎把「動員戡
亂時期」這一「頭銜」，看做「超凡的萬能丹」，百無禁忌的
「符咒」；好像只要服下這「萬能丹」，貼上這「符咒」，是

「國家安全法」、「集會遊行法」、「民間團體組織法」、「公職人員選舉罷免法」，乃至於「台灣省政府組織法」，動輒成爲「動員戡亂時期」的系列法規，其內容不僅不受常態法制中國家安全法制、集會遊行法制、民間團體組織法制、選舉法制及地方自治法制等該類法制之「本質底約束」；而且也不必受憲法限制。以致「動員戡亂時期」之「頭銜」，幾乎就變成不怕違反憲法，可以悖逆一般法學法理之「護身符」；一如道士廉價畫出的「唵嘛呢叭咪吽」符籤，肆無忌憚、亂無章法地張貼在神聖尊嚴之「法律」上；使這種貼有符籤的法律，可不理會法律之公平、正義、理性與法理，「惡法亦法」地強予實施；造成法律威信尊嚴之喪失，社會秩序也因焉浮盪不安。（自立早報 77.5.14 ）

五、強人不死、民主不生篇

在狂風巨浪的大時代，蔣介石結交各路英雄好漢，以朋友、親戚、同志、部下爲中心，結合上海財團、黑社會、軍閥、教會、學者、特務……等，合縱連橫、逐鹿中原。他失掉大陸，來到台灣後，就搞組織，把它分爲黃埔系、特務系、同鄉系、外戚系與拜把兄弟系等小圈圈互相牽制與監視，以穩固其政權。⑰

蔣總統介石先生於民國六十四年被宣佈逝世後，在十一屆二中全會上，就爆發了以宋美齡爲首的「夫人派」和以蔣經國爲首的「太子派」，上下兩代間的權力競逐。太子派用奇妙的鬥爭方式，以全體委員起立鼓掌方式通過蔣經國先生繼任黨主席，而非「夫人派」所擬的以無記名投票選舉方式產生。自蔣經國先生掌握大權以來「浙江幫」逐步分據黨、政、軍、特各要津形成一大集團。在蔣總統經國先生的晚年，他打算把大權分給他的家人，有如蔣緯國擔任國安會議秘書長，扮演監軍和監國的雙重角色，掌握軍、特系統。而其餘的權力，則分別由蔣孝武掌文宣、黨務系統，蔣孝勇掌企業界，章孝嚴掌外交決策系統，章孝慈掌司法系統等的如意算盤。⑱當蔣總統經國先生病危時，官邸派就開始積極展開奪權佈署。蔣總統經國先生屍骨未寒，國民黨的四大派（保守派、改革派、官邸派、元老派），兩大系統（政務系統、黨務系統）以及立法院的兩大幫（老法統、增額民意代表），外加三、五名台籍政客、外省權

貴就打成一團。⑧蔣總統經國先生的遺體，一被送到大溪頭寮賓館後，國民黨就爆發了赤裸裸的奪權鬥爭內戰。以俞國華爲首的官邸派聯盟先發制人；而李煥所結合的勢力在第二回合中，做有力的全面反撲。

　　究竟什麼是官邸派呢？官邸派可分爲士林官邸（老官邸）和大直官邸（新官邸）。這些官邸成員是謂在官邸服務過的歷任中文和英文秘書、侍衛、侍從、參謀以及親友在內以主子—家臣制的遺傳性質。除了長幼尊卑的家庭化體系外，又被附加上了効忠、崇拜、感恩等品質。⑨官邸派的特質，除了對蔣家効忠高於一切外，他們與台灣社會隔絕，少有社會基礎。他們缺乏信心，反對改革，反對改革速度太快，對台灣不利，而改革速度之快慢，由他們自己決定。甚至他們反對蔣總統經國先生所發動的改革速度太快而加以抵制。目前（民國七十七年左右）官邸派仍以蔣夫人爲中心，雖然她在蔣總統介石先生去世後，遠走美國多年，但仍搖控國內部份政事，國家重要人事，如外交部長、空軍總司令等人選，非得蔣夫人首肯，不得任命。⑨現今，在蔣總統經國先生去世後，在台灣官邸派中最有勢力的權臣是俞國華（行政院院長，蔣家掌櫃出生）、郝柏村（出身侍衛長，與孝武、孝勇兄弟感情親密）、宋心濂（特務頭子，宋美齡的乾兒子）、沈昌煥、秦孝儀、曹聖芬等人較活躍。其他如楚崧秋、宋楚瑜是屬官邸派的改革派。他們在思想、觀念與利害未見相同於同一派的其他人。

一、外戚干政，永不休乎？

　　兩代蔣總統統治中國大陸或台灣，前後幾達半個世紀之

久，在這數十年的時間裏，有關蔣氏家族與所謂「皇親國戚」
的孔宋家族，他們如何仗恃權勢，在政治上排除異己，在經濟
上大賺民脂民膏，因此累積了不少的冤案、假案和錯案。⑨當
年蔣經國先生在上海打老虎的孔令侃，在蔣總統經國先生一
死，就回來了！因此傳聞孔令侃是回來分贓的。孔令偉即是有
名的孔二小姐，長年陪伴蔣夫人，且爲圓山飯店的總經理。孔
令傑，曾爲我國駐美大使館參事。不知其錢來自何方？據美國
德州月刊兩年前還專文報導孔令傑在那裏所興建的巨宅，可以
當作核戰的避難所，有三套供電系統，有人工湖，有一隊保
鑣，有私人飛機等等。⑨因此立委吳淑珍，於民國七十七年三
月十五日，針對孔宋家族不時插入國內政事（諸如執政黨十三
全會權力重組以及我國龐大外匯存底的曖昧關係……）被民間
喩爲「外戚干政」影響蔣宋美齡夫人形象甚巨一事，提出緊急
質詢，要求政府公開澄清並釐清黨政分際。⑨

二、蔣家政權，永不消失乎？

　　由於政治無情，加上特權醜聞被公開，以及近半年來，不
少的冤案、錯案和假案翻得有理，使之人人畏懼沾到蔣家，甚
至蔣總統經國先生才去世不久，就有不少人急於和蔣家「劃清
界線」。據說蔣孝勇很感慨，因他的案子公佈後，過去蔣家用
「恩」、「義」築起封建式的權要人物，竟無人肯站出來幫他
講話。蔣家勢力的快速消褪，其情形有如新新聞周刊第五十八
期所說的：「現在沒有人敢提議爲蔣經國立銅像，而且不僅
『經國大學』這個名字沒人敢用，連已決定的『中正大學』，
可能也將被迫改名。士林園藝中心也被迫對外開放。當年大專

聯考和高普考要考的『蘇俄在中國』一書，現在幾乎買不到；蔣氏父子喜歡看的『荒漠甘泉』，現在無人再提倡。『天地一沙鷗』一書也絕版了。蔣總統言行錄和言論集，現在都變成紙漿。官邸派和侍從室，從此變成歷史名詞了。現在從這兩地方出身的人，全被視爲『壞成份』。」⑨⑤

三、省籍區別，永不調整乎？

（一）大陸高官、將軍，台灣卒方面：

自蔣總統經國先生去世以來，在人民的強大壓力下，蔣家勢力已逐漸潰散之際，在其他的統治權力機構方面，也同樣的面臨著，在「排除歧視」的強烈要求下，而有所調整。其情形，有如陳水扁委員在民國七十六年三月下旬，在立法院第七十九會期總質詢時，向俞院長所質詢的「攤開省籍歧視的帳簿」內容如下：

本席今天願意藉這個難得的機會，就本會期以來，委員們和輿論所熱烈討論的省籍話題，更進一步提出以下具體數字，就教於俞院長，究竟台灣人民是否眞如俞院長，在各方面皆已得到公平待遇，省籍問題不過是黨外在刻意製造的？以及台灣人是否眞的在政治、教育、商界各方面皆已取得優勢，並排擠外省人？

眾所週知，三個中央民意機構，近一千三百名代表當中，台灣籍僅佔二百二十多人，約百分之十七，與台灣人佔人口百分之八十五之比例懸殊，此和丘宏達教授所謂「外省人代表性」不足的說法完全不符，撇開這個眾人皆知的事實不談外，本席謹以台灣的統治權力結構當中，居於核心地位的黨、政、

軍、特四者作比較：

　　1.黨方面：國民黨中央委員會是其權力集團，從民國四十六年到現在總計五屆中央委員共有二四三人，其中台灣籍（包括所謂半山者）三十三人，佔十三‧六％。

　　2.政方面：以列名本院委員通訊錄當中，「中央政府各機關首次長通訊處」中一百五十名政府高級首長做統計，其中台灣籍二十一人，佔十四％。

　　3.軍方面：目前少將以上將軍約三百五十人，台灣人不超過十五人，佔四‧三％。

　　4.特方面：僅以最平民化的情治機關警政署為例，三線一星警正以上（即各縣市警察局以上）高級警官全國約一百五十人，其中台灣籍十一人，佔七‧三％，特務機關在權力核心當中是最隱密的一環，台籍人士出任高階首長的比例應當比黨、政、軍三者更低。

　　如果俞院長要說黨、政、軍、特四者皆偏向政治面，不足以說明台灣人是否受到公平待遇，則本席願意再舉與政治距離最遙遠、最無關連的教育界為例，二十八所公私立大學院校當中，僅有七位校長是台灣籍，佔二十五％，其中五位是私立院校校長，也就是說十五所公立院校當中，僅有二位是本省籍，佔一三‧三％。同時五位私立院校校長當中，有三位是醫學院院長，這是因為自日據時代以來，本省子弟即一直以學醫為第一志願，台灣人在醫學界已奠定堅實地位，所以政治力量較難干預。由此以觀，連一向被視為「良心事業」的教育界，用人升遷都有省籍差別待遇，其他公務機關、國營事業、公營銀行

的情形就更不用說了。

　陳水扁立委，在這次總質詢中，又提到，"四十年來壟斷台灣政治權力的統治階層，僅是外省人中的絕對少數，其他百分之九十五以上的外省人並未分享任何利益，民國四十九年之前退任的士官兵連起碼生活費的退休金都沒有，今天開計程車，當大廈管理員、工廠警衛、清潔隊員、沒有成家的單身漢，外省人的比例確實偏高；同時多數的外省人在經濟上較居劣勢，最近外省子弟犯罪率節節高昇，也令人關心。針對此點，本席要沉痛地指出，執政當局過去以省籍理由來排斥台灣人，其結果不僅是台灣人，連絕大多數的外省籍人也成為受害者。"……。最後，陳水扁立委希望執政當局立即放棄省籍歧視政策，讓台灣成為一個沒有對立、沒有緊張，充滿民主與和平的樂園。不知俞院長以為然否？（76.3.24）⑯

　㈡「省籍優待」嚴重影響考試的公平性方面：

　孫中山先生畢生最得意的發明，就是從行政、立法、司法等三權分立中，再分出考試和監察等五權分立的主張。其目的，在考試方面，莫非是在強調考試的公平性。然而，國民黨政府自來台後，就開始做有計劃的變更，其情形有如中國時報記者潘國正在「考試旨在掄才、豈容省籍限制」的標題下所做的綜合性報導為：

考試旨在掄才、豈容省籍限制

　高普考竟然存有「省籍優待」問題，這與聯考制度下的「特種考生」一般，都讓考試的公平競爭原則大大的打了折扣。

　　【記者潘國正綜合報導】大學及高中聯考有特種考生問題，而屬於國家級考試的高等及普通考試，除了特種考生加分優待外，更有極為罕見的「省籍優待」問題，這種變相的省籍「保障」制度，令人難以理解。

　　據了解，高普考「省籍優待」由來已久，從民國卅七年實施迄今，考試法雖經數度修訂，但這種與時代脫節、破壞國家考試公平競爭原則的老辦法，卻是源自於憲法第八十五條規定：「公務人員之選拔，應實行公開競爭之考試制度，並應按省區分別規定名額，分區舉行考試。」

　　根據這項法源，考試法因而訂出定額標準（如附表一），省區人口三百萬以下者五人，超過三百萬，每滿一百萬人增加一人。以台灣省為例，目前定額比例數為廿一人，又因人口數已於日前突破二千萬人，故將修改為廿二人。

　　這項規定後又規定：「但仍得依考試成績按定額標準比例增減錄取之。對於無人達到錄取標準之省區，得降低錄取標準，擇優錄取一人，但降低錄取標準十分，仍無人可資錄取時，任其缺額」。

　　這就是所謂的「省籍優待」制度，亦即在應考類科中，應考人均未達錄取標準時，即可在所有未錄取的非台灣省籍應考人中，降低錄取標準擇優錄取一人，且不受類科之限制。這點更清楚地凸顯出「省籍優待」的關鍵。

　　除此之外，高普考也有「特種考生」，即後備軍人及華僑，分別可以給予加「總平均成績」三到十分之多，以高考九科計，如果加「總平均成績」可以加到四十五分之多，而普考

六科，也可以加到三十分。

「省籍優待」實施了幾十年，華僑及後備軍人等特種考生「加分優待」也實施了很久，儘管受惠者在錄取比例上並不大，但其犧牲了國家考試的公平性，值得有關單位檢討。

附表一　　　　　　　　　　　　　　　　（潘國正）

全國性公務人員考試各省區錄取定額比例標準表

省　區	定額比例數	省　區	定額比例數	省　區	定額比例數	省　區	定額比例數
江蘇 (南京上海)	四四	廣東(廣州)	二八	綏遠	五	合江	五
浙江	二二	廣西	一七	察哈爾	五	興安	五
安徽	二四	雲南	一一	熱河	八	海南島	五
江西	一五	貴州	一二	遼寧 (瀋陽大連)	一四	新疆	六
湖北(漢口)	二四	河北 (北平天津)	三四	安東	五	青海	五
湖南	二八	山東(青島)	四二	遼北	七	寧夏	五
四川(重慶)	五〇	河南	三二	吉林	八	蒙古	八
西康	五	山西	一七	松江 (哈爾濱)	五	西藏	五
福建	一三	陝西(西安)	一三	黑龍江	五	華僑	一五
臺灣	一二	甘肅	九	嫩江	五		

註：1.院轄市依其所在省份合併計算。

　　2.臺灣省，按人口成長率增為廿一人。

　　3.華僑自七十年起，增為二六人。

全國性公務人員考試各省區錄取定額之演變　製表／潘國正

民國卅七年： 　　考試院依據當時內政部人口局所公佈各省區人口數目爲計算標準訂出「全國性公務人員考試各省區錄取定額比例標準表」，亦即當時全國人口總數與各省人口數的比例。
民國卅九年至五十七年： 　　依考試法辦理台灣省公務人員高等考試及普通考試（應考人以台灣省籍爲限）、和全國性公務人員高普考試併行，增加台籍人士錄取機會。
民國四十一年： 　　全國性之高普考試按各省區錄取定額比例標準表之定額比例數一律加倍錄取，減低對台灣省籍應考人之不利。
民國五十一年： 　　考試法第廿一條第二項增列了「仍得依考試成績按定額標準比例增減錄取之。」「對於無人達到錄取標準之省區得降低錄取標準，擇優錄取一人，但降低錄取標準十分仍無人可資錄取時，任其缺額」。（在此之前無十分之限）前項辦法的效益是使應該錄取之台灣省籍考生不致因額滿就擠不進去，亦即所稱的「加成錄取」，而後者則就是所謂的「省籍優待」。
之後（年份待考） 　　又修正前項爲高普考試對因任用需要而無人錄取之省區降低錄取標準，是以各省區報考類科最低錄取標準爲準，依法降低十分後，就各該省區擇優錄取一人，不受「類科之限制」；另在決定錄取標準時，筆試科目有一科爲零分者，不予錄取，但專業科目平均不滿五十分者，則不受限制。
民國七十五年： 　　針對前項缺點而修改爲降低十分後，不受類科限制，擇優錄取一人。但應錄取人某科之成績未達其應考類科中之特殊規定時，不得錄取；另就其他類科中擇優錄取。

（中國時報 78.7.27）

　　㈢「戰士授田」的補償修正方面：

　　戰士授田証的發給，是國民黨政府給予來台將士們一種士氣的鼓舞，希望他們在反攻大陸成功後，在大陸當地授予土地的一種憑證。孰知國民黨政府在台枕戈待旦有半個世紀之久，仍無動靜後，這個外省族群終於率先走向「反攻無望」論，或是惟恐「中華民國在台灣陣亡」，而立即迫使國民黨政府，贖回這個幾乎「個個有獎」的戰士授田証。因此，政府在民國八十年（西元 1991 年）一月一日緊急頒佈施行了「戰士授田憑據處理條例」，總共編列特別預算八百八十億元，來贖回七十四萬五千六百五十八張的戰士授田証。由於該戰士授田憑據條例未涉及泰北地區居民、台灣本島以及居住海外前國軍官兵及家屬，而被批評、指責。因此，又在民國八十五年十二月十五日修正通過該條例，除把上述新的五千受益人包括在內外，並延長過去早已過期被政府列為該領取，而尚未領取的十三萬三千張左右的受益人，能夠在民國八十六年十二月三十一日截止前儘速領取的呼籲與呵護。（參見自晚 85.12.16）至於，在台灣四十餘年來，有數十萬就讀軍校的職業軍人，無時無刻的在保衛大台灣，為何他們並沒有享有同等的待遇呢？這豈不令人懷疑在省籍的區別作祟下，早已實行一國兩制了！

　　近年來，李總統登輝先生，自民國七十七年一月到現今民國八十五年繼續擔任中華民國在台灣的總統以來，對於上述不不管是對於某一族群有特別照顧或是給予特別忽視的現象方面，有逐漸調整或恢復自然發展的狀態之際，有關蔣氏家族方面，連他們自己也不敢相信，他們會如此的快速沒落，其情形

有如蔣孝文病死於民國七十八年四月十四日，蔣孝武死於民國八十年七月一日，章孝慈中風於北京，近年死於台灣，蔣孝勇患了喉癌，而蔣緯國將軍於最近（民國八十五年下半年）又出書指出，他的生父不姓蔣外，其中最令人鼻酸也是令台灣人民不敢相信的事情，是蔣故總統經國先生的公子——蔣孝勇，於民國八十五年（西元 1996 年）八月二十三日，竟在國民黨第十四屆四中全會中，談到準備把兩蔣（蔣總統介石先生和蔣總統經國先生）移靈大陸浙江的事情時，表示：「寧願讓敵人鞭屍，也不願被自己人鞭屍」的話語之後，蔣孝勇於民國八十五年十二月二十二日，也相繼病逝，享年四十八歲而已！

六、國會全面改選篇

中華民國第一屆國會代表（包括國大代表、立法委員和監察委員），一共有四千零四十一位的名額，實際選出三千九百零一人。而先後跟隨國民黨政府來台避難的有二千一百五十人。

台灣的面積爲三萬六千平方公里，約日本的十分之一，美國的二百六十分之一；而在台灣的國會代表有二千多名，約日本的三倍，美國的三・六倍。日本參議員的任期六年，衆議員任期四年；美國參議員任期六年，衆議員任期二年；我國國會代表任期，依憲法規定，國民大會代表六年，立法委員三年，監察委員六年，實際上所謂的「法統」庇護下卻無限期。⑨

有關立、監委員，以及國民大會代表的任期無限延續方面：根據憲法第六十五條規定：「立法委員之任期爲三年，連選得連任，其選舉於每屆任滿前三個月內完成之。」第一屆立法委員是在民國三十七年五月七日集會，其任期應在民國四十年五月七日屆滿。但是由於國民黨已經失去大陸，改選工作根本無法進行。於是行政院就在民國三十九年十二月二十七日建議總統向立法院諮商，由現任立委繼續行使立法權一年爲限，經立法院在十二月二十九日決議贊同。民國四十一年五月一日，以及民國四十二年四月十一日時，又相繼面臨相同的問題，而像以往一樣，加以繼續行使立法權。可是時間過得很快，在民國四十三年的第三次延續任期又將屆滿時，根據憲法

第九十三條：「監察委員之任期爲六年，連選得連任。」之規定，而第一屆監察委員是在民國三十七年六月五日集會，其任期應在四十三年六月五日屆滿。行政院爲了對立、監委任期延續的問題做了一次一勞永逸的解決辦法而決議：「第二屆立法委員監察委員未選出前，有仍由第一屆立法委員監察委員繼續行使職權之必要」，函請大法官會議解釋。大法官會議接到這個函請後，就快速的在民國四十三年一月二十九日提出了釋字第三十一號的解釋爲：「憲法第六十五條規定立法委員之任期爲三年，第九十三條規定監察委員之任期爲六年。該項任期，本應自其就職之日起，至屆滿憲法所定之期限爲止。惟值國家發生重大變故，事實上不能辦理次屆選舉時，若聽任立法監察兩院職權之行使陷於停頓，則顯與憲法樹立五院制度之本旨相違。故在第二屆委員未能依法選出集會與召集以前，自應仍由第一屆立法委員監察委員繼續行使其職權。」

　　就憑這一項三十餘年前的解釋，第一屆的立、監委任期，就可以無限期的延續下去。至於國民大會代表方面，根據在民國三十五年十二月二十五日所通過的中華民國憲法第二十八條：「國民大會代表每六年改選一次。每屆國民大會代表之任期，至次屆國民大會開會之日爲止。……」在民國四十二年九月時，行政院會議後認爲：在當前情勢下，選民無法行使選舉權，在第二屆國大代表未能依法辦理選舉集會以前，第一屆國大代表，自應適用憲法第二十八條第二項規定，俟將來情勢許可，再行辦理改選。行政院的這項建議，經呈報總統「准如所議」後，在民國四十二年九月二十三日，總統就正式向國民大

會秘書長洪蘭友發電查照：「第一屆國民大會代表之任期，自應准如所議，適用憲法第二十八條第二項之規定，至次屆國民大會開會之日為止。」

就在上述的情況下，我國的國會任期，就如此一直無限期的延續下去。而致使我國的國會議員，永遠都是「第一屆」，其情形有如，在民國七十八年時，有關余登發老縣長，在四十二年前當選國大代表，是為第一屆；在民國六十九年時，其女兒黃余秀鸞當選立委，也是第一屆；其媳婦於民國七十二年才當選立委，還是第一屆；在民國七十五年時，其孫子余政憲又當選立委，仍是第一屆。這個前後四十年來，子孫三代都是第一屆的國會議員豈不是成為國際政治的大笑話！（參見台灣要獨立 P.209 、 210 ，陳水扁、吳淑珍合著， 1989 年 10 月出版）

有關這個四十多年來，國人對中央政治體制的批評焦點，都集中在國會方面，其主要論點為：

一、毫無代表性：

萬年國會的老賊與民意隔絕四十年，他們在大陸的選民幾乎都死光了，他們無法代表民意，只代表國民黨黨意。他們是國民黨獨裁統治台灣，剝奪台灣人民參政權的工具而已！國會由四十年前在中國大陸和台灣選出的代表，所組成對生活在台灣地區的人們而言，當然沒有代表性。尤其是這兩千多個未經台灣人民追認，就單憑大法官會議解釋繼續任職而連任四十餘年的中央民意代表，根本沒有資格代表台灣；而已經失去大陸之土地、人民、主權的老代表，更是沒有行使職權的資格，來

代表中國大陸。再從權利和義務的觀點論之，代表是產生於人民盡了納稅和服兵役的義務，才能享受推出代表的權利。大陸代表在台灣卻未見大陸人民向台灣納稅和服兵役，憑什麼不盡義務而享受代表的權利達四十年之久。

二、缺乏勝任性：

中央民意代表老成凋謝，「勝任性」受到挑戰。極少數資深委員數十年如一日，堅守崗位踴躍出席令人敬佩，但總體而論，大部份資深委員在議事上的表現，或因年齡日增、體力及精神之所限，已經削弱三個國會的功能。我們豈能滿意國民黨做如此「行使職權」的解釋。自政府遷台以來，多次選舉總統時，把不少「長年臥病」只是「一息尚存」的代表，用擔架抬進會場投票，達成「高票當選」。現今讓我們來分析，到目前民國七十七年二月三日爲止的國會老人狀況如下：監委現有 67 人。71 歲到 80 歲的 17 人，佔 25.4 %。81 歲以上的人有 22 人，佔 32.8 %。也就是 71 歲以上的人共佔 58.2 %。立委現有 312 人。71 歲到 80 歲的有 93 人，佔 29.8 %。81 歲以上的有 116 人，佔 37.2 %，也就是 71 歲以上的人共佔 67 %。國大代表現有 935 人。71 歲到 80 歲的有 451 人，佔 48.1 %。81 歲以上的有 293 人，佔 31.3 %。也就是 71 歲以上的人共佔 79.4 %。多少的老代表長年臥病或眼瞎或耳聾或足跛以及長居海外；而能出席議事的老代表在精神上也不能負荷繁重的工作，在知識能力上也不足以應付現代社會問題。⑱他們只能用殘餘的生命供奉著法統，哀悼著法統，用「法統」的招牌作爲終身霸佔既得利益的藉口。

三、妨礙正當參與運作性：

資深代表八百多名，增額代表只不過八十四名。許多的提案被「表決部隊」摧殘無餘，甚至在限制連署提案人數資格上，使之許多具有建設性、時代性的寶貴提案，被徹底毀滅，導致警察可以隨便抓人、動粗，將人民送至外島，政府對人民禁錮，可以隨其所欲。而立院所制定的法律只不過是強者的護身符，弱者的吊索而已。被老魔盤据的可悲國會，已使立法院成為「行政院的立法局」，是中華民國憲政史上的污點和恥辱，也是國家邁向民主化、現代化的絆腳石。這一群霸佔席位，在台灣橫行四十年的「表決部隊」偶爾到立法院舉舉手、打打瞌睡、看看「老」病外，還老邁昏庸到無以復加地表示「法案內容無關緊要，只要行政院提案就絕對支持到底」的同時，根據統計，自民國七十年以來，在這六年裏，資深委員二百一十六人中，有一百五十八位老代表，（佔四分之三強的比率），從未向行政院提出口頭總質詢，無所事事，惜言如金，其名單如下：

于心澄、于汝洲、于錫來，丑輝瑛、牛進祿、牛踐初、王子蘭、王大任、王世憲、王竹筬、王汝泮、王孝英、王孝華、王宜聲、王常慧、王德箴、王學超、王耀漳、王靄芬、仝道雲、包一民、史敏濟、田誼民、石九齡、白瑜、艾時、吉佑民、任培道、仲肇湘、伍根華、邢淑孃、成蓬一、余文傑、余富庠、杜希夷、汪新民、汪漁洋、汪寶瑄、沈之敬、沈友梅、宋述樵、宋憲亭、李定、李荷、李天民、李琢仁、李雅仙、李慧民、李儒聰、李曜林、李繼武、吳雲鵬、阿不都拉、房殿

華、武誓彭、杭嘉驥、金養浩、林愼、周南、周敏、周天賢、
周紹成、周慕文、封中平、范苑聲、侯紹文、胡長怡、胡健
中、胡鈍兪、胡賡年、涂公遂、韋永成、袁其炯、倪文亞、孫
慧西、孫繼緒、馬樹禮、馬濟霖、畢圃仙、莫淡雲、莫寒竹、
陶希聖、許占魁、郭天乙、郭中興、郭登敖、郭德權、張大
田、張子揚、張光濤、張希之、張雨生、張季春、張其彭、張
金鑑、張廣仁、張慶楨、張曉古、張興周、張翰書、張燦堂、
陳洪、陳道、陳正修、陳紀瀅、陳蒼正、陳鐵夫、曾華英、富
靜宕、傅岩、傅晉媛、喬一凡、馮正忠、費俠、程滄波、程毅
志、黃哲眞、黃振華、黃國書、葉叶葇、賈維榘、楊一如、臧
元駿、裴存藩、趙公魯、趙石溪、趙巨旭、趙自齊、趙憲文、
德古來、樓桐孫、蔣公亮、潘衍興、潘維芳、鄧勵豪、劉子
鵬、劉友琛、劉仲平、劉明侯、劉效義、劉崇齡、劉湘女、劉
階平、劉廣瑛、劉闊才、駱啓蓮、戰慶輝、閻實甫、錢英、錢
劍秋、謝承炳、謝星曲、謝哲聲、韓同、韓漢藩、蕭贊育、關
大成、譚學融、羅貢華。（時報新聞周刊 80 期， P.83 ，
76.12.8 ）。至於，其餘一群行將就木的老人，還很自信的對國
民黨改革派主將李煥大發牢騷而罵道「黃泉路上有老有少，誰
先抵達還不曉得。」⑨⑨這批老賊與世隔離，脫離現時社會久
矣！殊不知國難當頭，硬佔茅坑不拉屎，整天吃飽喝足，光談
對群衆運動妨害秩序應依法處理，……，對於勇於敢言的報
刊，依法查禁，對眞正爲民請命的反對黨，依法迫害……。⑩⑩
這些被人辱罵吐口水，比過街老鼠還不如的老可憐，該是識時
務，知進退之時，儘速光榮鞠躬下台，以免被國人視之爲老

賊，歷史之罪人和台灣人民的萬年米蟲。

一、法統與臨時條款

四十年來，國民黨爲了政權的需要操縱「戡亂時期臨時條款」，而做出違憲的勾當，將國會玩弄於掌指之間。何以，一旦台灣人民要求改革國會，走向國會民主化、年輕化、現代化時，立刻就畏首畏尾的守「法」起來？

什麼是法統？法統是一成不變的嗎？資深國民大會代表強調實在無「法」可退，而堅持「臨時條款」體制，以「法統」自居強調資深中央民意代表退職，中華民國就會淪爲地方政府的同時，也抨擊執政黨的充實中央民意機構案，將使國民「大」會變成國民「小」會。⑩這批資深老代表主張「絕對不可修改憲法就是法統。」或謂：「資深民意代表不可改選就是法統。」或謂：「中央民意代表不能僅由台閩自由地區選出，必須有大陸代表保障名額，就是法統。」⑩

國民黨國大黨部邀請中央委員會秘書長李煥及副秘書長馬英九，向黨籍國大代表說明「充實中央民意代表機構」方案。馬英九在會中強調，國民黨絕對不會強迫資深民代退職，也不定退職期限；而目前不採行大陸代表制也是因爲實際上有困難，他說：「充實中央民意機構方案須兼顧理想和現實。」⑩然而，王雨生則指出，充實方案根本是違憲，如果資深代表不具民意基礎，是「假代表」，那麼他們曾經選出的總統也是「假總統」。中央如果不要我們，我們也不要中央，他揚言，如果李總統再「違憲亂搞」，他將發動罷免總統。后希凱以憲政研討會召集人身份代表國代發言指出，臨時條款授權總統的

職權是要對付共產黨，不是用來對付國民大會，他說：「民進
黨所喊的全面改選是政變口號，非政治口號。」劉韻石在會中
宣讀一份由二十多位資深代表聯署的反對聲明。他說：「爲了
法統，爲了人民，我們不願意做憲法的罪人！」。因資深國大
代表不滿增額代表王應傑稱他們爲「歷史的罪人」。資深代表
劉韻石聲言應以黨紀處分王應傑，並有資深代表憤怒地把椅子
摔向發言席表示抗議。⑩④周良輔則表示，依憲法二十八條，國
大代表是不能退職的，資深代表一定要團結，戰鬥到底，沒有
反攻大陸就絕不退職。

　　究竟「法統」是什麼？呂秀蓮解釋「法統」是政權的合法
性（ Legality ）及合理性（ Justification ）。一個政權的取得
後，必須靠制度運作來持續其存在。制度確立之後，它必須得
到全民的向心與接受，而人民的向心與接受，又往往視該制度
是否能隨著社會結構的轉變而運作以爲定奪。凡能與時俱進
的，便具合理性，否則便會遭到人民的對抗甚至唾棄。⑩⑤

　　事實上，政府遷台以來，中華民國憲法就不在大陸實際運
作。而大陸所選出的代表，也該隨江山之易色而失去其代表
性，政府理應處罰他們在大陸上未盡言責導致失掉大陸的罪
責，更何況在憲法規定下的任期，早已屆滿，那能四十年，位
居要津，養尊處優，尸位素餐，旣要錢，又要權，終身不改，
白吃了四十年的午餐後，還理直氣壯的要求晚餐並附帶宵夜
呢？

　　爲了社會更多的機會平等和待遇合理。充實方案尙未實
施，而鼓勵資深民代退休已蔚爲風潮，成了社會的強烈「共

識」。老法統不該再回頭了！四十年來，老表坐享部長級以上的優渥待遇、榮華富貴、不勞而獲。他們享有名利地位，幹個顧問錢財滾滾來。政府還用百姓的血汗錢爲他們蓋好環境幽雅舒適的住家，卻仍斤斤計較退養金的數目，認爲國代死亡撫恤金有三百萬，而退職金也不過如此。不如再幹三年撈回本再拿一千萬的退職金，作爲討價還價的籌碼外，還要政府把最崇高的敬意、最誠摯的謝意躍然紙上，彷彿若不如此「舖張排場」，不足以讓他們風風光光的退職，也無法讓他們心甘情願交下棒子的同時，⑩苦難的台灣人民，活到老做到老，苦苦等待「萬年國會」何時方能解除？

二、四十年行憲，四十年欺騙，向老法統開刀

△老賊兵團，「法統」絕地大反攻：

　　民國七十六年（西元 1987 年）十月成立的「國事座談會」，由王令全、陳潔、于歸等代表領銜，成員五、六十人。所謂的「國是座談」即是「保衛法統」奉勸所有代表不要對外界表示有退休意願，願接受退休制度，並請大家告訴大家，包括未參加座談會代表以便齊一行動，衛護憲法法統。另一團體則是「憲法研究會」以張希文等代表爲主幹，其研究內容和護衛法統以繼續竊據權位和「錢」途有密切關係。

△老賊老矣！依然好戰！文攻武鬥，議場兇悍。

　　許多八、九十歲高齡的資深代表平常講話慢吞吞，動作慢條斯理，給人病懨懨的印象，一旦觸及「國會全面改選」金錢利益中斷，老瘋癲立即發作，許多老「婊」吹鬍子，瞪大眼，拍桌子，摔椅子，大罵主張改選是「台獨」、是「共產黨」。

指責中國時報發行人余紀忠是「反黨分子」，有如「共匪同路人」，前一陣子在立法院還演出張曉古杖打朱高正，九百餘人多數暴力打十一人的群毆事件。（參見新新聞周刊 35 期，76.11.9）

△有制裁，老法統才有羞恥心！

人與禽獸之間，最重要的差別，大概就是羞恥心了。這批貪婪沒羞恥心的老狐狸所爭的已經不是仁義道德而是權位和錢財，說什麼維護憲政法統，維護中華民國的合法性，全是一派胡言，而在他們銀行的存款，一天一天的增加，這才是事實。現在台灣人民正是展現力量制裁老法統的時候，光勸光罵對於毫無羞恥心的老賊無濟於事，只有給予懲罰和教訓，在立法院打出一片天空，把他們鑲滿毒素的美麗外衣，連同他們骯髒的肉體一同掃入「歷史的福德坑」，才能讓他們恍然大悟，再醜陋的歷史劇，也終有落幕的一天。（參見民進時代，55 期，P.3，77.3.4）

在「動員戡亂時期充實中央民意機構方案」通過之後，老賊集團，欲走還留頻頻回頭，猶抱權利半遮面，扭扭捏捏不下台，花錢消災仍然割不掉這個「政治毒瘤」，就只有扯下萬年代表的遮羞布，徹底解剖萬年法統的「人工授精術」讓世人見識這批既要權又要錢老賊們的真面目！⑩

自欺欺人的「大陸代表」是如何產生的呢？依據憲法之規定：

△國大代表之產生如下：

一、每縣市及其同等區域各選出代表一人，但其人口逾五

十萬人者，每增加五十萬人，增選代表一人。縣市同等區域以法律定之。

二、蒙古選出代表，每盟四人，每特別旗一人。

三、西藏選出代表，其名額以法律定之。

四、各民族在邊疆地區選出代表，其名額以法律定之。

五、僑居國外之國民選出代表，其名額以法律定之。

六、職業團體選出代表，其名額以法律定之。

七、婦女團體選出代表，其名額以法律定之。

△**立法委員依憲法之規定產生如下：**

一、各省各直轄市選出者，其人口在三百萬以下者五人，其人口超過三百萬者，每滿一百萬人增選一人。

二、蒙古各盟旗選出者。

三、西藏選出者。

四、各民族在邊疆地區選出者。

五、僑居國外之國民選出者。

六、職業團體選出者。

老表們口口聲聲說他們代表中華民國的合法性；沒有他們，中華民國就會淪為地方政府；國會全面改選，就是台獨……。

老表們既然宣稱自己是「法統」之所在，就該公諸於大眾，當年他們是怎樣競選和當選的，以取信社會。

一九四六、四七年，國民黨統治下，支離破碎的中國。在一九四七年行憲後第一次選舉時，中國大陸江山已有一大部份淪陷或因戰亂無法舉行選舉。因此在此種環境下誕生的法統只

能代表部份的中國民意而不能代表全中國。

一九四七年，中國傳統領土分裂的狀況：

中共佔領區：一九四七年黃河以北，寶雞以東的華北區域，除城市據點以外，幾乎被中共佔領。滿州地區，除了長春到大連鐵路沿線和渤海灣沿岸之外，全部淪陷於中共。

獨立或自主區：蒙古已經獨立；西藏、東蒙、內蒙也都或唱獨立或自立；新疆的多數民族維吾爾哈薩克，獨立戰爭更是打得如火如荼。

㈠怪胎法統：不但在中共佔領區選出了「法統」，甚至，已經承認其獨立的「蒙古人民共和國」也選出了「法統」。

㈡難民法統：據一位法統曲直生在「平庸集」中清楚寫道：「河北第五區的縣份大部份已陷匪，所謂選民只是流落到平津的一部份難民和商民及公職人員，另外是湖北極南端東明長垣及濮陽一縣未陷匪的一部份公民。」在東北和華北有許多的民意代表是如此產生的「法統」，當然無法代表該區域之民意。

㈢權貴法統：蒙、藏、新（疆）的法統是由當地親中國的貴族和中國官員聯手製造出來。

㈣政治分贓法統：國民黨在當時環境，根本沒有誠意實行民主憲政，而且也無法實行民主政治在內戰中。爲了和共黨鬥爭，而拉攏民、青兩黨導致三黨協議提名。相傳國民黨默認保證青年黨有三百名國代，民社黨有二百六十名國代。選舉揭曉後，青年黨得七十六席，民社黨得六十八席。民、青兩黨責怪國民黨不履行諾言，不守信用。根據青年黨國大代表朱伯文在

疾首痛心談「政治花瓶」一書中，提到青年黨與國民黨「協議分配」中央民意代表名額的史實。他說：「左故主席舜生先生對我說『國民黨承諾「一票也可以當選」，何以長途跋涉回來奔競呢？』」他請議長遵照密電指示競選好了，得票不妨比我略多，使雙方均可向上級交代。選舉結束後，中央協調結果由我當選。

　　㈤遞補法統：萬年國會註定了萬年總統。國民黨當初設置這一群萬世一系，永不改選的萬年國大代表，甚至為他們大開後門，偷偷摸摸辦理在全世界都找不到的荒唐「遞補制度」。不管怎麼補還是老的老，病的病，死的死，四十年來遞補了六百六十多位國大候補人。在民國三十六年十一月二十一日至二十三日的國大選舉中，百餘位是高票當選，卻因違紀參選之故，內政部堅拒發給當選證書，而未能出席三十七年三月二十九日，在南京舉行的第一屆第一次國民大會，然而這些人多半仍以列席代表身份列席旁聽。民國四十二年，立法院制訂「第一屆國大代表出缺遞補補充條例」後，隔年內政部才予以整批遞補。⑩⑧至於，其餘的五百多位所謂的候補人，都是當年國大選舉時的「落選者」。但依「國大代表選舉罷免法」之規定，雖未當選，亦可成為國大代表候補之人，其內容為：「每選舉區域或單位當選人在二名以下者，候補名額定為三名，每選舉區域或單位當選個超過二名者，候補人名額與當選人名額同，國大代表出缺時，由候補人依次遞補。」在這遞補法統中，一票「法統」、六票「法統」究竟又代表了誰？根據「行政院」在民國四十二年十二月七日，所公佈施行的「第一屆國民大會

婦女團體代表缺額補充辦法」中，第二條規定：國民大會婦女團體代表出缺時，由候補人依次遞補。民國四十五年十二月，「國民大會在台代表通訊錄」（國民大會秘書處編印）第一百一十五頁的婦女團體名單上，已列出大連市一票當選的李玉純，已經「合法」成爲終身職的國大代表。另外，三十六年十一月二十五日，北平市開票，地方性婦女團體代表候選人吳蔭華得六票，也在四十五年「法統」民意代表通訊錄一百一十六頁中出現，成爲合法代表。⑩除上述，從「落選者」中遞補完後，國民黨政府則又想出只要在戶籍上是大陸某某地區之人，則有權遞補爲該區國民大會代表的解釋，來加以補充。其情形有如立委陳水扁於民國七十八年五月在立法院質詢中指出："李煥的妻子潘香凝是第一屆國大代表，現年六十五歲，也號稱「資深國代」，如果潘某是四十二年前選出的國代，則當選時只有二十三歲！"的情形，無不令人疑竇重重。（台灣要獨立，P.212，陳水扁、吳淑珍合著，1989年10月出版）在立法委員方面，它和國大代表一樣，可以在「立法委員選舉罷免法」第二十九、四十五條及施行條例第五十六條中，找到全世界找不到的遞補終身，而不改選的制度。因此，來台的大陸人士，有許多的人，默默的「期待」同鄉的噩耗，也期待本身的喜訊，而經常打電話到國大秘書處或立院秘書處，查問某位代表近況如何？甚至內政部主辦遞補的官員，偶爾未聞××代表噩耗，就先收到候補人的申請遞補資料。

△「遞補法統」的新生代──設置「大陸代表制」的商榷

　　李鴻禧敎授說：果眞實施「大陸代表制」來保障大陸省籍

的中央民意代表當選名額，勢必使憲法學、政治學、選舉法及
其他法政思想制度，以及其原理、原則，不論在理論上或實踐
上，都會變成一片混亂，甚至因失去公平、正義與理性的法理
原則，不受民眾信賴、尊重而未能遵守奉行，以至淪於潰渙狀
態。大陸代表制，在台灣行不得也的理由，綜合當時在報章雜
誌所討論的大概情形爲：

　　1.台閩地區的選民，在沒有大陸同胞授予代理權之下，怎
能擅自「代理」大陸同胞，而不是大陸同胞直接選舉的「民意
代表」，怎能代表大陸民意？如何對大陸選民負責？又如何像
霸王硬上弓方式，強要大陸地區的同胞來接受呢？

　　2.大陸有三十四省、十二院轄市，來台人數參差不齊，如
何依人口比例分配名額？如此選舉必造成不公平現象。倘若各
區只選一人，就有四十六人，若各選二人，就多達九十二人。
如此眾多席位對提案及表決大受影響。但國民黨提議對於大陸
代表名額應以不超過各中央民意機構的三分之一爲原則，也是
問題重重。原因是自由地區台灣面積佔大陸的三百分之一，人
口只是大陸的百分之二。以此區區比數的台灣，其中央民意代
表要佔全國的三分之二也不甚合理。

　　3.在大陸名額保障下，可以極低的票數當選。然而台灣候
選人在選舉激烈競爭下，須長年的服務選民和經營選戰。這種
不公平的選舉很容易引起爭端，而且在沒有什麼民意基礎下當
選的大陸代表，只是一個配角外，又成了新的台灣萬年米蟲而
已！

　　4.何宜武指出要選舉大陸代表，很難找到法理根據，而且

目前國民大會中，資深代表佔八百多名，增額代表只不過八十四名。在此情況下，選舉大陸代表毫無意義。（中時，77.2.2）

　　5.在台灣出生，吃蓬萊米長大的大陸第二代，甚至第三代人，憑什麼還意淫大陸，享有特權。尤其現在政府已經開放回大陸探親或居住，共產黨也不殺你們。倘若你們不認同這塊土地，共同奮鬥，何需痛苦的活在異域──台灣呢？

　　國民黨如果有誠意推行民主，和減少省籍間隙與糾結，應放棄這項違憲的法統包袱，順應民主潮流，中央民意代表全面改選。至於「大陸代表」等國民黨有能力反攻大陸了，才依據憲法，來產生各地區的代表。

△「法統」的醜陋選舉過程

　　這個法力無邊的「法統」，在它的選舉過程中，也是令人哭笑不得，根據民進 52/53 期指出：

　　1.中止投票，重新佈置：河南省選到一半，發現老百姓投的票和國民黨中央的意思不同，河南省主席親自向中央請示，中央斥責他：「這一點事都辦不好，做什麼方面主管。按照中央的指示去做，誰有問題，報告上來。」於是河南票投一半勒令中止，重新佈置再投票。

　　2.公開做票：山東省官員們把整疊整疊選票，讓為人師長（表）的小學老師拿到學校發給全班學生，叫學生按照老師的指示，一疊疊地抄寫。

　　3.分派親屬當代表：曾任沙烏地阿拉伯大使的馬步芳。他欺負了兩姊妹，兩姊妹哭哭啼啼，尋死覓活，馬大帥說別哭

了，一個去當立委，一個去當國大！（民進 52/53 ， P31 ，
77.2.12-25)

三、老賊乎！吸血鬼乎！萬年米蟲乎！

　　苦難的台灣人民，活到老做到老，省吃儉用，供奉老賊四
十年。勞工階級為著足以糊口的收入而咬緊牙關，可憐的農民
在政治剝削下低廉的糧價，含蘊了多少農民的血淚！民間中小
企業忍受台幣升值壓力，在夾縫裏求生存，科技人員孜孜不倦
地力求突破。然而國會裏的一群老表，披著愛國與法統的美麗
外衣，開口黨中央，閉口黨中央，一副家天下的嘴臉。一再表
示他們有憲法保護，誰也不能強迫他們退休，開口閉口為國為
民，說來說去為了「錢」，過去選總統要談「價碼」，現在要
他們退休，還想「勒索」一把。真是「什麼都吃就是不吃虧，
什麼都要，就是不要臉。」

△糟蹋人民血汗的四十年爛帳：

　　國大代表任期六年，除憲法發生問題外，六年開一次會議
選舉總統、副總統。開會時，除領出差費外，是無給職，根本
沒有所謂的「待遇問題」。而政府遷台，在民國四十六年大法
官會議時，也做了同樣的解釋。然而，政府卻公然違法圖利老
表如下：

　　1.民國三十八年十二月二十五日，在台灣開行憲紀念大會
時，開始每人每月發三百元新台幣，做為法外救濟。

　　2.民國四十三年，為了蔣總統介石先生的連任，而修憲
時，把待遇提高到和立、監委相同。選舉期間，除了領普通出
席費外，又多要了一萬幾千元。

3.民國四十九年三月，蔣總統介石先生，爲了永遠幹總統，在第三次連任時，不惜給予巨金，要他們通過在「臨時條款」中，增列「動員勘亂時期，總統、副總統得連選連任，不受憲法第四十七條連任一次之限制」，因此他們抓住此一機會，每人多拿了三萬二千元外，每月的薪水調高到七千餘元。值得注意的，當時小學敎員的薪水才一千五百元而已！

4.蔣總統介石先生第四次連任時，提出房子三十坪要求，並做爲投票選嚴家淦爲副總統的代價。

5.蔣總統介石先生第五次連任時，提出把三十坪面積一棟的房子，又增加了十坪。這些老表，把子女送到國外，而孤獨留在台灣的「台獨」份子，在開會前三個月出國探親，讓政府寄頭等機票請他們回來開會，再把頭等機票改爲普通票，賺取差額。至於沒出國的每人準備一份官員護照，以官價結匯美金三千六百元，以黑市價錢賣出，每一美元可以賺六元台幣左右。開會時的出席費，預定每人七萬元，聽說開價到十三萬，而發生爭執。據外省有識之士徐復觀先生對此現象，也看不過去而寫了「我們的中央民意代表」一文，痛斥這些萬年米蟲。據徐復觀的朋友告訴他：「你若告訴國大代表們，局勢已經危險了，不可再敲。他們便理直氣壯地答覆說，正因爲這樣，老子們便非敲不可。」⑩

△道高一尺，魔高一丈，人比「賊」，氣死人：

由國會代表，轉兼光復大陸設計委員會的老表，比比皆是。在此，全台大談改革國會之際，國民黨籍代表，林詩輝等人提案，對於曾任中央民意代表十年以上者，請總統聘他們爲

「光復大陸設計委員會委員」，以「酬庸其貢獻」。其理由
是：凡曾任十年以上中央民代而未能繼續連任者，必然有「經
濟不足」或「體力不支」等，不得已的困境，所以政府應予以
「酬庸」。這林詩輝似乎是爲「新賊」請命。但是我們不可忘
卻的是，曾經多少老表，又成爲光復大陸設計委員會的委員，
而領了兩份的薪水。但這回「新賊」運氣不佳，遭到民進黨國
代周清玉、吳哲朗上台激烈反對表示：「經濟不足」者應該找
政府機關請求救濟；而「體力不支」者應該找醫院治療；「光
復大陸設計委員會」不是貧民收容所或醫院，豈可收容這種
人？⑪

　　萬年米蟲敲到今天，薪水已到八萬至十萬，還有中央新村
或大湖山莊佔地約百坪的別墅，收入有半數免稅，退職金依部
長級加兩成，還是不肯退，硬是要敲到一千萬的價碼。苦難的
台灣人民，對待這些萬年米蟲，已是仁至義盡，好到無以復加
的地步。台灣人民已被敲剝到不能忍受的程度了。因此，進步
婦女聯盟發出了「河東獅吼」在一九八八年，四月十六日，假
台北市老松國小大禮堂舉辦「反退職金運動」，並多次走上街
頭聲援正義。她們反對國民黨用「老法統」綁架了國會，現在
又叫台灣人拿四十二億來贖的強盜流氓政權行徑。事實上，退
職就退職，談什麼條件？民意代表任期屆滿，即應無條件下
台，根本沒有什麼退職制度的。諸如，台灣省選出的增額立
委、國代，省、縣、市議員，鄉、鎮代表又有誰領了退職金？
令進步婦女聯盟更憤慨的乃是台灣人民辛苦供養老賊白吃白喝
四十餘年後，還有義務連棺材費都替他們準備週全。老賊的職

業只不過是「表決部隊」，憲法也沒有這種的代表。老賊們靠著白來的薪水，補貼和貸款，數十年的長袖善舞，已是億萬富翁。出入酒家舞廳等聲色場所，一擲千金，毫不吝惜。反之，數以百萬計的軍公教人員以及曾替國民黨冒死患難的老榮民，有多少人在退休後，仍靠兼差渡日？有多少人貧病交加缺乏照顧？多少人為了領區區數十萬元退休金大排長龍？多少山地婦女因為貧窮而忍心將親身骨肉推入火坑？國民黨政府的正義何在？國民黨的利益分贓制並沒有反省，反民主原則的公權力行為也依然猖獗。國民黨還好意思說在「實行」三民主義？甚至還想「推己及人」，要以三民主義來「統一中國」！⑩

請老表莫因戀棧，忽略民意，因為，現在正是全民打倒特權大行動的時候！政府絕對沒有理由大開國庫方便之門。國民黨政府也無需為老賊億萬富翁錦上添花。政府應該節省此項經費，雪中送炭，移做照顧中下階層民眾之用，有如辦全體農保、資助老兵返鄉……等。台灣人民無不希望為全國人民所不齒，有錢就賣身的豬仔老賊知足常樂，放棄再剝削苦難台灣人民的民脂民膏。否則台灣人民必會要求政府把糟蹋人民血汗錢為老賊所蓋數千棟的中央新村、大湖山莊應無條件收歸國有，以資救助在街頭流浪無家可歸的苦難人民外，臨別在即，老表已享受了四十餘年來的高薪待遇，政府只要頒「老賊之光」精美錦旗一面，以資留念足矣！

四、「法統不死」，民主不生：

黃信介說台灣今天的政治糾紛主要是權利和義務的分配不公平。他認為即使是大陸代表制，或海外僑選代表，也並不是

不可以，但問題是大陸人民或海外僑胞也要納稅、當兵，否則不盡義務憑什麼享受權利。

　　1.台灣民主聖火長跑：

　　台灣民主聖火長跑的意義，在於要求國會的全面改選，它是一個由十一人對抗一千三百多人，以及由一千三百多人對抗一千八百多萬人的戰爭。「民主聖火長跑」爲「台灣人民公共事務會」（FAPA）所推動。它於一九八七年十月三十一日，在紐約曼哈頓南端，正對著自由女神像的砲台公園舉行點火儀式，長跑隊伍於當天下午四時開始奔向華府，他們在跑赴華府途中，沿途的台灣同鄉常有組隊夾道歡迎的情景，甚至三更半夜，也有些同鄉全家大小陪跑一段，頗令隊伍中的人感動。十一月三日聖火抵達國會山莊，一百多名台灣同鄉群集，民主黨籍的參、衆議員甘迺迪、派爾、索拉茲、李奇，紐澤西州的民主黨衆議員勞登堡、俄亥俄州的民主黨衆議員第斯皆相繼與會，並有對群衆發表簡短演講儀式。聖火團隨即搭機飛赴克利夫蘭、芝加哥、奧克拉荷馬城、聖荷西、休士頓等地，最後將於洛杉磯接受群衆盛大歡迎，於十三日離開美國，十四日抵達台灣之後，⑬在台灣全島接力長跑九天，直到十一月二十二日時，乃暫告一段落。穿著「貫徹國會全面改選」運動衣的聖火隊，加上近千名的民進黨員及熱心民衆，使得場面非常壯觀。該隊先後在立法院、監察院及國民大會前停留，齊呼口號：「國會全面改選」、「老賊滾蛋」。當台灣民主聖火隊抵達萬華龍山寺時，還有千餘民衆夾道歡呼。姚嘉文率領謝長廷及康水木，進入龍山寺「寄火」。他們將火炬投入金爐內，希望這

把台灣的民主聖火，能夠受到神明的護佑，而延綿不息。在氤氳的香煙中，他們來到正殿，點燃一束香，祝禱台灣的政治民主，能夠早日到來。

*2.*包圍中山堂：

民進黨的十一位國大代表，在民國七十六年（西元 1987 年）四、五月間，一再以書函求見蔣總統經國先生未成。於六月二十日持水果、禮品等台灣土產硬闖總統府又未得要領。同年，十二月二十五日，坐輪椅來到中山堂的蔣總統經國先生，一開口，民進黨的十一位國大代表，一字排開，大聲連呼二十多分鐘的「國會全面改選」口號後，還大有作爲的在蔣總統經國先生面前，幹架幹得轟轟烈烈。而數十萬在國民大會外邊，人山人海的「觀禮」群衆也迫使火車停駛，鐵路中斷半天。這個十二月二十五日的創舉，證明了人民對國民大會的憤怒，也證明了民進黨能夠包圍中山堂，就有能力包圍總統府。倘若這半死不活的國民大會依然如故，民進黨還打算從事一年一度轟轟烈烈的「祭豬公比賽」大拜拜。

*3.*演講、遊行遍及全台灣：

民國七十七年（西元 1988 年）三月五日，貫徹國會普選委員會，由黃信介先生主持。會中選出黃信介爲主任委員，張俊宏爲副主任委員，鄭欽仁等二十一位常務委員，余登發等十一位顧問，會中發表成立，並聲明五月七日是國會改選的最後期限，且於一年內徹底實施，否則將有系統的發動人民採取不合作抵制行動，抗爭到底。目前該會階段性工作，包括全面普選之學術研究，學術演講、群衆演講及各種抵制活動的策劃、推

動與執行。（自立早報 77.3.6 ）在民國七十七年三月二十九日時，近百輛車隊、三千名黨員以及數千名群衆簇擁下，上午十一點，在搖滾樂和台灣歌謠的演奏下，陸續在國父紀念館集結。十二點十分民進黨進行黨旗升旗儀式後，第二代外省子弟林正杰表示資深代表們不應該「敬酒不吃，吃罰酒」。黃信介表示，老代表退不退，錢給不給是在我們，而不是由老代表自己決定之後，開始遊行。在遊行隊伍中，有的在宣傳車上掛了一個豬頭，來比喻「老賊」；有的則在宣傳車上，畫漫畫來諷刺老代表；有的則在臉上掛上假鬍鬚，化裝成老代表的模樣，從國父紀念館經仁愛路走到中山堂途中，沿途飄揚著「老法統無條件退休」、「退休金、羞羞羞」，以及「人民血汗錢豈容公開分贓」的白布條之外，還有人一面步行，一面散發傳單和分送印有全面改選國會的氣球給民衆。這個長達兩三公里的遊行示威隊伍，到中山堂解散後，部份的遊行車隊，還前往內湖國會山莊拜訪途中，與封鎖道路的警察發生激烈的衝突，一時棍棒、石頭、罐頭齊飛，在此混亂中，有二十餘人不幸受傷。（參見中時 77.3.30 ）

　　4.老兵向老賊宣戰：

　　　在于右任先生的「詩史詩」中有：「風虎雲龍已偶然，欺人青史話連篇；江山代有英雄出，各苦生民數十年」的帶有諷刺性質的詩作中，無不令人深感一大群人的悲劇，卻換來了少數特權階級的榮華富貴。在英雄紀念堂的下面，卻埋葬著千萬人的枯骨。老兵一生爲國，到最後換來一張不如「衛生紙」實用的「授田證」。老代表以其權位對黨國的貢獻，不如老兵以

其生命對國家社會的貢獻。「老兵行動聯盟」的老兵，手持「國民黨是世界最大騙子——戰士授田證」、「老表立委退職金三二七萬，就應收購戰士授田證一二○萬」、「沒有當年老兵，那有今日老表」等抗議布條，以及身穿寫有「蔣家時代已過」、「老賊應該下台」、「人民要民主」、「老兵爭生存」、「國會全面改選」等布衣。其中，多位老兵還散發著「六十萬老兵向一千個老賊宣戰」的傳單。他們喊著：「一樣的功勞，兩樣的待遇」。他們希望在「戰士授田證」未解決前，老委員不應領取退職金。假若授田證須等反攻大陸才得領，那麼大家一起拿授田證，一起回大陸解決吧！

△「萬年國會」的終止

國民黨政府，在全民的激烈反應下，在民國七十九年（西元 1990 年）十月，司法院大法官會議中，終於做出「第一屆國會議員之任期，到民國八十年止」的解釋之後，這個四十多年來，從未改選的五百六十四個，尚存的萬年議員，終於在民國八十年（西元 1991 年）十二月底，正式退職外，並於民國八十年及八十一年間，全面改選了國民大會代表以及立法委員等中央民意代表，使之這些代表，更能充分的反映民意，服務大眾。

七、堂皇包裝的地方自治篇

　　日本統治者為了緩和台灣人民的反抗意識，終於有了「台灣地方自治改革大綱」的頒佈。因此在國民黨政府接收台灣之前，台灣人民早已根植了強烈的自治精神。雖然台灣人民甫歷民國三十六年的「二二八事件」，人民在悲痛中，仍然帶著希望與興奮。國民黨政府，表面上於民國三十九年起，實施縣、市行政首長和民意代表直接民選外，於民國四十三年起，又開放省議員的直接民選。但在省長依然官派，以及憲法所賦予地方自治的權責，又被大量凍結或剝奪下，使之台灣人民對於地方自治的夢想，依然好夢難圓。

　　今引述民國七十七年三月中旬，民進黨中央黨部政策協商委員會主委康寧祥，台灣省議會在野黨團召集人蔡介雄，民進黨台北市議會黨團召集人張德銘，以及民進黨高雄市議會黨團召集人陳武勳等，為地方自治法制化致行政院院長俞國華一書──院是開拓者，不是憨奴才──如下：

俞院長：

　　在還未談入主題之前，我們想介紹一首歌詞給您。這首歌是用台語發音的──

　　『蓬萊美島真可愛，祖先基業在。
　　田園阮開樹阮種，勞苦代過代。
　　著理解，著理解，

阮是開拓者，不是憨奴才。

台灣全島快自治，公事阮掌是應該。』

這首「台灣自治歌」，是六十五年前因從事台灣議會請願運動而遭日本人發動「治警事件」逮捕入獄的蔡培火，在獄中的作品。這段歷史幽谷中的呼聲，在地方自治依然不能法制化的現在聽來，仍使我們油然而生「心有戚戚焉」的感慨。

早在本世紀二〇年代之初，台灣的先輩從「台灣議會設置請願運動」起，經「台灣民眾黨」，到「台灣地方自治聯盟」，便一連串地爲求地方自治的實現而奮鬥抗爭。一九三一年，「台灣地方自治聯盟」第一次大會，向日政當局提出呼籲，要求台灣政制改革的內容應具備：「一、依普通選舉賦與公民權；二、確立州市街庄之自治權；三、改官任諮詢機關爲民選議決機關；四、改革執行機關之組織，確定其職務及權限；五、確選州市街庄財政管理權。」這些地方自治的內容，是日本異族統治下的台灣人在冀求「當家作主」而不可得的情況下，最起碼、最隱忍的要求。日本人爲了敷衍台灣前輩們的要求，曾做了幾次地方制度的改革，並有「台灣地方自治改革大綱」的頒佈，日本人雖自詡已在台灣實行地方自治，然而充其大量，也只是讓台人選舉一半名額的議員而已，前述台灣先輩的各項基本要求，無一能夠落實。

台灣同胞的地方自治的夢想，在日本異族的殖民體制下不能實現，是可以理解的；沒想到，日本人走了，祖國來了，而台灣人的地方自治的夢想，至今卻依然好夢難圓。

　　依照中華民國憲法規定，中央必先立法訂立「省縣自治通則」，省再據此自定自治法，然後根據自治法組織省政府及省議會，民選省長，然而「省縣自治通則」的草案，原於民國卅九年十二月在立法院接近通過二讀之時，卻由執政當局透過政策協調，將之擱置下來，一擱就擱到現在已歷卅八年，一直不能完成三讀的立法程序。以致我們今天的所謂「地方自治」尚未納入憲政常軌。

　　實際上，三十多年來台灣省政府的組織，乃是根據訓政時期（民國十六年）的「省政府組織法」及民國廿五年行政院公布「省政府合署辦公暫行規程」所衍生訂定的「台灣省政府合署辦公實施細則」，此施行細則從民國六十年代起且由行政院授權省政府自行修訂、自行公布施行，至民國七十二年止總共修訂了一百二十八次，合署辦公的廳處局已達十七個；而省政府委員人數，也因一次訓令（二二八事變後台灣省政府成立之初），再一次密電（卅八年十二月中央政府即將遷台之前）而大幅擴充爲二十三名，不僅不符憲法規定，甚至也違背自己規定的「省政府組織法」所原定的七～十一名委員的合議制，而形成省主席的首長專斷制了。

　　至於目前的省市議會的組織，亦同樣無法律基礎，而係寄生在行政院頒佈的「台灣省議會組織規程」、「台北市議會組織規程」、「高雄市議會組織規程」的行政命令之下。

　　由於我們的所謂「地方自治」不能法制化，而是一種由上而下的「配給式」的施捨，這種制度，被譏爲「跛腳又纏足」的「地方自治」。憲法所賦予地方自治區內應有的權責，因此

被凍結或剝奪。

　　茲舉其犖犖大者如下：

　　一、地方財政權萎縮：中央採取控制荷包的方式，控制地方財政，在不合理的財政收支劃分法下，地方自治事業的許多經費必須仰賴中央補助。

　　二、人事權的萎縮：地方自治是由地方人民透過選舉，自組政府，進行管理公衆事務。因此自主組織權是地方自治的重心。台灣名爲地方自治，但人事權卻由上級一把抓，中央有人事行政局，省市有人事處，縣市設人事室，同時另設第一、第二辦公室，一掌考核，二掌安全，從任免陞遷到思想問題，各級地方自治人員無一不受控制。

　　三、警察權受剝奪：依照中華民國憲法，中央僅制定警察制度，實際警察權的行使則屬地方。但是台灣地區的警政發展，由早年直屬台灣省政府的警務處，逐步收歸中央，終於在內政部設立警政署。省政府對警察權的指揮也只是在若繫若縷之間，更遑論縣市以下的自治首長對警察權的運用與行使了。

　　四、領導地方自治的地方首長，完全由毫無民意基礎的官派人士來擔任。在這種情形下，人民絲毫沒有權利與機會來規劃只有自己最瞭解的地方發展和方向。請問這種跛腳的所謂地方自治，難道就是國民黨和行政院推行民主憲政的誠意嗎？

　　省市政府的自治權殘缺成上述這個樣子，而省市議會也一樣在中央配給制之下，僅享有有限的議事權，除了全數議員是由人民選舉產生外，今日省市議會的地位，比日據時代的州市街庄的協議會的地位高明不到那裏，都只是諮詢機關，而不是

議決機關。

　　經過多年來黨外與民進黨的呼籲與力爭，省市長民選、地方自治法制化的要求，已蔚成社會輿論與潮流。執政黨當局在備受社會壓力之下，也開始被動地作了一些反應。然而，究其反應，卻看不出有太大的改革誠意。憲法所規定的省市長民選，執政的國民黨依然在推三阻四，而省府與省議會的法制化問題，國民黨並沒有絲毫的意願想要將擱置至今的「省縣自治通則」完成三讀的立法程序，卻另擬「動員戡亂時期台灣省政府組織法」、「台灣省議會組織法」，以遷就現實的作法，來敷衍法制化的改革要求。根據內政部擬完成的這兩個法的草案來看，不但沒有將過去地方自治區內被剝奪的自治權依憲法的要求恢復過來，反而每況愈下，例如省府委員會連建議權都沒有，省府委員會的職權大大被削減；而省議會組織條例草案，除了增訂省主席同意權外，幾乎是現行省議會組織規程的「翻版」。地方自治法制化的主旨，是要讓過去被行政命令閹割去勢的地方的自治主權，在透過法律的保障後，得以恢復回來，而不是另立法律來剝奪地方的自治主權。我們的目的，應該是讓「跛腳的地方自治」恢復健康，邁步而行，不是要給「跛腳的地方自治」發一張殘障證明。

　　如果照國民黨這種「以法統治」「削足適履」的「法制化」，則六十多年前，台灣前輩在異族統治下所夢寐以求的最起碼的地方自治的理想，在今天祖國的統治下，顯然又要繼續落空！

　　國民黨口口聲聲要「以三民主義統一中國」，然而三民主

義中很重要的地方自治的內涵都不能在台灣島上實現，那麼，說要統一中國不是大笑話嗎？

國民黨口口聲聲說要勵行國父遺教，然則，六、七十年前孫中山先生早就表明地方首長應宜直接民選。而國民黨至今卻仍背離孫中山之意，遲遲不願依照憲法規定開放省長、市長民選。撫今追昔，我們忍不住要問，國民黨，你們改革的誠意在哪裏？我們也忍不住要引六十多年前台灣先輩的呼聲，大聲怒吼——阮是開拓者，不是憨奴才！

民進黨中央黨部政策協商委員會主委康寧祥

台灣省議會在野黨團召集人蔡介雄

民進黨台北市議會黨團召集人張德銘

民進黨高雄市議會黨團召集人陳武勳

（自晚 77.3.11）

除了上述致兪院長，有關地方自治的呼籲外，現今讓我們，也來探討有關它的一些演化情形：

△憲法上的規定：

憲法第一二○條規定：「省得召集省民代表大會，依據省縣自治通則，制定省自治法，但不得與憲法牴觸，省民代表大會之組織及選舉，以法律定之。」第一三○規定：「省自治法應包括左（下）列各項一、省設省議會，省議會由省民選舉之。二、省設省政府，置省長一人，省長由省民選舉之。三、省與縣之關係，屬於省之立法權，由省議會行之。」憲法第十二條規定：「直轄市之自治，以法律定之。」若按省（市）同級而論，依法應民選。

△以神州沉淪爲由，省縣自治通則僅完成二讀：

依憲法規定，中央必先立法訂立「省縣自治通則」，省再據此自定自治法，然後根據自治法組織省政府及省議會，民選省長。民國三十六年憲法制定後，曾依憲法之規定草擬了省縣自治通則草案，經行政院修正通過後，提請立法院審議，三十六年十二月完成審查，民國三十九年十二月（修改後）二讀通過。民國四十一年還作了修訂之後執政當局透過政策協調，將之擱置下來，一擱就擱到現在已歷三十八年，一直不能完成三讀的立法程序。以致堂皇包裝的「地方自治」尚未納入憲政常軌。在議會中許多有識之士無不呼籲當局回歸憲法讓「跛腳又纏足」的「地方自治」恢復健康，邁步而行。然執政黨始終以大陸淪陷，政府難以制頒「省縣自治通則」爲推托藉口。因此目前台灣所實施的地方自治是依據民國十六年訓政時期國民政府建國大綱等公佈的法律及民國三十七年以後行政院或台灣省政府發佈的行政命令來規範地方自治。這種公然違憲又不合地方自治法理的「唵嘛呢叭咪吽台灣省政府組織法」，凍結或剝奪了憲法所賦予地方自治應有的權責，使之行憲四十年後，不僅省長、直轄市長不能民選，省市政府、省市議會及各縣市政府議會沒有法律依據，而且地方政府的人事權、財政權和警察權全被中央所侵奪。

這執政黨肆意製造的「中央集權」又透過官派省主席、官派市長途徑造成「地方黨治」獨霸之實，已經推翻了孫中山先生畢生最得意的「均權主義」發明。現今，台灣人民已經看穿了，並覺悟到國民黨的「反攻大陸」神話，就像鴉片一樣，使

人民永遠和它在一起，去追求那遙不可及的幻想。勇敢的台灣人民已經不畏恐怖迫害，強烈要求省要自治，省直轄市長要直接民選，以落實「台灣為三民主義的模範省」。然而無誠意推展民主憲政的國民黨政府仍然迷信「半套」地方自治可以治天下。從「反攻未成」藉口又找出另一藉口是「總統間接民選，而省長直接民選，由省民產生，則其省的群眾基礎勢必強於總統，總統的統一指揮，難免發生不靈現象」等視民意為糞土的態度，使之大多數的台灣人民認為國民黨口口聲聲要以「三民主義統一中國」，而三民主義中，很重要的地方自治的內涵，都不能在台灣島上實現，那麼要用「跛腳的地方自治」來統一中國，豈不是一個天大的笑話！

　　△國民黨在台灣的地方自治規模，究竟如何？

一、中央集權，省府虛級化

　　祖國來台，不遵守憲法之規定：中央必先立法訂立「省縣自治通則」，然後各省縣據此自定自治法，行使自選省縣長與自設省縣議會之權，而引省府自制自頒的綱要來實施的同時推翻中華民國憲法第十章「中央與地方之權限」明白規定：從省級以下一律實施地方自治，採取地方與中央均權的制度，凡有全省一致性質者應歸省自治的範疇，凡有一縣性質者應歸縣自治的範圍。國民黨在台灣實行自治削去了台灣省一級，而僅在縣市鄉鎮以下試行十分有限的自治事項。

二、沒有創制、複決的跛腳自治

　　國父孫中山先生的革命民權是採取權能區分方式，是用人民的四種政權──選舉、罷免、創制、複決，來控制萬能的政

府，使之政府有能，而無法獨裁專制。其中選舉和罷免兩權，是用來牽制「人」的，而創制和複決兩權，是用來控制「法」的，但是「台灣省各縣市實施地方自治綱要」對於自治區內人民的創制、複決權卻付之缺如。

三、民氣可畏，統治者為防止民權過大造成威脅，而壓抑地方民權

隨著地方自治的推展，台灣民眾的政治意識逐漸抬頭，而新生的一代亦在成長中覺醒。國民黨面對基層民眾與新生一代要求參政的壓力，或明或暗地運用各種途徑來壓抑地方自治的茁壯。

*1.*阻止「自治通則」的通過：

國民黨及時制止「省縣自治通則」的完成立法程序，迄今（民國七十七年），拖延了三十八年，仍在阻擾正式邁入真正的地方自治之境。

*2.*人事權的萎縮：

地方自治是由地方人民透過選舉，自組政府，進行管理公眾事務。因此，自主組織是地方自治的重心。由於「台灣名為地方自治，但人事權卻由上級一把抓，中央有人事行政局，省市有人事處，縣市設人事室，同時另設第一、第二辦公室，一掌考核，二掌安全，從任免陞遷到思想問題，各級地方自治人員，無一不受控制。」因此，民選縣市長常嘆無權調度人事，如何辦好自治事項？……過去桃園民選縣長許信良，被公懲會「技巧」地休職兩年，即為例子。⑭目前直轄市台北市政府和台北市議會的設置，均根據行政院頒佈的「台北市各級組織及

實施地方自治綱要」而來，並無憲法上所賦予的法律地位。因此，發生了議會權力不足，市長做事也難的現象，例如台北市政府的公車處擬在公車上做廣告，也得先請示交通部一番；台北市工程受益費的徵收，在台北市議會和台北市政府幾經反覆討論取得可以停徵的共識後，中央仍是置之不理。

　　3.養衛權的控制：

　　「養」是指興辦地方自治事業的財政能力，所謂的「衛」，則是指維持自治秩序的警衛能力，此即實施地方自治當然必具的財政權與警察權。

　　(1)控制肚皮，剝奪地方財政的陰謀：中央藉「控制肚皮以控制人」的意識指導下，在不合理的財政收支劃分中，本屬於地方的稅收，靠著財稅一條鞭的作業，大部份集於中央，然後再由中央、省、縣、鄉鎮逐級往下補助，層層節制。此種中央政府既攬權又集錢下，地方政府財政無法獨立，事事得靠上級「補助」，而聽命於中央。

　　目前財政收支劃分為三種稅制：

　　國稅方面的徵收項目：關稅、貨物稅、營利事業所得稅、綜合所得稅、遺產稅、礦區稅、鹽稅、印花稅、證券交易稅、電力電燈臨時捐等。

　　省稅方面的徵收項目：田賦、地價稅、土地增值稅、營業稅、使用牌照稅、港工捐等。

　　縣稅方面的徵收項目：均為小宗而不穩定的稅目有如房屋稅、屠宰稅、娛樂稅、筵席稅、戶稅、契稅等。⑮

　　台灣由農業轉變為工商企業的發達，締造了經濟奇蹟，地

方的貢獻實功不可沒，尤其設在地方的工廠冒出黑煙、廢水污染將大地搞得滿目瘡痍時，對工廠的成品要課貨物稅，對工商業課徵所得稅……等，全部歸中央所有。反之，在地方方面，人事費、辦公費逐年增加，收入卻日漸減少。這種財政收支不合理的劃分法，難怪台大敎授薄慶玖批評該法是中央官員在本位主義作祟下的「集錢」惡法。⑯除了上述造成地方日貧的原因外，政府往往將地方上的重要公營企業職位如銀行監察人，董事長給予非專業人士擔任，造成「外行領導內行」、「政治酬庸」等管理不善、虧損倒閉的情形比比皆是。在省方面，台灣每年還要解送相當龐大數額的所謂「協助款」給中央享用。如此，中央日富、地方日貧的肚皮控制法，以達到限制地方自治茁壯的目的外，目前中央對地方比較突出的建設方面，根據反對人士的反應爲，地方自治是建國、立國的基石，政府必將人民的血汗錢用在落實繁榮地方建設，改善不良現況，而不是用重稅搜刮得來的錢，花在大事增、擴建監獄紓解全國監獄大爆滿的擁擠現象。目前在監獄林立美麗島的大計劃中，已經完成擴建的有台灣省的雲林、綠二監獄，新建的有台灣省桃園監獄及台灣省的明德、自強兩個外役監獄，目前尚在推進的則有台灣省台中監獄、宜蘭監獄及澎湖監獄。另外，台灣屏東監獄及嘉義監獄也已於本會計年度編列購地預算準備遷建。預定在全部計劃完成後，可增加收容一萬二千人。許多人相信監獄林立是國民黨政府唯一了不起的地方自治大建設。

(2)地方警察權受剝奪：

依照中華民國憲法，中央僅定警察制度，實際警察權的行

使則屬地方。由於早年直屬台灣省政府的警務處，逐步收歸中央，終於在內政部設立警政署。省政府對警察權的指揮也只是在若繫若縷之間，更遑論縣市以下的自治首長對警察權的運用與行使了。⑰

四、議員名額的緊縮，以及自治版圖的縮小

(1)省議員的名額，未隨著人口的比率增加：在參議會時代（民國三十五年五月一日至民國四十年十一月底）的議員名額，平均維持在四十一名左右。三十年後的第六屆省議會總共77名議員。此中的增長率是 1.8 倍，然而台灣人口三十年來卻增加達三倍以上，兩者顯然不成比例。⑱

(2)台北市和高雄市的升格：民國五十六年，台北市升格為院轄市，並於民國五十七年台北市長改由中央派任；民國六十八年時，高雄市又告升格，高雄市長亦由中央派任。至於省長方面則完全由毫無民意基礎的官派人士擔任。

五、省、市長直接民選的革新

在強大的民意壓力下，四百年來，全台灣性質的第一次省長選舉，以及台北和高雄兩院轄市市長的民選恢復，終於在民國八十三年（西元 1994 年）年底順利完成。至於在省和地方的經費方面，仍然收入不敷支出，有待政府重新規劃的必要。

△「省府虛級化」或「廢省」的創新

在總統、副總統已經民選的大環境下，「中華民國在台灣」和所謂的「台灣省」，由於在管轄權上，土地有百分之九十八，和人口有百分之八十的重疊。因此，不管是總統、行政院院長或是省主席，他們分別以「巡視」、「下鄉」、「視

察」……等各種名義，在台灣走來走去或是看來看去，總是在
這一塊土地上兜來兜去而已！因此在民國八十五年十一月時，
朝野百餘位立委連署提案主張「廢省」，經過省府以及各鄉鎮
機關的強烈反彈後，執政當局則採取較緩和的「凍省」折衷方
式來加以處理外，至於，在這不久的將來，隨著台灣人口的激
增，以及經濟的快速發展，是否須要諸如升台中市為第三個院
轄市，以及把台灣劃分為北、中、南、東等四區（或州），來
加強建設或是從事一些國際性的活動，則有待往後的政治家來
加以評估。

八、二二八遲來的喪禮篇

歷史傷痕的悲歎，苦難台灣二二八紀念碑的豎立

　　四十一年遲來的喪禮──二二八事件。二二八事件是一九四七年二月二十八日，台灣無辜人民慘遭殺戮，含冤莫白，死者不能瞑目，生者不能安心之日。國民黨政府不肯爲自己的暴行認錯，還不斷地扭曲二二八歷史眞相，侮辱二二八台灣社會英烈菁英爲暴民、奸匪、野心家。國民黨徹底鎮壓、恐怖逮捕，摧毀苦難台灣人民超渡英魂達四十一年之久。然而，公理與正義和台灣人民長相左右，這就是國民黨之所以無法消除台灣人民心中永難磨滅慘痛記憶的原因。

　　去年（民國七十六年，西元 1987 年），台灣人民首次突破四十年的恐怖氣氛，當年的受害者以及遺族克服心理障礙勇敢地走上街頭提出控訴。在警棍和盾牌下「二二八和平日促進會」的成立，衝出了二二八的禁忌和陰影。台灣人民走上街頭呼籲國民黨政府公開「二二八」史料，和平平反「二二八」受害者時，國民黨給他們的回答是一隊隊的鎮暴軍隊以及警察的槍與棍。

　　今年，李總統登輝先生在記者會上表示對「二二八」的看法，他指責不斷地以「二二八」爲話題是沒有愛心，「以牙還牙」的行爲。然而，受難者家屬，主張追求眞正的和平必須建立在不斷犧牲追求公義的基礎上。眞正的愛是共同承擔苦難。他們反對一面要求台灣人民要以愛心忘記過去的不幸；一面卻

對紀念活動百般刁難，出動大批警、特人員蓄意引發無謂的衝突，製造新的仇恨。

　　爲了台灣人民不再流血，受難者家屬打算用淚水洗刷先人血跡的悲痛來紀念「二二八」。他們可以用愛心來寬恕國民黨過去無知的暴行，但是他們也要國民黨政府不能遺忘歷史的教訓。爲了台灣的公義和台灣社會的眞正和平，國民黨必須痛切思定，面對事實，公佈歷史眞相，平反冤屈，還給台灣人民一個公道。

壹、在爆發「二二八」事件的近因及遠因方面：

　　今將一些官方所公佈的資料，以及當代一些重要人士的回憶或傳記，加以簡介如下：

一、監察院於民國七十七年（西元 1988 年）三月九日，公佈二二八事件調查報告全文爲：

案奉

鈞座寅支電開：「報載台北人民發生紛擾死傷三四千人，事態嚴重盼迅速赴台查辦並希隨時具報」等由，亮功當遵於三月七日偕調查員鮑勁安劉啓埑馳赴台北，復奉

鈞座調字第五二二四號訓令內開：「查最近台灣人民發生紛擾情事，除電令楊監察使亮功馳往查辦外，茲加派該委員并往台灣查辦仰即知照」等因，漢文當遵於三月二十一日偕同秘書藍天照馳赴台北，經會同先後視察台北市新竹市台中縣台中市彰化市嘉義市台南縣台南市高雄市高雄縣屏東市基隆市等地，垂詢各方意見綜析全部情形，除建議事項已於三月廿四日廿六日先後電陳，并另陳台灣省善後辦法建議案請鑒核外，茲謹將本

案全部情形分別報告如下：

第一、事變之經過

本年二月二十七日，台灣省專賣局業務委員會派遣專員葉德根率領職員鍾延洲、傅學通、劉超羣、盛鐵夫、趙子健等五人，會同警察大隊警員四人，赴淡水查緝私煙。下午六時左右轉回台北，在台北太平町小春園晚餐，以當日查緝結果所獲私煙無多，後往萬里紅酒店附近查緝，遇婦人林江邁攜帶私煙五十餘條，當被葉德根、鍾延洲二人扣留，該婦人哀求放還。正爭執之際，群眾圍集情勢洶湧，該婦人被擊受傷，市民覩狀乃進而圍毆查緝員警。查緝員警趙子健、警員張啓梓當（場）被毆傷。另一查緝員傅學通逃至永樂町，以前有攔阻後有追逐，遂鳴槍彈中路人陳文溪，當即斃命。於是，群眾益憤即湧至台北警察局，要求交出肇事員警予以懲辦，結果將葉德根等六人送憲兵隊看管，旋即轉解台北地方法院訊辦。翌日上午，群眾復鳴鑼敲鼓湧至太平洋町警察派出所，將所長圍毆，復搗毀門窗，又至台北專賣分局，毆斃職員二人，傷四人，幷將局內存貨搬出門外，連同停放門外之汽車一輛、腳踏車數輛縱火焚燬，旋復湧至台灣省專賣總局，以該局聞訊早爲戒備未被衝入。正午十二時許，市民以鑼鼓爲前導，欲衝入行政長官公署，公署門首臨時布置之衛兵乃開槍，當場死一人，傷十數人，始行退走。是日，台北全市騷動，群情如狂，商店輟市，工廠停工學校罷課流氓三五成群手執刀棍，途遇外省人不能通台語日語者，輒被兇毆，同時正華旅館新台公司（長官公署貿

易局所辦之百貨商店）及虎標永安堂等處，亦先後被毀事態益見擴大，情勢紊亂已極，省警總司令乃宣布臨時戒嚴。

三月一日，暴民搗毀機關及外省人經營之商店，衝入外省公務人員住宅，毆殺劫掠等事實仍不斷發生，台省在台北之國大代表參政員、省參議員、台北市參議員乃舉行會議，組織緝煙血案調查委員會，議決向長官公署提出要求四項：㈠立即解除戒嚴㈡釋放被拘（拘）民衆㈢飭令軍憲警不得開槍不得濫捕濫打老百姓㈣官民合組處理委員會處理善後。推黃朝琴王天燈等八人爲代表，赴長官公署向陳長官提出要求，陳長官均予接受幷以廣播宣佈，自一日晚十二時起解除臨時戒嚴，對死者由政府發給卹金二十萬元，受傷婦人林江邁發醫藥費五萬元，關於官民合組善後處理機構問題，當經與陳長官商決組織二二八事件官民處理委員會，長官公署幷派民政處處長周一鶚、警務處處長胡福相、農林處處長趙連芳、工礦處處長包可永，交通處處長任顯群等五人代表參加。

三月二日，台北方面之暴民依然四出騷動，對於各公私醫院所收容之毆傷者，多有被暴徒逐出醫院再加毆打。下午二時陳長官復接見全體調查委員，幷決定四項辦法：㈠對參加事變者不加追究㈡被捕人民可免保領回㈢死傷者不分省籍一律撫卹㈣處理委員會准增加各界人民代表。下午三時陳長官再廣播公佈四項辦法，冀事態早日平定。

三月三日，處理委員會於台北中山堂召集首次會議（長官公署所派之五處長均出席，以後更（便）未參加），商定軍隊於下午六時撤回軍營，由憲警學生組織治安服務隊，維持治安

交通，并撥出軍糧供給民食等項，同時該會要求解散警察大隊，一面設置治安組成立忠義服務隊，維持治安，然市內毆打外省公務人員及搜索搶劫之事實，仍未停止。

三月四日，處理委員會通知各縣市成立分會，并向工商銀行強提二千萬元，以充該會經費，同時蔣渭川等更利用廣播電台，號召全省青年成立台灣省自治青年大同盟并頒布綱領。

三月五日，處委會開會決定，該會組織大綱通過政治改革案，其要點為：㈠公署秘書長及民政財政工礦農林教育警務等處處長，及法制委員會過半數之委員，應以本省人充任㈡公營事業歸本省人負責經營㈢立刻實行縣市長民選㈣撤銷專賣局㈤撤銷貿易局及宣傳委員會㈥人民之言論出版集會自由㈦保障人民生命身體財產之安全。同日，台灣自治青年同盟舉行成立大會，決議成立市區大隊中隊，并以廣播召集全省曾服務於日本海陸空軍之退役人員軍械技士，及海南島東北南洋各地歸台者，即日登記集中訓練。

三月六日，處理委員會改設二局小組，選舉參議員王天燈等十七人為常務委員，同時以台省參政員名義致電中央，正式提出改革政治方案九項：㈠重用台省人才，行政長官公署之秘書長處長等，由台人擔任㈡各級法院院長首席檢察官，及各級校長盡量錄用台人㈢廢止專賣局改為普通公營事業㈣貿易局改為商政機構廢除營利行為㈤日產處理應考慮人民正常利益㈥根據建國大綱即行縣市長民選㈦保障人民言論出版結社集會自由㈧保障人民生命財產安全㈨速派大員來台處理本案，勿用武力彈壓以免事態擴大。是日，陳長官更作第三次廣播，宣布盡可

能採納民意要求：㈠改組行政長官公署爲省政府㈡各廳處長盡
量任用本省人，幷希望民意機關推選適當人員㈢各縣市長定七
月一日實行民選，在選舉前，現任縣市長不稱職者，可免職另
由縣市參議員，及公法團推舉三人由長官圈定。

　　上述情形，行政長官公署至六日止，幾已全部接受處委會
之要求，事變至此本可告一段落，乃其時，處委會已爲暴民所
裹脅，無法控制群衆，至七日後提出處理大綱，共計四十二
條，其內容如下：

1.對於目前的處理

　　一、政府在各地之武裝部隊，應自動下令暫時解除武裝武
器，交由各地處理委員會，及憲兵隊共同保管，以免繼續發生
流血衝突事件。

　　二、政府武裝部隊武裝解除後，地方之治安，由憲兵與非
武裝之警察及民衆組織，共同負擔。

　　三、各地若無政府武裝部隊威脅之時，絕對不應有武裝械
鬥行動，對貪官污吏不論其爲本省人或外省人，亦只應檢舉轉
請處理委員會協同憲警拘拿，依法嚴辦，不應加害而惹出是
非。

　　四、對於政治改革之意見，可條舉要求條件，向省處理委
員會提出，以候全盤解決。

　　五、政府切勿再移動兵力，或向中央請遣兵力，企圖以武
力解決事件，致發生更慘重之流血，而受國際干涉。

　　六、在政治問題未根本解決之前，政府之一切施策（不論
軍事政治），須先與處理委員會接洽，以免人民或懷疑政府誠

意，發生種種誤會。

　　七、對於此事件，不應向民間追究責任者，將來亦不得假藉任何口實拘捕，此次事件之關係者，對因此事件而死傷之人民，應從優撫卹。

2.根本處理

甲、軍事方面

　　一、缺乏教育和訓練之軍隊絕對不可使駐台灣。

　　二、中央可派員在台徵兵守台。

　　三、在內陸之內戰未終息以前，除了守衛台灣為目的之外，絕對反對在台灣徵兵，以免台灣陷入內戰漩渦。

乙、政治方面

　　一、制定省自治法為本省政治最高規範，以便實現國父建國大綱之理想。

　　二、縣市長於本年六月以前實施民選，縣市參議會同時改選。

　　三、省各處長人選，應經省參議會（改選後之省議會）之同意，省參議會應於本年六月以前改選，目前其人選由長官提出，交由省處理委員會審議。

　　四、省各處長三分之二以上，須由在本省居住十年以上者擔任之（最好秘書長民政財政工礦農林教育警務等處長應該如是）。

　　五、警務處長及各縣市警察局長，應由本省人擔任，省警察大隊及鐵道工礦等警察，即刻廢止。

　　六、法制委員會委員，須半數以上由本省人充任，主任委

員由委員互選。

七、除警察機關之外，不得逮捕人犯。

八、憲兵除軍隊之犯人外，不得逮捕人犯。

九、禁止帶有政治性之逮捕拘禁。

十、非武裝之集合結社絕對自由。

十一、言論出版罷工絕對自由，廢止新聞紙發行申請登記制度。

十二、即廢止人民團體組織條例。

十三、廢止民意機關候選人檢覆辦法。

十四、改正各級民意機關選舉辦法。

十五、實行所得統一累進稅，除奢侈品稅相續稅外，不得徵收任何雜稅。

十六、一切公營事業之主管人，由本省人擔任。

十七、設置民選之公營事業監察委員會，日產處理，應委任省政府全權處理，各接收工廠礦，應置經營委員會委員，須過半數由本省人充任之。

十八、撤銷專賣局生活必需品實施配給制度。

十九、撤銷貿易局。

二十、撤銷宣傳委員會。

二十一、各地方法院院長、各地方法院首席檢察官，全部以本省人充任。

二十二、各法院推事檢察官以下司法人員，各半數以上省民充任。

二十三、本省陸海空軍應儘量採用本省人。

二十四、台灣行政長官公署應改為省政府制度，但未得中央核准前，暫由二二八處理委員會之政務局負責改組，用普選公正賢達人士充任。

二十五、處理委員會政務局，應於三月十五日以前成立，其產生方法由各鄉鎮區代表選舉候選人一名，然後再由該縣市轄參議會選舉之，其名額如下：台北市二名、台北縣三名、基隆市一名、新竹市一名、新竹縣三名、台中市一名、台中縣四名、彰化市一名、嘉義市一名、台南市一名、台南縣四名、高雄市一名、高雄縣三名、屏東市一名、澎湖縣一名、花蓮縣一名、台東縣一名，計三十名。

二十六、勞働營及其他不必要之機構廢止或合併，應由處理委員會政務局檢討決定之。

二十七、日產處理事宜，應請准中央劃歸省政府自行清理。

二十八、警備司令部應撤銷，以免軍權濫用。

二十九、高山同胞之政治經濟地位，及應享之利益應確實保障。

三十、本年六月一日起，實施勞働保護法。

三十一、本省人之戰犯及漢奸被拘禁者，要求無條件即時釋放。

三十二、送中央食糖一十五萬噸，要求中央依時估價撥歸台省。

此項大綱提出後，不惟已逾政治改革要求之範圍，且其叛國陰謀已昭然若揭矣。

三月八日，台北之情勢更形嚴重。是晚，暴民自北投、松山分兩路進襲台北市區，攻圓山據點，警備總部陸軍供應局長官公署，警務處台灣銀行等處，是日，憲兵二營由福建抵基隆開入台北，亮功與護送隊伍中途遭暴徒襲擊，調查員劉啓塈及士兵一名受傷。九日，警備總部乃重行宣布戒嚴十日，國軍第二十一師陸續開到，軍警開始徹底搜索。十日，長官公署下令解散各地處理委員會，於是台北自二二八爆發之暴動事件漸趨穩定。

總計台北市在此次事變中，據長官公署之統計報告，各機關公務員死亡者三十三人，受傷者八百六十六人，失蹤者七人，公務損失價值計台幣一二〇、二六一、二九七元，私人損失價值台幣一五一、六二八、六一六元，其他簿籍卷宗之損失值台幣二、三七八、九四九元，合計損失價值約國幣九十六億元以上，至（於）人民之損失，僅死傷五十二人，財產損失值台幣五六、〇二三、八〇六元。然實際上或因參加暴動，或為誤毆殺而死傷者，當遠在統計數字之上也。

當台北二二八事件發生後，全省各縣市均先後發生紛擾暴動，茲據調查所悉分述如下：

一、基隆市

自台北市二二八事件發生後，基隆以距離甚近（二十九公里）交通極便故首先波及。二月二十八日晚，當地流氓首於戲院毆打官兵及外省人士，中權兵艦水兵一名當被毆斃，幷傷士兵及外省人十數名，繼即進攻警察局等機關，經憲警及要塞司令部派出隊伍開槍鎮壓始行驅散。當晚即宣佈臨時戒嚴。以後

情形，略見平靖（靜）。三月四日乃宣佈解嚴，惟以其時，台北日趨緊張暴民又蠢然復動，組織二二八事件處理委員會基隆分會及青年同盟，同時強迫市民按戶征集壯丁，準備暴動。八日下午二時，徒五六十人，欲衝入基隆要塞司令部，經守兵開槍迎擊打死十餘人，是晚復宣佈戒嚴，同時憲警搜查戶口，逮捕嫌疑人犯九十餘人，搜獲擬炸燬碼頭阻止國軍登陸之炸藥二百餘箱，於是事變始告平定。據基隆市政府及要塞司令部之報告，共計死傷軍警及公務人員一百五十三人，公私損失值台幣六、六八四、七三〇元，民眾及暴徒死傷一百零三人。

二、新竹市

新竹市以距離台北甚近，故台北二二八事件發生後本市即行波及，三月二日下午開始集眾暴動，首先包圍地方法院，繼包圍市政府搗毀公務員宿舍，焚掠什物，經憲兵及駐軍出動鎮壓暴徒竟群起圍攻及開槍射擊，打死八人，傷二十餘人始行潰散，是晚由縣參議會出面調停，暴民提出不追究暴動，市長民選，軍隊撤離，市區警察憲兵不得攜帶槍枝出外等六項要求，當局以全部警察一百八十餘名，除六人外均為本地人，事變發生後，所有警兵或自行逃逸或參加暴動已無形瓦解，而憲兵及駐軍力量極為薄弱，乃允其所請，於是處理委員會分會即告成立，十二日選舉市長，原擬以本地人出任，以其時國軍開抵新竹，仍選原任市政府主任秘書陳貞彬為市長，原任市長郭紹宗解職，長官公署乃正式以陳貞彬接任市長，總計全市損失據該市市政府報告，計損失公私財產約值台幣一千萬元以上，公務員死傷者十四人，人民及暴徒死傷者約三十人。

三、台中市

台中市為台灣中部之最大城市，共黨謝雪紅等自光復時出獄後，即以青年團婦女隊長名義，以此為活動中心，二二八事件發生後，謝雪紅即乘機煽動糾集群眾，於三月二日發動遊行示威，毆打外人搶奪軍警槍枝，同時青年團之負責人，警察局之本籍員警及地方流氓，亦相率參加，於是全市情形入於紊亂，三日七五供應站第四支庫第三飛機廠倉庫及第六被服廠均被佔領，全部儲存武器悉為掠取，同時將全市外籍公務員及眷屬三百餘名，分別集中拘禁市府，以上各機關乃全部被其佔領，市長黃克立於三月二日即行逃逸，旋於五日為暴民緝獲押於社會公寓外省人集中營，共黨以暴動得手乃組織時局處理委員會，提出政治要求，組織台中指揮部，發展其軍事力量，派遣暴徒馳赴嘉義會合嘉義暴民圍攻國軍，及三月十三日國軍開到，謝雪紅等率領暴徒向埔里一帶逃逸，其損失以槍械彈藥為最鉅，死傷人數據市政府報告計死傷公務員五十六人，民眾十六人，暴民三十四人，損失公私財產值台幣九、八六一、九六三元。

四、彰化市

三月一日下午，暴徒開始於車站毆打士兵，二日暴徒數百人至警察局毆打警官，搗毀什物，幷向市長要求將警局武器交其保管，市長王一鳴竟允其請，將全部武器集中保管，二月三日暴民遂將存槍全部劫去，於是全市自市政府以下各機關均為劫持，十一日國軍開入，暴徒三十餘人持械避登城郊八卦山，經縣參議員呂世明等往返勸導，始將槍械自動繳還，事變始告

平息，其損失情形據該市政府報告，共傷公務員七人，其他損失頗為輕微。

五、嘉義市

嘉義市自台北二二八事件發生後，二日下午暴民即開始煽動群眾毆打外省公務人員，市長宿舍當被搗毀，警察局亦被包圍全部繳械，加以青年團分團部籌備主任陳復志及縣參議員盧鈵欽等均參加暴動，陳復志組織嘉義市三二事件處理委員會兼作戰司令，分暴徒為高山隊海外隊學生隊社會總隊等名目，圍攻憲兵隊及駐軍營，五日圍攻飛機場，暴民死傷約三百餘人，七日暴民攻陷紅毛碑，空軍第十九軍械庫除一部分軍械經焚毀外，其所儲大量武器均入暴民之手，時全市外省公務人員，除被其囚於城內者八九百人外，其餘二百餘人均困守機場，水糧彈藥均告斷絕形勢險惡，幸九日以後，自台北以飛機裝運糧食彈葯及部隊來嘉接應，始告解圍，綜觀台省各地此次事變，以除台北外嘉義為最激烈，軍械損失極鉅，公教人員之財物無不被掠一空，其死傷人數除戰鬥死傷之暴民不計外，據市政府報告，計死傷人民一百八十八人，公務（人員）六十九名，正式槍決之暴動人犯，計有陳復志等二十名。

六、台南市

台南市暴民於三月二日晚響應台北開始騷動，衝佔警察派出所各處奪取槍械，四日上午暴民到處毆打外省人士，下午各警察派出所第三監獄及保安警察隊槍械彈藥被服布疋悉數被劫，海關倉庫亦遭劫掠，警察局長被其監視，乃於下午五時提出七項要求并成立處理委員會，九日市參議會四百餘人開聯席

會議，表決不信任現任市長另選市長候補人黃百祿（市參會議長）候全成湯德章（市參議員）等三人，報請省長官公署圈定，十一日又舉行聯席會議，適國軍開到乃圍捕各首要百餘人，全市損失據市政府報告，計死傷公務人員四十八人，公私財物損失值台幣九、二八三、〇六四元。

七、高雄市

三月三日暴徒百餘人，駕卡車三輛竄入市區開始騷動，晚八時即於北野鹽埕一帶，集合三四千人圍攻警局，掠劫外省人商店毆辱外省人士，市內頓形紊亂，翌日警察局外省籍員警青年團幹事長王清佐等及一部份學生均參加事變，事態益形擴大，高雄為一重要工業區，有重要工廠六七家，工人六七千人，事變發生後，工人中之不隱（穩）分子亦蠢然欲動，全市所有外省籍公務員逃入高雄要塞司令部避難者七八百人，而暴徒於得手之餘於五日成立處理委員會組織高雄聯合軍本部，釋放高雄地方法院監獄人犯二百八十六名，幷脅持市長黃仲圖市長參議會議長黃百祿等向要塞司令部提出繳械要求，要塞司令澎（彭）孟緝乃將暴徒涂光明等扣留槍決，以武力攻入市區及暴民大本營（第一中學）斃暴民二百餘人，捕獲一千二百餘人（包括鳳山屏東）餘衆竄散，亂事始告平息，其死傷及損失據市府報告，計死傷公務員三十九人，民衆死傷一百七十一人，公私財產損失約值台幣七千元左右。

八、屏東市

三月四日上午開始暴動，脅迫市長將警察局武器封存，幷脅迫憲兵駐軍繳械，同時開始毆打外省人搶劫槍枝，佔領市府

及警局；警局之全部武器均被劫取，同時製糖公司內部之不良
分子，亦乘機劫奪廠警武器擄掠外籍員工之財物，其他省屬機
關均同遭（遭）擾害，四日下午組織處理委員會幷於青年團成
立治安本部，五日暴民成立參謀本部作戰本部經理部，猛擊憲
兵隊幷繼續脅迫空軍駐軍繳械，八日國軍到達始告平定，計事
變中死傷公務員及人民共三十三人，至暴民死傷則尚未查悉。

九、台北縣

二月二十八日暴民群集車站毆打外省人士搗毀公務員宿舍
幷搶劫財物，首要林日高等於宜蘭組織司令部，指揮暴民搶劫
供應局板橋倉庫，幷放火焚燒後，搶劫空軍站宜蘭倉庫武器及
蘇澳軍需倉庫武器，境內軍械損失甚為重大，及九日國軍開
到，始形平靖，計公務受傷者五人，其他損失尚未查悉。

十、新竹縣

三月一日晚，暴民開始圍攻縣政府警察局及職員宿舍，毆
打外省人士強姦女教員，劫取桃園八塊子機場倉庫槍械，先後
組織台灣省自治青年同盟桃園支部及處理委員會，事變中公務
員被毆傷者甚多，財物損失甚重，惟尚無詳確報告。

十一、台中縣

三月二日下午台中縣治員林發現外來流氓多人，鼓動響應台
中彰化暴動，警員勸阻即被圍毆，民眾因之附和者甚眾，乃進
擾警察局及縣長宿舍，脅迫縣政府將警察槍械交地方紳士保
管，縣長宋振棨及外省籍職員均相率逃避，瓦窯厝暴民乃組織
保安隊警備隊青年隊自衛隊，幷劫取政府槍械，擅自釋放監獄
囚犯，幷選舉縣長候補人三名報請圈定，七日以後，以流氓漸

他去，宋縣長始返員林辦公，事變中計外省籍公務員被毆傷者二十六人，公私財產損失約值台幣三千五百萬元。

十二、台南縣

三月二日夜。斗六虎尾東石嘉義北港等區暴民圍搗區署及警所，同時新營（該縣縣治）亦發生暴動，縣長袁國欽逃避鄉間，於是新化曾文北門新豐等區，均先後發生暴動，十二日以後以嘉義等處之暴民竄入縣境之小梅一帶，形勢益為嚴重，十三日國軍至小梅圍勦斃暴民六十餘人，捕獲十二人始略告平靖，惟以地近山區竄藏奸匪頗多，一時不易根絕，事變中公務員被傷八人，公家被劫現款十九萬元，其他公私財物均頗有損失，槍枝散失五十餘支。

十三、高雄縣

三月三日，暴民開始入縣境策動騷擾，四日暴民於鳳山召開青年大會到群眾三四千人，脅持縣長要求駐軍撤退，同時包圍岡山警察所，奪去步槍二十餘枝，繼復進攻該處要塞，駐軍經痛擊始退去，六日以後以高雄市之駐軍開始入縣鎮壓，乃告平靖，事變中計死傷公務人員十一人，損失槍枝二百六十餘枝，公私財產亦損失頗鉅。

十四、花蓮縣

三月四日，暴民召開民眾大會開始暴動，成立處理分會并收繳憲警武裝，先後組織白虎隊暗殺團青年大同盟，以許錫謙為陸空軍總司令，接收糧食所郵電局等機關，及國軍開到奸匪四十餘人始攜帶槍械彈藥，向新武邑附近逃逸，事變中據該縣縣府報告，公務人員被毆傷者四人，公私財物損失值台幣七百

四十萬元，槍枝十六枝子彈一三二發。

十五、台東縣

三月三日，流氓暴民數十人，包圍田糧處倉庫搶劫糧食，同時包圍縣長宿舍，四日劫掠憲警及機場駐軍武器乃佔據縣政府及郵電機關，縣長及縣參議會議長均逃入高山族總團部，十二日以後國軍來省，暴民斂迹始陸續回縣，事變中據該縣縣政府報告，公務員傷者十九人，財物損失值台幣一百六十五萬餘元，槍械彈藥亦損失頗多。

十六、澎湖縣

澎湖以係島嶼，二二八事件發生後，雖有處理委員會澎湖分會及青年自治同盟之組織，以縣長與要塞司令部防患未然，處理得法，故無若何亂事發生。

以上為台灣此次事變各地之經過概況，綜觀各地事變情形，下列情事甚為重要：

一、事變之初期，以由專賣局緝私傷斃人命而起被擊斃之陳文溪，係一流氓頭之弟，故流氓首先參加，利用一般民眾之排外心理及不滿政府現況心理，鼓吹擴大，為事變初期之主動者。

二、事變發動之後，各地政治野心家乃乘機而起，脅持各地，處理委員會提出種種政治改革之要求，渠等為第二階段之主動者。

三、事變蔓及全省後，共黨乃乘機參（滲）入實行暴動以圖顛覆政府，然其時參加份子複雜，各地情形甚為紊亂，步驟不齊意志不一，共黨人數甚少亦無控制全局之力量，故事變第

三階段,已無指揮全局之主動者。

四、省縣市參議會議長議員,幾普遍參加二二八事件處理委員會,其中固不少能顧全大體,使事變消弭者,然亦不免有若干議員,推波助瀾別具心腸以求事態擴大者。

五、各地暴民發動多以警局為進攻之目標,而警局均百分之九十以上為本地員警,事發後,或自動封存武器任其劫取或棄械潛逃不予彈壓抵抗或公然參加暴動,以致地方當局不惟無一可用之保安警力,且反成贅累,實為束手無策,坐視暴動擴大之一重要原因。

六、全省各地憲兵雖數量不大,均能克盡職責且深獲民眾之敬畏,此實堪嘉許者。

七、在台各機關工作之外省籍公教人員數萬人,在事變中或喪失生命或身受毆辱或財物損失淨盡,物質上精神上所受之痛苦與刺激過甚,而目前尚無若何安全保障及損失賠償死傷撫卹,故紛紛求去,即勉強工作亦精神沮喪工作效率大為減低,實為目前最大損失,且台省今後建設經緯萬端正需向各省大量徵聘人才,事變後不惟現有任事者紛紛求去,將來者亦為裹足不前,人才益形缺乏為一大隱憂。

八、自國軍開入台灣秩序恢復後,長官公署已著手清鄉工作,拘捕暴徒勦除殘匪收繳散失槍械,預定四月底完成全省清鄉工作此一措施關係台灣今後之安寧至為深鉅,能否以迅速適宜之方法完成,全在省當局之運用如何而定。

九、事變雖告平息,而各地本省人與外省人間,在精神上依然無形中有一極大之隔閡鴻溝存在,此一隔閡一時似不易消

弭，且爲隨時能發生誤會之因子，應如何化除，殊爲一不容忽
視之重大問題。

第二、事變原因之分析

　　台灣自二月二十八日，因台北取締私煙販賣發生糾紛，釀
成命案不旬日，全省十七縣市幾無地不發生紛擾事件已如上
述，其肇事原因似甚簡單，然綜晰實情，釀成此次全省紛擾原
因，實醞釀已久且甚爲複雜，茲述其重大者如下：

一、台灣人民對於祖國觀念之錯誤

　　台灣淪陷日人之手逾五十年，台省同胞年在五十歲以上
者，不乏國家觀念濃厚之人士，然中年以下之同胞，在此五十
年中一切文化教育均受日人之麻醉，不惟對於祖國之情況無從
了解，即中國之歷史地理文化政治等情形，亦深受日人之曲解
宣傳，故於光復之初，一般台胞其理想祖國爲五強之一，必遠
勝日本，是以對於初蒞台灣之政府接收人員，均報以熱烈歡迎
寄以無窮希望，年餘以來以國內共黨叛亂政治紛擾經濟枯竭物
價高漲，加以反觀日人統治台灣時，一切政治經濟設施及人事
布置均較有條理有規劃，而不了解祖國十餘年軍閥內亂，九年
對日抗戰及共黨不斷紛擾之艱苦奮鬥，僅以目前情形與日本當
日統治情形，斤斤計較，遂於熱烈希望之餘，而漸爲懷疑，漸
爲失望，終至輕視，以日人不若視之，而發生離心傾向。

二、日人之遺毒

　　日人統治台灣五十年之結果，在台灣同胞之生活上、觀念
上及客觀情勢上，已深深種下下列之餘毒：（甲）因受日人皇

民化運動之薰陶，對於日人崇拜服從，存有日本第一之頑固淺狹觀念。（乙）日人有計劃造成台灣人政治人才之貧乏。（丙）深受日人之教育與惡意宣傳，而於祖國情形及世界情勢均不了解。（丁）大多數民眾反已習於殖民地政治、經濟之絕對統制生活，而養成政治、經濟眼光之淺視及日人小惠之難忘。（戊）日人之御用紳士與流氓，已形成各階層中牢不可破之惡勢力。（己）日人強迫教育，不惟語言、文字已使全台人民完全日本化，且其生活習慣、精神意識亦已深受其影響。（庚）日本投降後，留台之日人及以冒用台胞籍貫之日人為數甚多，更不斷暗中予台人以煽動、挑剔，以此種種，日人餘毒之遺留，未盡其惡劣影響，自不難想見矣。

三、物價高漲與失業增加之影響

台胞在日本統治時代，雖受政治上極端壓迫，與經濟上絕對統制，然其生活頗為安定，在日本人投降之前，經濟方面已為百孔千瘡，如工業原料之匱罄，生產事業之衰退，交通器材之缺乏等，雖尚未至表面化，但經濟危機已積重難返，台人不知底蘊，且懷有過高之希望，以為一旦歸返祖國，一切問題即可迎刃而解，不知政府接受之後，承其凋敝之餘，重以財力交通之困難，技術人員補充之不易，戰時被毀之工廠企業限於人力、財力，短期中無法恢復，加以光復之初，台灣物價僅較戰前漲十餘倍，一年以來，台灣物價步步上漲，尤以最近國內黃金風潮發生以後，其物價更形飛漲，若干日用品價格，甚有超乎國內者。台灣原為產米之區，在日本時，以絕對管制糧食，人民不能私自儲蓄，光復之初，以日本人搜括殆盡，已形成去

年糧荒之危機，益以接收後，政府不採用過去絕對統制政策，以致大戶囤糧極富，而民間糧食發生恐慌，糧價日趨高漲。以此種種，經濟困難，台灣人民生活不免日趨困苦。加以一方面，以上述情形，原有之工廠、礦山停閉或減工者甚多；而他方面，各地原在日軍服役者，均紛紛回省，數達十萬以上。以此，失業人數日多，均受生活上之痛苦威脅，此種困苦，地方當局又未能積極求取救濟善法，其結果：一有奸人煽誘，自必隨之異動矣。

四、政府統制政策之失當

台灣自接收以來，以情形特殊，故於省級行政設行政長官公署，台人對長官公署呼之爲新總督府，與國內各省不同，此形式上使台胞不愉快之區別也。按其實際，長官公署之權力、法令亦幾與日人之台灣總督府相若。此又事實上使台胞不愉快之感觸也，且一年以來，在經濟上之種種措施，以工商企業之統制，使台灣擁有鉅資之工商企業家不能獲取發展餘地。因貿易局之統制，使台灣一般商人均受極端之約束；因專賣局之統制，而使一般小商人無法生存，而中央方面對於此新收復之領土，不惟不能多予以資本與原料之補給，以助長台灣產業之恢復發展，反以種種徵取，以造成台灣經濟之貧血與產業之凋敝，此又在經濟統制上使台胞深感不愉快之事實也。加以日人統治台灣時，以其爲南進根據地，故在各種企業設施上，均集中其國內一流人才來台工作，一切規劃均見經緯，一切興辦均有成績，我國此類人才素感不敷，益以資本之缺乏，交通之困難，一旦承乏，更不免使台胞有相形見絀之感矣。

五、一部份公務員貪污失職及能力薄弱之反響（應）

　　日人統治台灣時，其公務員之操守、能力及軍隊之紀律，均爲台人所稱道。光復以後，我國最初開入台灣之國軍，其服裝、配備、精神、體魄已予台胞以一不如日軍之印象，而在一年中，各地駐軍間，有少數軍紀欠佳士兵，欺擾百姓不良情事發生。在政治方面之公務人員，其出入餐館等等，應酬、娛樂台胞視之已爲過去日本公務員不應有之怪事，至貪污瀆職更爲舊日所不容之現象，而我來台工作人員，亦不幸以少數害群之馬或行爲不檢、能力薄弱或貪污瀆職，尤以經建及公營事業，更不乏藉權漁利之不良現象，予台胞以深切之反感，致漸以往日日人指中國官吏無一不貪污，無一不飯桶之蜚語爲正確。循至對于政府官吏有「中山袋」、「阿山」等等輕視之稱呼，信仰旣失，一旦有事，自易發生反動矣。

六、輿論不當之影響

　　在日人統治時代，輿論上亦受絕對之統制，光復以後，陳長官在經濟上採取統治政策，在政治上已較爲放鬆；在輿論上，則採取放任主義，一年以來，行政當局未能注意應付環境，各方面開罪過多。是以，全台十餘家報紙之輿論，幾無日不有批評政府、誹謗政府，甚至不依事實，任情謾罵、惡意醜詆。長官公署以言論自由，均置之不理。台胞初級教育甚爲普及，能閱報者佔絕大多數，此等攻擊政府之輿論，爲其從來未所見，初則引爲怪事，繼則信爲正確，而漸啓輕視政府、不信任政府之心理矣。

七、政府野心家之鼓吹

　　台灣在日人統治時期，本地人士能參加政治工作者極少，尤以簡任以上之主管官員，更無台胞參加之機會。光復以後，一般有政治野心者，均紛紛亟欲攫取政治地位，如過去之獨立派此時仍繼續主張高度自治，甚至不惜擬假借外力，要求托治。原在日人卵翼下之御用紳士，此時亦改頭換面，滲入各地民意機關及政府機構，乃在社會上、政治上、經濟上擁有重大勢力。原為反對日人，主張歸依祖國，或亡命內地，或為地下工作之愛國人士，光復後，亦紛紛回省，嶄露頭角。此種人員中，一部分政治野心過熾而尚未獲得相當地位者，為滿足其欲望計，乃不惜破壞政府紀綱、損失政府威信，利用時機、利用群眾，以爭取政治地位。

八、共黨之乘機煽動

　　日本統治期間，由其國內思想複雜之影響，台灣方面雖在高壓之下，亦有各種黨派活動。共產黨於民國十七年成立台灣民族支部，受東京日共中央指導監督。十九年後，與上海共產國際東方局發生關係，繼續在台組織各種工會聯盟，擴大活動。民國二十一年，為日本警署檢舉該黨首要份子謝雪紅、潘欽信、蘇新、王萬得、張道福等五十人，以證據確實，被判徒刑。台共至此，乃陷於停頓狀態。光復後，共黨首要謝雪紅等出獄，乃重振旗鼓，收羅幹部，擴充力量，同時，國內共黨亦有來台活動者，以台灣省工作指導委員會、台灣省工作指導團、中共東南區等七聯絡站閩台政治組、台灣共產黨主義青年團等等非法組織，在台北、台中、嘉義、台南等地潛伏活動，伺機竊發。二二八事件波及各地後，謝雪紅等乃乘機煽動實行

武裝暴動，以謀攫取政權。

九、治安防衛武力之薄弱

台灣自光復以後，原由國軍第七十師及六十二師來台駐防，去年五月以後，兩師先後調往他處，地方當局對於客觀情勢未能作正確之估計，致事變發生時，全台僅有憲兵兩營、特務營一營、工兵一營，此外僅有各地警察，而全台除各地之駐守外，尚有軍需倉庫四百五十餘處，飛機場六十四處，均須分派武力看守，故台北及各縣市之保安武力極為薄弱，事變興起後，各地之本籍警察，或棄械逃匿，或相率參加，幾全部瓦解。而長官公署更無可以運用彈壓之武力，以致坐視蔓延擴大，劫取倉庫，集眾日多，無法收拾。在各地始終能與暴民周旋者，僅憲兵與極少數部隊。迄三月八日以後，國軍先後趕到，各地暴動始漸告平息，假如平日駐防武力不似此空虛，當局能事先注意防範，當不致有此暴動發生，即令發生，亦不至若是之全面波及也。

十、廣播無線電台為暴民控制之影響

台北二二八事變發生處理委員會成立後，所有各地重要無線電廣播電台大都為暴徒所佔領。於是，對各地不斷虛構事實，謂政府及在台外省籍公務人員如何虐待台胞，國軍如何屠殺台胞，飛機如何轟炸平民，以激動台民感情，提高台胞之排外怒潮，而台灣平日之無線電廣播甚為普及，民間收音機達十餘萬架之多。受此煽動，以訛傳訛，遂致各地均紛紛起而暴動，毆打外人，繳取軍警槍械、俘囚、所有外省籍公務人員，此一事變擴大之又一重大原因也。

第三、參加事變份子之分析

　　台省此次事變之經過及其釀成之原因既如上述，參加事變
之份子亦甚爲複雜，其參加之動機及其行動亦各有不同，茲分
述如下：

　　一、流氓——台省流氓之含義與形成，較之國內其他各地
所包括者爲廣，幾上自豪紳鉅賈，下至販夫走卒，均有其分子
之存在。當日人統治時，對於台省流氓故意任其存在，或任其
爲地方之爪牙，或縱入中國沿海各地，以爲浪人間諜。戰時更
將其編練入伍，全台無正當職業爲流氓生活者，據估計不下十
萬人，故其勢力平日已及於全省。二月二十八日晚，被警員擊
斃之陳文溪，爲一大流氓之弟，故首先於台北發動大規模之騷
動，搗毀台北專賣分局，衝擊專賣總局與長官公署，毆打外省
人員之主動者，均爲流氓。台省當局曾以各地流氓有礙地方安
寧秩序，於去年夏，命各縣市政府加以逮捕解送台北，予以集
中訓練，名曰勞動訓練營。於六個月中，予以各種職業與知識
之訓練，期滿後，發給證書，放回原籍。希望以此化爲良民，
先後共二千餘人，不料回籍後，其組織更爲嚴密，各地更有聯
繫，事變中，各縣市均普遍參加。至其參加事變之目的并無政
治意義，純粹爲報復行動與窄隘之排外運動而已。

　　二、海外歸僑、所謂海外歸僑包含之份子亦甚複襟（雜），
一爲原在日軍服軍役之台籍青年軍人，以自海南島及南洋各地
遣送回台者最多，人數約十萬人。此等人因受日人之薰陶甚

久，爲日本軍閥之鷹犬，在海南島時無惡不作，故投降時，海南島同胞不免有乘機加以懲誡。渠等返台以後，大都無正常職業，流浪各地，恢復其流氓生活，對於國人深懷仇視，一旦有事，乃首先參加。在事變中毆打外省人，搶劫或搗毀外省人財物，亦最爲積極。其次爲日本統治期中，流放於火燒島（在台灣東南）之流氓、匪盜。光復後期，日人均已任其回入台省各地，又次爲過去日人利用在廈門、汕頭、福州等地方作惡之台籍浪人，光復後，或自動回台，或被遣回台，此三種台人均平日品性最壞，無惡不作之莠民，今均集中台灣，又無正當職業，一旦有此變亂，自必競起參加，其目的一在（再）殺人越貨，乘機圖利，且已深受日人豢養，對於國人反存敵視，乘機仇殺，亦爲洩忿耳。

三、政治野心家：台省政治野心家之構成份子已於前述，此次自台北發生糾紛，搗毀專局以後，一般有政治野心者，以爲攫取政治地位之良好時機，故一方起而投入漩渦，一方擬以相當條件，要求政府承認。然以共黨及流氓繼起鼓動，事態擴大，原擬利用群衆，反爲群衆狂潮所脅持，而無法控制。故其結局頗爲失望，爲政府與暴民雙方所不滿。

四、共黨 共黨在台活動之情形已如前述，此次暴動發生後，謝雪紅等擬以台中嘉義一帶爲其暴動之中心地帶，以乘機鼓動群衆奪取政權。然一般青年及市民及認識共黨之眞正面目後，均紛紛反對，不與合流，迨脅持少數暴民，退入阿里山一帶，擬煽動高山族，亦爲所拒。故此次共黨之陰謀已告失敗，其殘存之勢力亦已甚微，惟爲防其死灰復燃，當局宜予以澈底

之根絕也。

五、青年學生　當事變發動之初，各地學生均紛紛參加，學校無形停課，其參加之動機，多為受日人之宣傳、教育，輕視祖國，不滿意政府，狹隘之排外及暴民之虛誑宣傳而起，迄後體察實際情形，乃憬然覺悟，逐漸退出漩渦，各學校自上月二十日以後，均已逐漸復課矣。

六、三民主義青年團　台灣自光復後，即開始組織三民主義青年團，各縣市先後成立分團部，以事先毫無基礎，臨時網羅團員，分子極為複雜。故此次事變發生後，各縣市青年團負責人參加者甚多，如台灣省青年團婦女隊隊長謝雪紅率眾暴動，現尚在逃嘉義青年團籌備主任陳復志，台南青年團幹事長張慕候，以充當暴動首要遭槍決，其他各縣市之青年團負責人，或經逮捕，或已逃逸，故全省青年團之組織已形解體，非徹底改組予團員以嚴格訓練，難有恢復活動之餘地也。

七、高山族　台省高山族，其性質甚為強悍，日人統治時屢起變亂，屠殺極多，此次事變發生之初，因受無線電廣播之宣傳，乃共黨暴民之引誘，頗有參加之趨勢，迨後經政府之開導，及其族內深明大義酋長之阻止，乃告平息，且阻止共黨脅持之殘餘暴民退入境內，事後政府更予種種嘉獎，目前情況已甚為安靜，惟高山族受日人之教育，均通日語，不解國語，今後高山族之教育問題，實為亟應積極注意之事也。

八、皇民奉公會會員　日本統治台灣時，各（地）均有皇民奉公會之組織，其目的在羅致爪牙，加強皇民化運動，以鞏固其統治勢力。其會員分布自紳士公務員商民技工，以及農民

各階層人民均有參加，全台共有皇民會會員二萬餘人，爲虎作倀，壓迫民衆，多爲對日效（効）忠之分子。光復後，當局對於此等分子未能正式監視其活動，懲辦其首要，以剷除此惡勢力之存在，甚至對之反予好感，任其活動。於是，舊日之皇民會之首要分子，一如日人時代之活躍，充任省縣市參議員者有之、充任區鄉鎮長者有之、任公教員職者有之，事變發生以後，乃大都參加。今後如仍不予分別取締清除，將來恐仍不免爲台灣之重大毒素也。

九、留台日人　光復後，全台日人共有三十三萬餘人，年餘以來，陸續遣送，目前留台之技術人員及教授尚有九百十八人，連同眷屬許三千八百四十三人，此外，尚有匿居民間改冒台籍者無法統計。此次事變，或正式參加、或暗中煽動，挑撥以逞其詭計，而台灣目前實已無留用日本人之必要，爲防患計實有迅予遣送，并徹底清除之必要。

除上述九種份子爲構成此次全台暴動之主力外，此外，工廠及交通電信機關之工人，各機關之本籍公務員，亦有少數參加者，惟全省農民則均持安靜之旁觀態度，總觀全台，當事變高潮時，各地盲從附和者當不下五六萬人，然及直接與國軍搏鬥，公然暴動者，則又僅數千人而已。

第四、結論

台省此次事變之初，其中心口號爲對于（於）現政不滿，要求政治改革，細察台灣自接收迄今一年餘來之各種措施大體，尚能力求振作，然可議之點亦多，此次事變雖告平靖，而

今後能否使台灣長治久安，實應於現政加以切實檢討，積極求取適當之善後辦法，除於善後方法由職等另行擬具台灣省善後辦法建議案呈謹　鑒核外，茲於現政措施逐加檢討，僅擇要分陳意見如下：

一、台灣行政長官公署特殊制度之成立，原爲便利當時接收，應付當時特殊情況，一年餘來，一切已趨常軌，且在名義上、體制上予台灣同胞以不愉快之觀感，實無繼續保持此種特殊制度之必要，中央旣已允許撤銷長官公署成立省政府，自屬明允，今後中央對於台灣之治理方針具有三種不同途徑之可能：第一、因襲日人治台方法施以高壓恐怖及統制榨取，以殖民地視之；第二、任其高度自治或獨立；第三、使其一方趨於民主坦途，一方使完全與祖國一元化，而不至增加台灣對中央之離心力。此三者，第一第二途徑均顯非中國之福，亦非台灣之福，第三途徑爲必然之歸宿，故今後中央與台灣省政府，自宜以此爲施政之最高原則。

二、我國內地各省，自國民政府北伐統一以來，經軍政時期者約十年，訓政時期者十餘年，刻將開始憲政，台灣省在日人之手淪爲殖民地者五十一年，自光復後即準備實施憲政，行政長官公署依照中央限期籌設各級民意機構，自三十五年二月至四月，由公民宣誓登記以至各級參議會之成立，僅歷時八十日，鄉鎮長民選亦於三十五年十二月辦竣，如此倉卒實不免草率從事，以致民意代表及鄉鎮長多爲舊日皇民奉公會負責人員，或流氓頭目，眞正民意無由表現，此次事變，各級民意機關之負責人，幾大都轉（捲）入漩渦，且彼此排擊攘取權利，

意志不一，派別分爭。全部民衆、機關經此事變已呈破產，今後應如何以適當方法訓練人民行使政權，汰除不良分子，使各級民意機關能代表眞正民意，縣市長以下各級選舉能眞正得人，台省實施憲政前途不致遭遇意外困難，實又以此次教訓而應予愼重考慮者也。

三、長官公署以下之行政措施，過去有下列缺點之表現：（甲）各處局及縣市政府之組織過於龐大（乙）縣市行政區劃未盡適當（丙）縣市政府之組織均別立規程，不依中央頒佈之縣市政府組織法（丁）縣市以下之自治機構，仍沿用日本時代之組織（戊）廢除日本統治時代之警察制度，而未能確實完成保甲組織（己）自內地調來台省工作人員之水準不齊，工作能力與操守又無嚴格之考核，以汰除不能稱職之分子，致予台人不良印象（庚）對於台省人之任用，據長官公署之統計，全省公務員五四、六一七人，本省人佔三九・七二人（七二・七一％），外省人一三、九七二人（二五・五八％），外國人九三四人（一・七一％），而簡任官之二一四人中，外省人佔二〇二人（九四・三九％），本省人僅十二人（五・六一％），簡任待遇者二二八人，外省人佔二〇四人（八九・四七％），本省人僅二十四人（一〇・五三％），荐任者一、七〇四人，外省人佔一、三八五人（八一・二八％），本省人佔三一九人（一八・七二％），荐任待遇者一、四三八人，外省人佔九五一人（六六・一三％），本省人佔四八七人（三三・八七％）以下，委任及僱員則以本省人爲多。由此可知，高級公務員本省人所佔者過少，此固由於其人材之缺乏，較之日本統治時代

十一萬公務員中，僅有台胞簡任者一名、荐任者六名，大有進步。然以今後台省既爲我國領土，台省人民爲我國同胞，自應一視同仁而不能不設法培植其本省高級幹部人才，以求糾正目前之畸形現象也。

四、在經濟方面，日人統治時有兩大政策，第一，台省一切經濟建設以日本爲母體，而以台灣爲子體；台灣之一切經濟設施，非以台灣之民生改進爲著眼點，而以使如何供日本經濟發展爲著眼點。第二、自南進政策決定後，日人更進一步決定日本本土人民逐漸進據台灣，驅使台灣本土人民移入南洋久（之）地，故不惟台灣一切工商、企業、交通、電信均操日人之手，且土地百分之七十以上均爲公有，對於農村經濟五十年來毫無改善，農民處於極度榨取窮困，今後在台省經濟建設之方策，中央與省政府應注意：第一，如何消除失去其原有母體之危機，使與國內整個經濟建設之方策能作適當配合。第二，一切經濟建設應改變日人原有之榨取方法，以大量資本助長其繁榮。第三，應以全力改善農民生活，發展農村經濟。

五、台灣行政長官公署之經濟措施，下列數事宜予改革：（甲）專賣政策——其制度已與中央統稅政策有不合之處，而其人事之配置有欠健全，發生種種使人民不能滿意之現象，在緝私方面，未能從大處著眼，而與小販爲難，以致私貨依然橫流，小民怨恨，且其專賣貨物，品質既劣，價格奇昂，又無充分出品，以應市面之需求，以此種種，本身缺點自難求其繼續存在。（乙）貿易局僅以消極壟斷政策使本地大多數商人均受其束縛，而本身既無充分之資金與交通工具，使貨暢其流，外

地商人更因其種種苛限，而無法在台活動，此在其發展國家資
本，限制私人資本，實行民生主義之理想上，固屬要圖，然其
方法未臻完善，本身有欠健全，反引起實際需求之若干不良結
果，且貿易局所設之新台公司等企業機構，徒爲販售洋貨，與
民爭利，非爲民生所需，有失政府威信，引起商民反感，宜其
爲人所詬病也。（丙）日人統治台灣時，全部大小工礦企業均
爲所統制、接收，以後亦全部控制，而資本、原料、技術、配
合均感不齊，重以在戰時大部（份被）破壞停頓，故一時無法
恢復，不惟予民衆不良印象，且增加政府之困難。此後，除對
于（於）國防需要及重要大規模之企業，應由國營或省營外，
其他中小以下之工礦企業應儘量撥歸民營。（丁）台省現有鐵
道四千六百餘公里，其中三分之一均由官營，三分之二屬糖
業、林業等專用，其官營者，今後應如各省辦法，由中央統籌
經營，此外港務、電信亦應由中央統籌辦理。（戊）台灣農村
大地主之土地過於集中，及仲介人之居間剝削，爲台灣農民歷
來之兩大痛苦。光復後，政府當局似尚無善法解決，而日人原
有佔全土地百分之七十以上之公地，應如何以適當方法發放，
使佃農、僱農能獲實惠，達到耕者有其田，自亦應在此處理之
初，作精密適當之籌畫（劃）也。（己）台灣爲產米豐富之
區，而一年以來，米荒嚴重，米價步漲，今後固能不如日人之
絕對統制，然如何以有效方法，取締大地主、大商家之囤積，
如何使糧食分配均勻，如何使糧價平定，自宜有嚴密之檢討與
籌畫（劃）也。總之，今後之台灣問題，係以經濟問題爲中
心，問題之困難，亦以經濟爲最。此後台灣經濟之建設與問題

之解決，中央與省政府均應有遠大之眼光，不能斤斤於目前利益，則現有規模，善為運用，數年以後，不惟台灣本身可恢復其合理之工業化，且將為全國之楷模也。

六、文化教育為關係台灣前途之根本問題，對於台省同胞之國語推行與祖國歷史、地理、文化常識等科之灌輸，台灣與內地各省之文化交流，及日本在文化上、教育上遺毒之滌除，尚未能盡其最大努力。此次事變促成，亦實為原因之一，今後亟宜研求積極辦法，以最大之努力，集中於此；則其他問題自均能迎刃而解，抑尤有進者，今後台灣經濟問題之重要已如上述，而台灣實亦可作我國將來經濟建設之實驗研究區，查過去日人統治台灣最有力者，推後籐新平，後籐為兒玉源太郎總督時代之民政長官，為實際負責台省行政之人，渠以科學的政治家自豪，嘗謂渠係醫生出身，治國如治病，應先以科學方法究明病源，然後處方治療。故台灣之地籍、戶籍及其他關于（於）資源等方面之調查、統計資料，最為正確，充實調查工作乃擇要研究設計，並切實執行台灣注重應用科學研究（如大學及各研究所）。而台灣之學術研究，又與台灣各種企業打成一片，此種方法，大可供我國經濟建設之參考，又台灣經日人五十一年間之慘澹經營，開發已至相當限度，欲再圖大量發展，似已甚難，惟農林工礦等經濟開發之方法，在台灣行之有效者，似大都可適用于（於）華中及華南全部（尤其是海南島）。此在接收台灣後，吾人不可不特加注意者；其次，日人對于（於）滿洲之經營，後籐新平亦與有力，觀其曾任南滿鐵道第一任總裁，即可窺知。日本在旅順、大連及南滿鐵道沿線之規

模，大都出其擘劃，日人開發滿洲，方法與計劃不僅適用於東北，並可適用於華北，故台灣與東北今後足爲我國經濟建設之南北兩實驗研究區，意義實至重大，吾人果能善加利用，使全國各省之產業俱能達到台省之水準，則我國眞不愧爲五強之一矣。

　　七、在軍事上，吾人應認定台灣爲全國今後之國防重鎮，台灣固絕無離中國獨立之可能，中國捨台灣則永無富強康樂之希望，今後如何以國防武力保障台灣之安寧，更應以如何方法建設此一國防重鎮，一年以來，中央與省當局均不免有所疏忽，亦今後亟應予以深切注意者也。

　　右報告謹呈

　　　　　　　　　　　　　　　　　　　院長于

　　　　　　　　福建台灣監察使楊亮功

　　　　　　　　監察院監察委員何漢文

　　　　　　　　　　　　　　　　謹呈

　　　　　　　　三十六年四月　　日

貳：當代一些重要人士的回憶摘錄如下

一、根據官方前國防部長白崇禧的回憶錄記載：

　　所謂二二八事變是指三十六年二月二十八日台灣發生事變。事變原因很簡單，當時煙酒公賣是重要財源，賣煙酒不貼印花稅爲違法，某次有經濟檢查人員在飯館吃飯，錢不足買酒吃，遂向老嫗討煙，遭其拒絕，他一用力將老嫗推倒地上，……。

二、根據吳濁流的回憶記載：

二月二十七日，我跟平常一樣在報社編輯三版的消息。晚上八點左右，根據匆忙回來的外勤記者說：

今天公賣局查緝員葉德根等六個人以及警察大隊四個人，在台北市延平北路一帶查緝私煙。其中四個查緝員在下午七點左右，在南京西路天馬茶室的前廊，向一個四十多歲的賣香煙的女人林江邁取締私煙。他們想要把她賣的所有的香煙以及賣了的錢沒收。那女人就抱住查緝員苦苦哀求，最後幾乎跪下去說：「如果把全部沒收的話，我就沒飯吃了，至少把錢和公賣局製的香煙還給我吧……」

雖然這樣哭著哀求，但他們沒有答應。看到這個情景的周圍的人，同情她而不斷地替她說情，結果還是沒有效果，不過她卻抱住了查緝員不放，於是其中有個查緝員一氣之下，用手槍管打她的頭，接著血流出來而當場倒在那兒。站在旁邊的她的小女兒「哇」的一聲哭了，看到這個情形的民眾憤激地把查緝員包圍起來……。

三、根據前總統國策顧問楊肇嘉的回憶記載：

眾一致代她要求賠償醫療費用，惟該隊員罔然不理，群情因此為昂奮時全隊員見勢不佳企圖逃脫，突皆抽出手槍，厲聲恐嚇，喝令民眾應即散開。由此民眾怒號起，個個拿石塊投擲，為此該隊人等一面以槍恐嚇，一面謀開路逃走，其中一人逃到大光明附近竟向迫近之民眾開槍，幸而未傷及人，但另一人逃到永樂市場附近，對所迫之民眾開槍……。

四、又根據吳濁流的回憶記載：

　那子彈竟打中了一個在自宅樓下看熱鬧的市民陳文溪，當場死亡。乘著這個機會，查緝員就逃走了。於是民眾越來越憤激，把查緝員坐的卡車拖到圓環燒掉。這些憤激的民眾，湧到警察局，要求把兇手抓出來槍斃，但負責人出來聲明說，會把犯人逮捕後交給法院處理，但民眾卻不相信。向來一般民眾就在背後罵長官公署叫陳儀公司，當做是一種私人的公司。他們往往會玩弄法律而不處罰自己圈子裏的人。即使犯了罪，只不過在形式上拿到法院論罪，就是判了罪，很快就會釋放出來。由於這個關係，民眾對當局的聲明並不接受。不管怎樣，也要把犯人交出來，於是堅持到深夜也不解散。第二天早晨還拿了大鼓來敲打。起初只是在延平北路騷動，但民眾越集越多。其間不知誰拿出銅鑼來敲打，於是更多的民眾出來觀看。然後，由起鬨的人們跑出來演說，接著血氣旺盛的青年也輪流出來演說。到了中午，民眾還是沒有散開。到了下午，不知誰的提案，以大鼓和銅鑼在前頭，集合了長長的隊伍，向陳儀長官陳情，隊伍從延平北路蜿蜒地向城內進行。從北門到台北車站前，長蛇般的隊伍一直繼續不斷。三線道路都是人山人海。以本省人為主，但其中也有外省人。當排頭逐漸接近長官公署之際，突然從長官公署的屋上機槍開火了。同時有兩三個人倒在機槍的掃射中。民眾只好後退，潛入城內。於是憤激到頂點的民眾，不分皂白，一看到外省人便打。他們最先把公賣局台北分局包圍，把裏面的局員抓來就揍，並且將玻璃窗、桌子搗毀，有些物品搬出去燒燬，整個辦公室弄得狼藉不堪，但唯有國父遺像好好地保存著。在這個混亂中，可以看出民眾對

國父的尊敬和大家的一片愛國心了。這批憤激的民衆又潛入新台公司，做了同樣的舉動。

　　爲了防止外省警官拿出武器，青年人就進入市內的警察署接收武器。這些去接收的青年主要是過去當過軍夫、軍屬、志願兵的人們。他們以空手解除了警官們的武裝。

　　是日下午，警備司令部宣佈臨時戒嚴令。但是台北的青年們接收警察的武器的消息立刻傳到台灣全島，於是各地的青年們都自動地把警官的武器接收下來。這就是所謂的二二八事件⋯⋯。

五、根據陳芳明的評「楊亮功調查二二八事件報告」指出：

　　軍隊的大肆鎮壓與屠殺，是從三月九日開始的，隨後又於三月十三日派遣裝備極佳的第十四師、第十七師到台灣；三月十八日另派驅逐艦太平號赴台。⑲

六、鎮壓二二八事件，及綏靖清鄉計劃所殺的人數方面：

　　根據何漢文的回憶見聞就說，他與陳儀、高雄要塞司令彭孟緝、基隆要塞司令史宏熹、屏東市長龔履端等人談過話，可以估計台灣民衆死亡人數最少有七、八千人。由於軍隊後來展開「清鄉」的行動，在偏遠地區的死亡數目仍然未獲證實。⑳在清鄉計劃的執行方面，根據前國防部長白崇禧的回憶指出：「我（白崇禧）視察返回台北後，召開綏靖清鄉會議。警總參謀長柯遠芬說，警總已令各縣鄉地方實行清鄉計劃，限期年底完成，有些地方上的暴民和土匪成群結黨，他說此等暴徒淆亂地方，一定要懲處，寧可枉殺九十九個，只要殺死一個真的就可以，柯還引用列寧說的話，對敵人寬大，就是對同志殘酷。

我糾正他，有罪者殺一懲百爲適當，但古人說行一不義，殺一
不辜而得天下不爲，今後對於犯案人民要公開逮捕，公開審
訊，公開法辦，若暗中逮捕處置，即不冤枉，也可被人民懷疑
爲冤枉。……在台兩週餘，我事畢返南京，我建議將長官公署
改爲省政府，將台灣警備總司令部改爲警備司令部，調高雄要
塞司令彭孟緝爲警備司令，陳儀及柯遠芬皆應懲罰，陳儀調離
台灣。」在二二八人民的傷亡方面，政府與民間估算差距相當
大的關鍵在於「清鄉計劃」。1.行政院院長兪國華，在離該事
件四十餘年後，於民國七十七年三月四日，在立法院答覆有關
「二二八」事件的質詢時，引述白崇禧的報告說，「二二八」
事件傷亡人數爲一千八百六十人。2.「二二八和平日促進會」
會長陳永興表示，據他查閱史料所作的判斷，傷亡人數應在二
萬人至三萬人之間。3.根據公論時代週刊第二〇八期刊載指
出，一九四七年二月二十八日，台灣發生二二八事變，台灣人
民被屠殺的二至三萬人中，大部份是台灣當時與未來的菁英。
⑫4.民國七十九年二月，李總統登輝先生，指示行政院研究委
員會調查該事件，在其報告書中，承認政府應負的責任外，並
確定死者有一萬八千至二萬八千人之多。

七、監察委員丘念台對二二八事件的看法：

　　監察院監察委員丘念台先生於「檢討過去希望將來」文
中，曾說：「過去一年來的台政，雖然成立了省縣市的民意機
構，但是還不夠民主，雖然回歸祖國懷抱，自己主持政治，但
是貪污的官吏走入來了，腐敗的習氣，亦傳染過來，雖然產業
有計劃，統制的主旨之壞，金融也有辦法，但是官僚，財閥，

破壞了不少我們台灣的農村，工礦，交通的建設，雖然軍隊遣散了數十萬日俘日僑，但是戰爭時期的武裝力量和特務組織，有時未免超過台灣實際的需要。這些情形，我想不幸的祖國，受了數十年的帝國主義壓迫，受了八年的侵略戰亂，政治設施，一時不能盡滿人意，我們應該理解和原諒的。可惜的是，這種種不良的省政，不幸竟成為發生二、二八事變的主要原因，日人離間政策的遺毒，還是其次，至於奸黨暴徒，乃是結果，並不是原因，奸黨暴徒，固然要懲辦，然而統治了一年多，還給奸黨暴徒兩三天就鬧翻了全省，也應當負些責任的。我想政府對人民應當像父母對小孩一樣，小孩不聽話，打破玻璃窗，父母把小孩打了一兩巴掌，就算了，斷不必說他是忤逆不孝，務必把手指斬去，也不必因打破一塊玻璃，就永久仇恨他，弄到小孩時常痴呆，一句話不敢說。參加事變的台人，確有躁暴妄動，懷私利，無遠見等不良表現，但是官吏軍警中，也有違反蔣主席寬大措置的意志的。譬如濫用親日、親美、託治、獨立、共黨、叛亂等等罪名，來加台人，這未免太侮辱台灣人，太侮辱國家了。」

二二八事件的平反與追思

壹、走出二二八陰影的呼籲方面

　　本院（立法院）吳委員淑珍、余委員政憲，為了避免「以眼還眼」、「以牙還牙」，化除不必要的省籍歧視，共同走出「二二八」的歷史陰影，迎向更光明，更健康的未來，特籲請政府於「二二八」事件發生四十一週年前夕，正式宣佈：

㈠公佈「二二八」事件的眞相，平反冤曲；

㈡執政黨政府應對「二二八」事件勇於認錯，公開道歉；

㈢明訂「二二八」爲和平日，藉資紀念；

㈣編列預算，賠償撫慰「二二八」事件的受難者或其家屬；

㈤「二二八」事件的眞相應編入敎科書，記取歷史敎訓，永不
　重演；

㈥興建「二二八」事件枉死英魂「和平紀念碑」及「和平鐘」，
　永誌懷念；

㈦公佈六十九年「二二八」林義雄家宅血案的眞相，緝拿元
　兇；

㈧釋放政治犯，恢復政治犯的公民權、參政權、工作權，同時
　銷燬海外鄉親不能自由回台的黑名單，敬向行政院提出緊急
　質詢。⑫

貳、追思二二八事件的受難情形

　　四十一年前，「二二八」事件的受難者，究竟有多少？到
目前爲止，還沒有人知道它的詳細數目。在「二二八」事件慘
案中，受難者有大學校長、新聞（社長、總編輯、總經理、主
任、記者）、博士、醫師、縣長、民意代表（副議長，省、市
參議員）、作家、畫家、律師、法官、檢查官、敎授、牧師……
等等，當時台灣社會的菁英幾乎犧牲泰半。屍體在命運之島上
處處可見，淡水河河水變色，河面浮屍累累。這是誰之過歟？
誰之咎歟？多少人喪命街頭？多少人事後被處決？多少人無辜
被殺害？多少人死於被藉機報復？

　　※余仁德烈士，因直言國民黨腐敗而遭槍殺。

※黃媽典在日本時代做過總督府的評議員。他於新營被槍斃示眾。

※湯德章，台南人，南市人權保障委員會主任、律師、台灣省議員。二二八爆發後湯德章因不忍看到中國兵在府城亂抓人，更痛心那些菁英被毫無理性地摧殘與嚴刑拷打，遂一人獨擔毆打中國兵的罪責。沒有經過任何審判，旋即被五花大綁遊行示眾，槍殺於舊石像公園（即現今的民生綠園廣場）⑫

※陳炘是台灣金融界的先驅，前台灣信託創辦人。在二二八事件開始時，他正染上瘧疾，臥病在家，根本未介入外面事情。相傳，他在三月十一日清晨的被抓，與桀根本土企業以抵抗江浙財閥有關。在生死不明的情況下，不斷有大小官、警到他家索賄，支出甚鉅。幾個月後，確知多數的知識份子被殺或失蹤後，以淚洗面的陳炘夫人，始知無望了。（參見自晚78.2.28）

※郭章垣為省立宜蘭醫院院長，當二二八事件剛發生時，宜蘭地區成立「二二八事件處理委員會」。由於他是省立宜蘭醫院院長的關係，被推為主席。三月十八日凌晨二時，陳儀的士兵同警察來到其住宅，打破玻璃及窗戶衝進其屋中，架走郭章垣後，隨即把他槍殺。當時腹中尚懷著郭勝華的郭夫人，幾經交涉後，才得以領回屍體埋葬。（參見自晚78.2.28）

※吳伯雄的叔父吳鴻麒，他之所以在二二八事件中被害，據說是出於一件和國民黨上校軍人的訴訟官司有關。劉建修表示，台灣光復後，某位國民黨上校軍人的夫人在台北「迎」婦產科生產，因為難產而死亡，上校心有未甘，到台北法院控告

婦產科醫師「致人於死」，當時的吳鴻麒正好是高等法院推事，這件事在開庭後，吳鴻麒認為婦產科沒有過失理由，判被告無罪。該上校懷恨在心，伺機報復，二二八事件一開始，軍方大肆搜捕台北文化界人士，在高院任職的吳鴻麒強被拉出，帶槍軍人用鐵絲貫穿他的雙手⋯⋯。（民進時代 55 期， P.6， 77.3.4 ）幾天後，吳氏家屬，把吳鴻麒遺體運回家時，發現吳鴻麒的下體已被打爛。他的太太欲哭無淚，想要申訴，但投訴無門。

　　※二二八慘案，嘉義市火車站前，及市府變成了悲壯的墳場。嘉義青年被國民黨軍一卡車一卡車載去郊外殘殺後，再一卡車一卡車載回市內噴水池邊，堆積屍體以示眾。⑫當時一批市參議員、醫生、教師、代表市民送米糧到水上機場表達和平誠意。不料，「公親變事主」，代表團竟被一齊收押，捆綁後送到站前現公路局旁槍殺示眾，不准家屬收埋。當時風聲鶴唳，嘉義人驚惶不定，但還是很多父老前往祭拜，形成悲壯哀傷的場面。⑫在市府方面，又根據震瀛的回憶錄中，指出：是日李牧師及雅卿外甥女，手舉紅十字白旗向市政府尋屍。因此，余（震瀛）亦隨後到現場一瞥。屍體滿地，市府內外前後四周屍體縱橫，部份已收藏棺木。部份尚放在地上。余發見（現）王風先生之令郎屍體，遂回家通知其往收埋。現場慘狀，筆墨不能盡舉。（震瀛回憶錄 P.30 ）

　　※在高雄二二八大屠殺慘案中，許多上了年紀的台灣人，一談到彭孟緝就咬牙切齒，恨不得殺之而後快；因為彭孟緝的雙手曾經沾滿了台灣人的鮮血。在彭孟緝的命令之下，要塞司

令部向人民開戰，以步槍、機槍向群衆掃射，不分男女老幼，
見人便殺。彭孟緝驅退群衆之後，又從鳳山調來軍隊，左右夾
攻，血腥屠殺了四晝夜，可憐的台灣人，屍橫大高雄，血濺西
子灣。有數千人無辜犧牲了生命。⑫又根據台灣旅滬之團體對
二二八事件的調查報告指出，「高雄軍隊對集會中千餘民衆用
機槍掃射，全部死亡」，並「將人釘在樹上，聽其活活餓死。」
（自立早報 77.2.12）

　　除了，簡述上述的一些受難情形外，又根據民衆日報，七
十七年二月二十六日，所刊載的「二二八」受難菁英中，所列
的初步名單有：

姓　　名	籍　　貫	受　難　地	職　　　　　　　業
蔡 耀 邦	宜　　蘭	宜　　蘭	宜蘭農校校長
蔡 國 禮	麻　　豆		醫師
徐 光 明	高　　雄	高　　雄	高雄市日產清查室主任
吳 鴻 棋	中　　壢		台北高等法院推事
吳 金 練	台　　北	台　　北	新生報日文版總編輯
吳 天 賞	台　　中		新生報台中分社長
何　　麟	嘉　　義	嘉　　義	嘉義市參議員
葉 秋 木	屛　　東	屛 東 圓 環	屛東市長
葉 盛 吉			台大第一名畢業
許 秋 粽	高　　雄	高　　雄	高雄市參議員
郭 章 垣	嘉　　義	宜　　蘭	宜蘭醫院院長
邱 金 山			新生報高雄分社主任
李 仁 貴	台　　北	台　　北	台北市參議員
李 崑 模	萬　　丹	高　　雄	高雄市議員

姓　　名	籍　　貫	受　難　地	職　　　　　業
李瑞漢	竹　　南		台北市律師公會副會長
			台北市參議員
李瑞峰			律師
盧炳欽	嘉　　義	嘉　　義	嘉義市參議員
林茂生	台　　南	台　　北	台大文學院長、文學博士
			前長榮中學理事長
林宗賢	板　　橋		台北縣臨時縣長
林旭屏	東　　石	台北大橋頭	前總督府專賣局長
			東京帝國大學畢業
林日高	台　北　縣		台灣省省議員
林貴端			律師
林連宗	彰　　化		律師、國大
阮朝日	林　　邊		新生報總經理
黃媽典	朴　　子	新　　營	醫師、嘉義客運創設人
黃　賜	高　　雄	高　　雄	高雄市參議員
黃朝生	台　　北	台　　北	台北市參議員
潘木枝	嘉　　義	嘉　　義	嘉義市參議員
施江南	鹿　　港	台　　北	前台北醫學專門學校教授
謝瑞仁	麻　　豆		醫師・
蕭朝金	岡　　山		岡山基督長老教會牧師
			台南神學院校友
蘇憲章	嘉　　義	嘉　　義	新生報嘉義分社主任
宋斐如	台　　北	台　　北	前陳儀行政長官公署教育處
			副處長
陳顯福	嘉　　義	嘉　　義	嘉義中學教員
陳炘	大　　甲		台灣信託理事長
			哥倫比亞大學畢業

姓　　名	籍　　貫	受 難 地	職　　　　　　　業
陳能通	淡　　水	淡　　　水	淡江中學校長
			前台北高等學校物理學教授
			京都帝國大學畢業
陳　屋	台　　北	台　　　北	台北市參議員
陳澄波	嘉　　義	嘉　　　義	嘉義市參議員、畫家
湯德章	台　　南	台 南 石 像	律師、台灣省參議員
			南市人權保障委員會主任
張七郎	鳳　　林	鳳　　　林	醫師、國大
張宗仁	鳳　　林	鳳　　　林	醫師
張見益	高　　雄	高　　　雄	高雄看守所所長
張東仁	鳳　　林	鳳　　　林	醫師
王石定	高　　雄	高　　　雄	高雄市參議員
王育霖	台　　南	新　　　竹	新竹地檢處檢察官
			前京都府高等法院檢事
王添丁	台　　北	台　　　北	台灣茶商公會會長
			台北市參議員
楊元丁	基　　隆	基　　　隆	基隆市參議會副議長

叁、(A) 四十一年後的「二二八」追思紀念活動概況

一、台北市：(民國七十七年)

(一)艋舺長老教會祈禱會：

　　大會由陳福住牧師司令，高俊明牧師證道，陳永興專題與
證言，羅榮光牧師領導與會人士追思全體二二八事件受難人，
並為遺族祈禱。牧師聲援團總聯絡人羅榮光指出「二二八」是
很悲慘的事。和平不是揍了你就忘記了。十字架下的和平，揍

人應該說抱歉，不是忘記了。唱詩班並以「二二八追魂曲」、「二二八和平日紀念歌」爲苦難的台灣人獻詩。

㈡台北內湖二二八紀念碑及林茂生紀念碑的破土：

在「二二八事件」爆發地點附近，張立夫牧師帶領大家祈禱，鄭南榕與二二八受難人林茂生的遺族林宗平共同主持紀念碑的破土儀式，並擺下素果，由台大歷史系敎授鄭欽仁上香，蔡明華、張冬蕙等人獻花。稍後，台北市議員顏錦福致詞表示建立紀念碑的目的，在於使二二八事件受難者的家屬能得到鼓勵，並喚起民衆對先人的懷念，同時，他也呼籲主其事者應負起歷史的責任，撫平創傷。接著林宗平表示，身爲遺族，他非常感謝大家的關心，相信今天的破土典禮應能稍慰其父母之在天之靈。⑫

二、彰化縣：（民國七十七年）

二月二十七日，由彰化縣民進黨縣黨部和翁金珠、李讀、許榮淑三個服務處共同主辦紀念大遊行和追思演講會等二項活動。

下午四時，紀念大遊行，由道士林清湖帶領大家祭拜後，在翁金珠服務處民主戰車的前導下，扛著二二八冤魂靈位出遊。標語牌，白布條書寫著「生在台灣美麗島、爲台犧牲萬世存」、「國民黨是二二八的劊子手」、「台灣人應知二二八」、「二二八事件公審，嚴懲元凶」、「公佈眞相、平反冤曲」。廣播車高喊著「紀念二二八，釋放政治犯」、「紀念二二八支持民進黨」、「國民黨應向台灣人道歉」、「二二八先烈，鮮血不能白流」、「台灣人萬歲萬萬歲」、「和平！和平！和

平！」一路上鑼鼓喧天並播放「咱要出頭天」的歌曲，民衆夾道佇足歡呼，場面熱烈感人。

晚上七時半，在員林國小舉辦追思演講會。講題分別為二二八的起因過程（許榮淑）、二二八事件有關彰化縣的情況（翁金珠）、二二八的影響（縣黨部）、二二八和平日的意義（李讀）。會中，翁金珠帶著大家唱歌，紀念二二八，追悼死難冤魂。演講會後，並有演戲（由翁金珠服務處主演）及翁金珠演唱「蕃薯歌」，請觀衆吃蕃薯以資紀念。最後，在縣黨部主委陳德政帶大家喊口號，在「台灣人萬歲萬萬歲」聲中，十點半和平結束。⑫

三、嘉義：（民國七十七年）

二二八先賢殉難古蹟處——嘉義市火車站墳場引發新衝突。

四十一年後，遲來的先賢追思祭典，在嘉義市火車站前廣場設置簡陋靈堂供受難家屬與關懷民衆祭拜亡魂，以慰受難前輩在天之靈。這場露天祭拜在警方百般封鎖刁難下，受難家屬、關懷民衆和嘉義民進黨員的抗議聲中，帶來祭品、冥紙進行祭拜。

當十一點半左右，蠟燭將盡，負責人田安豐最後祭拜，吟唱「父母恩，鄉土情」慰告受難鄉老，遭受警方阻止。又因燒冥紙引發警民衝突。嘉義警察局一分局依妨害公務罪嫌，將案函送地檢處偵辦。陳禎維也備妥驗傷單，必要時將採取反制行動。⑫

四、台南市：（民國七十七年）

　　民國七十七年二月二十八日，當天下午三時半，在民生綠園前市政府廣場，開啓祭弔枉死冤魂序幕。全省各縣、市近三千名代表聚集及車隊四十輛、鑼鼓車三十輛助長聲勢。四點半時由民進黨、基督教長老教會及台灣人權促進會共同舉辦二二八受難英魂的追悼儀式。

　　第一階段進行追悼儀式，由台灣人權促進會、長老教會南部祈禱會負責，李勝雄主持，並由基督教牧師領眾舉行默禱致哀。

　　第二階段來自全島的遊行隊伍中，有各縣市派一代表參加的化粧遊行，他們化粧成一九四五年來台接收的六十二軍狼狽相貌。雖然二二八事件的兇手不是六十二軍，但屬「禍首」確是無疑。來自全島的龐大遊行隊伍被編爲和、平兩隊。除澎湖縣因路程原因及宜蘭縣於林義雄林家墓園舉辦活動無法參加外，全省各縣市踴躍參加。和隊：台南市，嘉義縣、市，雲林縣，屏東市，彰化縣，南投縣，台中縣、市。平隊：台南縣，苗栗縣，新竹縣、市，桃園縣，台北縣、市，花蓮縣，台東縣，高雄縣、市，基隆市，等分路遊行市區。沿路經由擴音器傳來口號「紀念二二八；支持民進黨」、「紀念二二八，釋放政治犯」、「台灣人萬歲」、「和平、和平……」熱情的機車騎士與汽車司機按鳴喇叭以示支持，使得整個遊行隊伍熱鬧非凡。「親愛的府城兄弟姊妹，二二八不再是恐懼，二二八不再是禁忌，請你加入我們的行列，一起來走二二八和平的路」。擴音器再次傳出響亮和平的聲音，贏得圍觀群眾的熱烈掌聲與響應。

第三階段晚間七點在運河司令台前廣場舉行「二二八和平日」說明會，在衆人齊唱「咱攏是台灣人」後展開演講。李勝雄（從人權角度看二二八）。黃華（和平日）。黃昭輝（台灣人的覺醒）。洪奇昌（從二二八談和解與認同）。姚嘉文（記取歷史教訓）以及二二八受難家屬代表致辭，並由蕭裕珍、林黎琤、台南神學院合唱團演唱紀念追悼歌曲、詩歌。

第四階段晚上十點半，在涼風暗夜的台南運河司令台所搭建的臨時紀念碑前，點燃碑上的聖火塔，引燃二十把火炬，然後全體默哀一分鐘，並舉行道教作法儀式，隨即點放近千個水燈在運河中，而人們手持的素菊也一一投入河裏以悼祭二二八事件中殉難的人士。

二二八到台南的紀念活動，氣氛悲壯，儀式隆重，其訴求的主要目標爲：一、定二二八爲和平日，每年舉行追思儀式。二、公佈事件眞相，平反冤屈。三、國民黨政府應公開道歉。四、二二八史實編入歷史教科書。五、受難人遺族從優賠償。六、特赦所有政治犯。這次紀念活動強調二二八事件是台灣島民的悲劇，要化解這慘痛悲劇所留下的陰影，不是逃避或壓抑，更不是安靜或沉默就代表了理性和安定；相反的要用更大的勇氣和愛心正視歷史的苦難。⑬

五、高雄市：（民國七十七年）

二月二十七日下午二點，在民進黨高雄市黨部集合發動「紀念大遊行」。兩百多名民進黨員個個頭紮白布條，手持特赦政治犯等標語以及數十輛汽機車沿途敲鑼打鼓，呼喊「和平」、「和平」口號，聲震雲霄的抵達市府廣場。民進黨高雄

市黨員在靈堂默哀一分鐘後隨即焚香膜拜以追悼二二八事件死難烈士。民進黨於公祭後，並於現場焚化冥紙致祭。在此祭拜儀式結束前周平德發表簡短的演說要求國民黨公佈二二八事件眞相，並向罹難遺屬致歉。他強調紀念二二八不是要挑起仇恨而是要記取教訓。

由於高雄市政府也是二二八事件現場之一，許多圍觀群衆都情不自禁感到一股肅殺哀傷的氣氛。

二十七日晚上七點，在高雄市勞工公園舉辦「二二八和平之夜」述說二二八的經過。其間有基督教人士所帶領的紀念性儀式，並播放音樂、放映幻燈片以及展示二二八資料圖片等，採取軟性感性訴求，喚醒回憶和良知。

二月二十八日，中午十二時，在高雄市新興教會舉辦追思祈禱會。下午一時，在高雄縣崗山國小集合舉行迎靈大遊行以紀念直言國民黨腐敗而遭槍殺的余仁德烈士。與會人士並到墓地祭拜爲余烈士舉辦招魂儀式，祭拜後，將舉行遊行活動。⑬

六、宜蘭：（民國七十七年）

在宜蘭一個二二八，兩件大慘案。除在北宜公路旁林家墓園舉行追思禮拜外，還前往頭城鎮媽祖廟焚香祭拜二二八事件的亡魂。

八年前（民國六十九年二月二十八日）的二二八，發生了林宅血案的慘劇。下午兩點左右，義光教會的信徒前往宜蘭縣北宜公路旁林家墓園參加追思禮拜。墓園氣氛悲悽、肅穆。風琴伴奏聖樂，衆人吟唱林義雄與雙胞胎女兒最喜愛的民歌「我的邦妮」，以及林義雄鍾愛的歌「母親像月亮」。樂聲在遼闊

的山間迴盪。義光教會唱詩班在兩小時的過程中反覆地帶領著大家唱「愛台灣」、「母親您眞偉大」。

整個追思禮拜儀式，除由義光教會牧師紀元德主持外，執事田孟淑在祈禱時更泣不成聲，現場一片哀愁。

曾任林義雄法律秘書的民進黨宜蘭縣黨部執行委員田秋堇，針對「林家血案」的發生，道出個人的感念。田秋堇表示，林家血案對大家都是一生難忘的傷痕；「林家血案」發生後許多台灣人改變了他的生活方式和心態，包括宜蘭縣長陳定南先生，已深深的查覺到台灣的社會，被扭曲到無法想像的地步，乃決心參與民主運動；而八年前的省思，她發現上帝似乎有意造遇林家祖孫三人的犧牲，來引導台灣人民走向光明的未來。田秋堇在飲泣中說，希望阿媽和雙胞胎在天之靈保佑大家爲台灣所作的努力能夠成功。

立委康寧祥代表民進黨中央前往林家墓園致祭，他在致詞時表示，林義雄家人的遇害，正是國民黨再次施展血腥手段來恫嚇台灣人的鐵證，它使得年青的一代重新去認識四十一年前「二二八事件」的眞相，也堅定了台灣人的信心與意志，尤其林義雄在受到這麼大的苦難，猶能以寬容之心對待其敵人，是全台灣人學習的對象。

約下午四點，追思禮拜結束後，每人手執一朵黃菊花，依序走到墓塚中央鞠躬默禱，並將菊花插在墓塚四周。

「患魂無疾痛長埋，英靈有冤恨久屈。」在羅東遊行隊伍於下午四時三十分，從頭城衛生所集合由民進黨員執黨旗開導，田秋堇乘坐宣傳車沿途廣播，衆人手執十餘條白色黑字抗

議布條,「公佈眞相平反冤屈」、「國民黨政府應向二二八受
難者公開道歉」、「我們可以寬恕但不可遺忘」等標語。

晚上六時,遊行隊伍手持竹筒火炬、黃菊花、抗議布條,
身穿書寫抗議標語的綠色布袍,在沉默步伐中擴散著悲壯、熱
誠的力量,走過大街小巷,吸引無數男女老幼注目。民眾紛紛
跟隨遊行隊伍走到公正國小參加紀念演講會。約有三千人站滿
操場,熱切聆聽演講。

劉守成以「二二八事件」中被槍殺的宜蘭醫院院長郭章垣
爲例。郭章垣是嘉義人,日據時代留學日本,返台後到宜蘭任
職。國民黨來台後,把當地環境破壞,他提出重建衛生報告,
被視爲不滿份子而遭槍殺。

邱義仁說,台灣人有怨沒關係,希望能把它累積成力量、
壯大。這不是報復,只有當台灣人有力量時,才能面對這事,
那時的愛和寬容才是眞實而有意義。⑩

七、工黨對二二八事件的聲明:(民國七十七年)

二月二十七日,工黨在「關懷勞工之夜」中,以沉重的心
情發表對「二二八事件」的關心,並爲在此不幸事件中無辜喪
生者默哀、演唱致悼。還請到二二八當事人劉建修敘述其親眼
所見,場面十分感人。

據工黨中央委員王津平表示,會中爲致悼「二二八事件」
受難者所演唱的「安息歌」,乃是俄國民謠,也是早期綠島政
治犯送別同志即將赴刑場前,自然誦唱出來的歌謠。該歌的作
詞和作曲者已不可考。其歌詞爲:

安息吧死難的同志(胞)!

　　　　別再爲祖國擔憂

　　　　你流著血照亮的路

　　　　指引我們向前走

　　　　你是民主的光榮

　　　　你爲愛國（正義）而犧牲

　　　　冬天有淒涼的風

　　　　卻是春天的搖籃

　　　　安息吧！死難的同志（胞）！

　　　　別再爲祖國擔憂

　　　　你流著血照亮的路

　　　　我們繼續向前走

　　工黨的唱隊歌聲，淒涼優美，會場不禁瀰漫一股哀淒之情。⑬⑬

八、海外美國方面：（民國七十七年）

　　今年台灣人在美國紀念二二八事件的士氣比去年高昂。以紐約爲例，今年參加遊行的人數比去年倍增。台灣人紀念二二八在海外，與其說是挑起歷史仇恨，勿寧說是藉此爭取應有的權利，以確保類似二二八的恐怖事件不再發生在他們及其後代身上。

(B) 民國七十八年的「二二八」追思紀念活動：

　　今年的二二八追思紀念活動，在台北、台中、嘉義、高雄和宜蘭等地，和去年一樣，均有隆重的紀念儀式活動的展開，不予贅述外，而介紹一些其他地方的紀念活動如下：

一、基隆追悼祭拜二二八英魂靈位：

　　基隆是當年當天犧牲極慘烈的地方之一，也是當年稍後國
民黨軍隊登陸屠殺的起點。

　　基隆二二八紀念活動，由中執委李逸洋擔任督導，總指揮
由省議員周滄淵擔任。祭祀追悼活動，在下午二時三十分開
始，由民進黨黨主席黃信介擔任主祭，現場設置的靈堂安置了
「二二八英魂靈位」，兩側放有八棟紙糊靈厝。衆人先默禱，
繼而奏哀樂，由主祭黃信介獻香、獻花、獻果。參與祭祀者有
漁民、農民、老兵、原住民、婦女、環保組織、學生等代表，
以及苗栗以北九縣、市黨員代表。下午三點整，遊行開始，由
黃信介主席帶領進行全市遊行。十名穿著黑背心的男子手執黨
旗當前導，黑衣上並以極醒目的白字寫上「二二八和平紀念」、
「鮮血不能白流、沉冤必須昭雪」。接下來，就以鑲有黃白菊
花的「二二八英魂靈位」的靈車引導人群，經火車站、孝三
路、忠三路、孝二路、忠一路、愛三路、愛四路、愛一路、仁
二路、仁一路、義二路、信四路、義一路，回到東岸停車場。
晚上七時許，開始演講活動，有黃信介、黃煌雄、李逸洋、楊
青矗、林正杰、姚嘉文、張貴木、鄭余鎭等十餘人，他們分別
闡述二二八對台灣所造成的傷害，並揭發二二八遭受屠殺的眞
人眞事。

　　活動最後，由黃信介代表焚燒八棟靈厝，以慰二二八犧牲
者在天之靈。（參見時代總號 26 期，P.27，78.3.4）

二、台大校園焚書追思二二八：

　　林茂生東京帝國大學文學士、哥倫比亞大學哲學博士，是
台灣人第一個拿文史哲學博士的，也是光復後首任台大文學院

院長。民國 36 年二二八事件當時是「台灣民報」的社長。大論社說，林茂生曾在報上公開批評政府二二八事件處理不當，不久後失蹤，被發現浮屍於淡水河。⑭四十二年前的二二八不但奪去了林茂生院長的生命，也奪去了無數台灣年輕學子的寶貴生命；今年，台大學生懷著對二二八的深沉追思，再度出發，十位請願代表走向國民黨統治象徵的總統府。⑮

由台大大論、大新、大陸、濁水溪、宗教實踐協會、噬菌體、女研、環保、學生會執行部、三研等社團共同舉辦。首先在台大校門口舉辦說明會及書展。中午十二時，於台大文學院後方草坪舉行台大故文學院院長林茂生及台大受難學生之追悼儀式。林茂生之子林宗義及其女兒林詠梅女士，特地自美國趕回台灣主祭，有百餘人參加，手執黃色菊花或標語牌。林茂生博士的女兒林詠梅女士首次在公開場合說出她心中的悲慟。她表示，台大當局至今仍不敢將林茂生的名字列入台大文學院院長名單中，以致於光復後的一九四五年至一九四七年三月台大文學院院長的資料一直是「空白」，難道這段期間內台大文學院沒有院長嗎？美麗高貴、眉宇間流露憂鬱與悲傷的林詠梅、流著淚，強掩住激動，靜靜地說出她四十年來心中的創傷，在異鄉二十多年，親人被國民黨屠害的悲劇一直啃噬著她，她只希望國民黨給她一個交代，還她父親清白。（時代週刊 266 期，P.34 ，78.3.4 ）

在追思二二八活動上，學生們發表了一份「台大學生紀念二二八和平宣言」。聲明中提出四項主張：

㈠公開二二八事件所有史料，供學者專家客觀研究，還給

歷史眞象。

㈡公開向人民道歉，給予二二八受難者及其家屬合理補償，表明政府擔當、勇於負責的態度。

㈢將台灣史列入歷史教材成為必修的課程，使後代子孫能明瞭體察本土的歷史脈絡與文化傳承。

㈣積極促使本土文化的全面發展，建立眞正符合平等、自由、民主精神的台灣新社會。⑬⑥

在紀念活動上，為了表示對國民黨僞造歷史、欺騙人民、扭曲歷史的作法，焚燒中國近代史及軍訓教科書，以抗議政府從國小到大學數本歷史教科書中，看不到任何對二二八事件的片紙隻字，對於台灣歷史欠缺完整的交代。雖然這些書本在熊熊火焰中，但卻不能眞正燒盡國民黨大中國教育的毒素。必須有更多的學生來關心台灣本土，研讀台灣史，養成對台灣根深蒂固的疼惜與認同。有一日學生的力量才能迫使國民黨還給台灣清白的歷史，眞正把台灣島嶼當成自己的故鄉。（時代週刊266期，P.34，78.3.4）

會後由十位社團代表臂上繫著黑紗，手中執著菊花，邁向總統府請願並呈遞「為二二八事件給李登輝總統先生的一封信」。其內容，強調希望李總統以台籍、基督徒的身份，以愛心化解228的歷史陰影，並要求公佈228事件的史實資料以昭公信。

三、國會對二二八事件的反應：

㈠立法院邀三部長到院報告：

民國七十八年，立法院院會作成決議，邀請內政、國防、

法務三部長到立法院專案報告「二二八事件」經過。在立法院
新會期行政院施政報告總質詢的第一天，恰好是「二二八事
件」發生的四十二週年，民進黨立委們，於院會開議後，輪番
上台，促政府公佈二二八事件史料，公開向人民道歉，賠償慰
問受難者家屬，並定二月二十八日為「和平日」。⑬

(二)一些委員對二二八事件的呼籲與看法：

　　1. 吳勇雄～民進黨立委，首先在院會中提出緊急臨時提
案。他要求行政院長兪國華、國防部長鄭為元、內政部長許水
德、法務部長蕭天讚到院專案報告四十二年前發生的「二二八
事件」真相，並公佈史料，訂定補償辦法，宣佈二二八為和平
紀念日，對無辜受害的台灣英靈有所交代的同時，他還強烈抨
擊兪國華院長日前曾將二二八事件比喻成「滿州人入關殺漢
人，滿州皇帝亦沒有向漢人道歉」的說法，是兪國華帝王心態
的表露。⑬

　　2. 余政憲～民進黨立委，他指出「二二八事件」是值得執
政當局警惕的日子，當年德國納粹加諸於猶太人的錯誤，目前
都在追究，因此，執政當局在四十二年後仍必須坦然面對二二
八事件的事實，並建議政府組成一個公正的調查委員會。最
後，他強調，政府一味避談二二八，不能使這項公案消失，如
國民黨不對此事件道歉，「只會把沙子愈揉愈大」。⑬

　　3. 黃煌雄認為，「二二八事件」造成台灣政治發展過程中
「統治者與被統治者對立」、「外省人與本省人對立」、「意
識型態對立」，而且當代台籍精英喪失殆盡，形成文化斷層的
恐慌。他說，政府必須對二二八事件公開道歉、興建「二二八

事件」紀念館、對受難家屬撫慰、公佈史料、宣佈爲和平日，
才是應有的作爲外，呼籲政府全面釋放政治犯。⑭

4.賴晚鐘，國民黨立委，以身歷其境的當事者立場說明事
件經過。他說「二二八事件」發生的因素固然很多，但罪魁禍
首有二，一、爲陳儀的專橫殘暴，二、爲台共的藉機煽動，事
件發生時許多本省政治精英、無辜平民和外省人士均遭殘害。
⑭

5.黃書瑋，國民黨立委，指出四十二年前歷史的謬誤，迄
今依舊在是是非非、風風雨雨中，纏裹著禁忌、猜疑、神秘、
憤懑、無辜受難者及其遺屬，仍未得應有之平撫，因此，他建
議政府應廣徵客觀翔實史料，大力支持文獻會加快編纂二二八
史料的工作，使史實早日公諸於世。⑭

6.王義雄，工黨主席，批評國民黨軍隊來台初期欺凌台灣
同胞，屠殺台灣同胞。他認爲回憶二二八事件，並非有意挑起
省籍對立，而是希望把「舊恨」消弭，「國民黨不應輕易的一
筆帶過」。（中時晚報78.2.28）

7.張俊雄表示，國民黨政府長期以來，把「二二八」懸爲
最高的禁忌，全面查扣封鎖有關「二二八」的史料，歪曲「二
二八」史實，使無數的冤死者永遠被國民黨戴上共產黨、日本
奴化教育的咀咒，眞是情何以堪。他認爲這樣一個歷史性的傷
痕，隨著台灣民主化的發展，應該給予歷史公道與撫慰的時候
了，而爲使台灣成爲公義與和平的樂土，他呼籲政府應該採行
下列措施：

(1)公佈史實資料

(2)公開認錯道歉

(3)撫慰受難家屬

(4)定該日為和平日

(5)興建紀念館

(6)釋放政治犯，並讓海外的台灣同胞返鄉。

最後他要求全體在場人士為二二八死難者默哀一分鐘以追思二二八死難的英靈。（自立晚報 78.2.28 。）

四、學者、專家促政府公佈事實真相，結束民族悲劇：

1.王曉波：研究台灣史的學者王曉波指出，任何戰爭都是人類殘暴面的反應，當時的國軍部隊組成及軍紀良莠不齊，再加上台灣局勢危急如佈滿汽油桶般，二二八事件就是在這情況下爆發的。王曉波強調說，他對二二八事件發生的背景做此解釋，並不意謂著現有的執政當局不需負任何的責任。雖然今天的政府與二二八當時的組成已不一樣，但卻有連續性，四十餘年過去了，政府的法律責任雖沒有，但政治道義責任則必須擔負起來，唯有如此方能將這一民族悲劇結束。（中時晚報 78.2.28 ）

2.陳映真：小說家陳映真以為，今天我們應以更（具）建設性的方式來解決歷史上的恩恩怨怨。國民黨應為二二八事件公開道歉，事件的受害家屬無論在精神或物質上，都應得到合理的補償。另（外）民間團體、學者專家及政府三方面合組一調查團，徹底查明事件的真相，這樣才能真正消除民族間的仇恨。⑭

3.賴澤涵：中研院賴教授在七十八年二月二十八日台灣廣

播公司主辦的「掃除歷史陰影」座談會中表示，二二八事件後，陳儀升調浙江省長，肇事者上訴刑責層層減輕，清鄉運動又演變為五戶連保制，爾後政府播遷來台，為求安定也未做有效處理，換言之，二二八發生四十年，政府一直只是在口號上要求民眾忘記創傷，卻無具體作為，至少該成立一個事件調查委員會，釐清事件的真相。賴先生又說：二二八事件已經過去四十多年，面對真相不是針對個人，如當年應負重要責任的長官公署參謀長柯遠芬卻逍遙美國，沒有人箭靶朝他，只是藉真相的暴露解開心結而已。（中國時報 78.2.28）

4.黃德福：政大教授黃德福在七十八年二月二十七日台灣廣播公司主辦的「掃除歷史的陰影」座談會中表示，由於執政黨對二二八事件敏感和迴避，使二二八事件成為反對黨一再訴求的主題，這種惡性互動必須在事實真相公開後才可能調整，也才真正能使事件逐漸淡化成為歷史的事件。黃教授又說：調查二二八事件的結果或許意義還沒有調查的動作來得重要，組成調查團使民眾相信政府的誠意，這才是最重要的。同時，任何作為不可能獲得全體認可，但是民主政治係多數決，如果調查可能傷害少數軍特單位形象，也是兩害相權取其輕的作法。⑭

5.李勝雄：律師李勝雄，認為台灣的二二八事件，至今未為任何公義的反應，縱然經過四十多年，仍不能使人淡忘。以前甚至禁止談論此事件，然而不但無濟於事，反而激起更多人挺身而出。只有恢復公義，才有真正和平。若無公義，國家社會必無和平之日，而台灣的人權亦不能得到真正的保障。⑮

五、二二八紀念碑的豎立，以及其他方面的補償措施：

離二二八事件，四十二年後，於民國七十八年（西元一九八九年）八月，首先在嘉義公開建碑，以資紀念。在民國七十九年的二月二十八日時，台灣各地均有二二八事件紀念活動的開展。至於在賠償撫慰「二二八」事件的受難者或其家屬方面，政府於民國八十二年四月制定公佈「二二八事件處理及補償條例」的同年，十月成立基金會，以辦理受難者的認定、補償及名譽回復的事宜外，也積極組成專案小組進行眞象的調查工作。在民國八十四年二月二十八日時，除了李總統登輝先生代表政府向受難者家屬致歉外，並在台北新公園豎立二二八紀念碑。至於，在該公園所揭幕的二二八紀念碑中，〝有碑無文〞方面，經過年餘的時間和三十次的蹉商會議後，於民國八十六年二月把「蔣介石未及細察」改爲「蔣中正聞報」外，還刪除了「鎭壓」、「由北而南，肆行掃射」等尖銳字眼後，全文「暫告」定案，共有六百四十二字。不過，在揭幕後兩、三小時，就被受難者家屬敲碎，抗議不符事實，其內文爲：

「一九四五年日本戰敗投降，消息傳來，萬民歡騰，慶幸脫離不公不義之殖民統治。詎料台灣行政長官陳儀，肩負接收治台重任，卻不諳民情，施政偏頗，歧視台民，加以官紀敗壞，產銷失調，物價飛漲，失業嚴重，民眾不滿情緒瀕於沸點。

一九四七年二月二十七日，專賣局人員於台北市延平北路查緝私菸，打傷女販，誤殺路人，激起民憤。次日，台北群眾遊行示威，前往長官公署請求懲兇，不意竟遭槍擊，死傷數

人，由是點燃全面抗爭怒火。為解決爭端與消除積怨，各地士紳組成事件處理委員會，居中協調，並提出政治改革要求。

不料，陳儀顢頇剛愎，一面協調，一面以士紳為奸匪叛徒，逕向南京請兵。國民政府主席蔣中正聞報，即派兵來台。三月八日，二十一師在師長劉雨卿指揮下登陸基隆。十日，全台戒嚴。警備總司令部參謀長柯遠芬、基隆要塞司令史宏熹、高雄要塞司令彭孟緝及憲兵團長張慕陶等人，在鎮壓清鄉時，株連無辜，數月之間，死傷、失蹤者數以萬計，其中以基隆、台北、嘉義、高雄最為慘重，事稱二二八事件。

斯後近半世紀，台灣長期戒嚴，朝野噤若寒蟬，莫敢觸及此一禁忌。然冤屈鬱積，終須宣洩，省籍猜忌與統獨爭議，尤屬隱憂。一九八七年解嚴後，各界深感沉痾不治，安和難期，乃有二二八事件之調查研究，國家元首之致歉，受難者與其家屬之補償，以及紀念碑之建立。療癒社會巨創，有賴全民共盡心力。勒石鐫文，旨在告慰亡者在天之靈，平撫受難者及其家屬悲憤之情，並警示國人，引為殷鑑。自今而後，無分你我，凝為一體，互助以愛，相待以誠，化仇恨於無形，肇和平於永恆。天佑寶島，萬古長青。」

財團法人二二八事件紀念基金會謹立
中華民國八十六年二月二十八日

△「二二八」國定紀念日的訂定

為了使在台的子子孫孫，能夠記取教訓，勇敢的走出悲情、邁向光明。在二二八事件的第五十週年（西元 1997 年，民

國八十六年）時，在台灣人民的強烈要求恢復〝歷史的正義〞
以及促進各族群的更加祥和與融合下，迫使國民黨當局把它訂
定爲〝國定假日〞，以資紀念。

九、苦難的台灣人民，有家歸不得篇

誰無親人？誰無家園？回家乃是人類的天性，天性一日不滅，歸鄉者亦一日不絕。任何的政權，均不能阻擋人民歸返家園的決心與行動。

國民黨政府，在民國三十五年至三十六年間，挑選百位台灣精英，以公費方式，送他們到大陸留學。詎料到了民國三十八年，大陸淪陷時，政府沒把他們接回台灣，留給共黨利用外，現在又不准他們回台。在台灣老兵方面，亦天涯夢斷四十年。其情形為，當國共內戰正酣，近萬名台籍青年，於民國三十五年，下半年，被國民黨政府編入國軍行列，開往大陸剿共，充當砲灰，死者已矣！活的兵敗被俘，命運坎坷，在歷次政治運動中為批鬥的重點。這些被政府遺棄的公費留學生，以及台籍國軍，很想念鄉土，國民黨政府卻以政治考慮為理由，一味推拒畏縮，不讓他們回家省親。在中國大陸之外的無數台灣海外同胞方面，他們長期以來，有因政治主張不見容於當局，或被誣陷劃歸為異議份子，而飽嚐漂泊異域、歸鄉無門之苦。台灣是台灣人民的故鄉，台灣人民有權要求和打倒國民黨在「黑名單」或「參考名單」下，以「不受歡迎」或「基於安全考量」等非法律字眼用「行政裁量」取代「司法審判」，任意剝奪憲法明定國民之自由行動、自由居住和遷徙的基本權利。

一、台籍老兵、留學生，淪陷大陸，有家歸不得：

　　自共產黨准許，並歡迎外省人回大陸探親以來，也掀起了台灣人從大陸返鄉探親的浪潮。究竟到目前為止，滯留在大陸的台灣人有多少呢？由於，因戰爭、病故、失蹤、更改名字，以及海峽兩岸隔離四十年等因素，曾經散居各地而身份又十分敏感的大陸台胞，難以有明確的統計數字外，被推論為有二萬五千多人，但其中屬於第一代的台灣人，有人說有四千人，有人說有一千多人，然而已登記者，有八百五十五人，其餘的，皆為在大陸出生的第二代或第三代「台灣人」。目前政府雖有意以「個案」處理滯留大陸台胞返台問題。但國民黨當局又擔心從大陸回台探親的台灣人，會賴在台灣不回大陸的「恐懼」。基於人道的理由和政治的道義，政府應該沒有任何拒絕或推拖的理由。相信台灣人民，也會絕對的尊重和歡迎他們的任何居住意願外，針對他們的困難，政府應該做到，有如王曉波教授的建議：

　　　1.具有台灣老兵身份的台胞，由榮民單位或退除役官兵輔導委員會，委託民間或外國航空公司，派船「轉口」接送，離開大陸後抵台的交通費由「退輔會」負擔。

　　　2.台灣老兵抵台後，按照一般規定，發給生活補助費，並補足四十年來之差額，給付台幣，以便在台探親之需。

　　　3.在台期間之醫療，與榮民同等待遇，享受公費。

　　　4.少數志願定居者，由「退輔會」輔導就業，按月發給生活補助費，無工作能力者，送榮民之家奉養。（自立早報78.8.23）

二、台灣人民返鄉被拒，黑名單大曝光：

　　數十年來，國民黨在政治因素的考慮下，採取權宜的「治標」圍堵方式，遏阻海外不滿政府人士和國內反對黨串聯造成政治動盪不安。因此許多的台灣人民有家歸不得，老死異域。郭雨新先生算是幸運之人晚年漂泊海外，死後方得回故鄉。賴義雄教授在海外用學術的觀點關心台灣的事務，台灣當局用有色的眼光看待他，對他的回國申請拖了很久，最後才准他一個月回來奔祖母之喪。專程為第一次世台會在台灣開會而返國的台灣民主婦女運動組織（ WMDIT ）創設人陳翠玉女士，終於落葉歸根在台灣。上萬的民進黨聲援返鄉遊行人員在中正紀念堂前，在陳翠玉的遺像下帶著無比哀痛的心情唱著「黃昏的故鄉」，使之在場的台灣人民無不傷心落淚。

　　究竟台灣人民，有多少人被秘密列入黑名單呢？北美事務協調會代表錢復對新聞界表示；「我們沒有黑名單，只有參考名單。」錢復並且說明這一百多名的黑名單並不是外交部所擬的，他們只是奉命作業罷了。民國七十七年（西元 1988 年）五月十四日，行政院表示自台灣地區解嚴後，內政部境管局依國安法施行細則處分，不許入出境的案件共計七百四十一人，其中三百二十四人不得入境，四百一十七人不准出境，經內政部「人民申請入出境未經許可案件審查委員會」會審維持原處分者共計六百三十四人，共撤銷七十九人之原處分。⑭自由返鄉權利委員會召集人，陳榮儒表示「在海外同鄉名列『黑籍』的至少有五千人之譜。據他統計，黑籍人士的首要之「惡」大多是只要參加台獨聯盟、海外組織或 FAPA ，就有被列入的可能。他自己除了參加同鄉會及 FAPA 活動外，並未參與任何團

體，連這樣「什麼都沒做」，也莫名其妙的被取消簽證。⑭據
了解，因政治主張及信仰等因素而被列入所謂「黑名單」者，
不僅限於旅居美國一地之國人或華僑，而是涵蓋全球各地思想
可疑的台灣人民。根據世界各地台灣同鄉會所搜集的資料，他
們於民國七十七年（西元 1988 年）八月一日，把申請回台簽證
或加簽被拒的名單，整理、公佈如下：

美國部份——

加洲：陳婉眞（東方書局負責人）、鍾金江（台灣民主運
動海外組織外務部長）、許信良（台灣民主運動海外組織主
席）、林水泉（前台北市議員）、楊惠喬（南加州台灣人權會
會長）、林心智（全美台灣人權協會）、洪順五（台灣民主運
動海外組織副主席）、李友義（北加州同鄉會聯合會前會長）、
陳都（世界台灣同鄉會聯合會前會長）、胡忠信（太平洋時報
總編輯）、蕭文堂（台灣公論報總編輯）、王秋森（台灣新社
會發行人）、張信堂（台灣學生社社長）、陳南天（台灣公論
報代理發行人）、江昭儀（台灣民主運動海外財務部長）、謝
聰敏（台灣民主運動海外組織顧問）、許丕龍、歐煌坤、謝清
志、楊加猷、吳瑞信、蔡芳旗、李政一、蘇武德、張典顯、王
泰和、張村樑、洪惠光、吳明雄、黃昭淵、Nancy Chen、王
泰和、郭清江。

紐約州：楊黃美幸（全美台灣同鄉會會長）、施艾琳達
（施明德妻子）、洪哲勝（紐約台灣研究所主持人）、黃玉桂
（約紐台灣同鄉會前會長）、黃嘉道、凌旭勢、陳達文、陳李
婉婉、王成音、李士益、陳阿火、李其陽、羅介川、鄭瑞源、

黃森貴、許富淵。

德州：蔡正隆（休士頓台灣同鄉會前會長）、李文雄（在日台灣同鄉會會長）、楊朝瑜（休士頓人權會）、蔡靜燦、蔡靜煌、蔡靜宏、謝英敏、劉淑賢。

賓州：賴金德、陳張郁彬。

馬利蘭州：李界木（華府人權會會長）、蔡同榮（台灣人公共事務會前會長）、彭明敏（台灣人公共事務會會長）、林淑華。

伊利諾州：陳杏村、楊正義。

維吉尼亞：謝榮春。

米尼蘇達：洪國治。

米蘇里州：張子卿。

俄亥俄州：施忠男。

加拿大部份——李憲榮（世界台灣同鄉會聯合會會長）、陳宗泰、楊正昭、林仁森、陳淑敏、Kuochi Rai、施麗招（施明德之大嫂）。

日本部份——張良澤（民進黨世界後援會日本分會理事長）、史明（日本早稻田大學教授）、何昭明（FAPA 日本分會會長）、陳平景（大學教授）、許世楷（台灣獨立建國聯盟總本部主席）、許千惠。

世界各地——張燦鍙（台灣獨立建國聯盟總本部前主席）、林明哲（民進黨世界後援會總幹事）、黃根深（全美台灣人權協會理事）、莊秋雄（全美台灣人權協會理事）、林富文（陳文成基金會創始人）、郭倍宏（獨立台灣會主席）、金美齡、

張舜華、張丁蘭、李隆吉、李瑞木、廖明徵、祝玉芳、高文吉、張維嘉、邱勝宗、沈英宗、吳銘輝、宋重場、張國興、傅朝樞（中報董事長）。（中時晚報 77.8.1）

究竟那些人或那些單位，有那麼大的權力，能夠列出讓人民無任何法定之申訴及救濟途徑可循的入出境黑名單呢？一般人相信，在海外經常有職業學生以打小報告為副業者。這些人沒有經過嚴格的專業訓練，並且未經證實就單憑主觀上的認知，隨便把熱愛鄉土而抱怨政府或批評政府之人亂扣帽子。楊力宇教授在這次國建會中表示他個人在一九八三年至一九八六年中被禁止入境，原因不明。據友人後來相告，是因為海外不確實的「小報告」，使他被列入「黑名單」。⑭美國賓州大學教授張旭成進一步的指出，在海外有「國家安全局」、「調查局」、「國防部情報局」、「國民黨海工會」等單位負責黑名單的「蒐證」工作。（中國時報，77.3.10）

△國安法須面對新局勢的考驗：

無論是政治性或司法性的「流放」處罰都已成為一種不民主和落伍的表徵。政府自解除戒嚴後，人民入出境之限制規範納入國安法及其施行細則之規定中。國安法第三條二項二款「有事實足認為有妨害國家安全或社會安定之重大嫌疑者」以及第十二條「參加暴力或恐怖組織或其活動」政府得不予許可入境之規定。由於許信良闖關未成，使之至少十餘名以上被通緝的海外異議人士，即使欲回國投案亦不能如願以償。原因是政府以「不接受，不逮捕」等原則，隔離海外政治異議份子。但是這種在安全顧慮而無明確證據主觀認定黑名單的作法，已

經成為不合理、法的過去式，況且台灣社會已不再接受，人民沒有辯白的機會或是政府提不出不准他們返鄉的有力證據及其理由。今以許信良、陳婉眞的闖關，以及世台會能否在台開會的案例稍做討論與說明。

一、許信良有權回台受審：

　　桃園縣長許信良，是在民國六十七年（西元 1978 年）十二月二十五日，犯下國民黨的大罪。在數人的決議，以及簡單的令紙下，許信良被迫離開桃園父老，並於民國六十八年，在中正機場召開記者會後，隨即搭機赴美。

　　離開台灣祖國八年多以來，許信良一再要求回國說明與投案。旣然許信良被國民黨政府認定爲一個爲害國家被明令通緝的通緝犯，而且在通緝書上寫著「逃匿」的罪犯，政府自當依法引渡回國，施以應得之刑，那有千方百計阻其回國助其逍遙法外之理？況且被「政治流放」通而不緝的通緝犯許信良幾度闖關返台投案，政府竟然拒絕他的回台受審，眞是何等的荒謬。

　　當許信良在試圖自菲律賓潛返台灣時，他還公開表示「我已經做了被捕、受審、坐牢、甚至被暗殺的心理準備，我已準備好做各種犧牲。」⑭⑨監察委員朱安雄在民國七十七年四月十二日說明提案時指出，解嚴後，政府即宣佈通緝許信良等十五名叛亂犯。法務部長施啓揚也在立法院表示，許氏膽敢回國一定依法逮捕歸案，但後來許信良要回國卻又以國安法之規定，有事實足認爲有妨害國家安全或社會安定之重大嫌疑者，得不許其入境，加以拒絕其返國。此種通而不緝，虛晃一招，暴露

了國民黨的窘態而引起監察院外交、司法、內政聯席會於民國七十七年八月九日通過調查報告，報告認為，許信良在國內言行乖張，策動分離活動，赴美後，籌組叛國組織，企圖顛覆政府，有關單位依國安法規定拒絕許某來台，於法難謂無據。⑮⓪至於，在警察方面，警政署在答覆監察院調查的公函中指出，許信良幾度闖關，未能及時逮捕歸案的原因，是由於「始終未發現許信良真實姓名到達我國際機場，因此無法即時予以逮捕。」這項說法曾引起部份監委質疑，但聯席會討論時，沒有監委提出異議，因此通過認定有關機關處理本案，於法難謂無據。⑮①

二、陳婉真被剝奪返鄉權利是台灣政局的病態：

政治的歸政治，法律的歸法律。國民黨企圖以法律手段解決政治問題的作法，導致闖關成為另一種政治抗爭的手段。陳婉真因沒有入境證照闖關未成，氣憤的表示，「為什麼台灣人不能回台灣」、「我有權返回台灣，我是在執行回家的權利」、「我有權利回到自己生長的地方……」。陳婉真早已準備運動短褲，在航警作筆錄時，陳婉真把她的裙子解開，穿著短褲，做最後被強制遞解出境前的死命抵抗。在三個小時的糾纏後，她被十餘位女警把她像豬般的抬上原機強制遞解出境。陳婉真的丈夫張維嘉表示：「只要踏上台灣的土地，她就完成了心願。我支持她的行動，我也隨時準備回去聲援。」

陳婉真犯何大罪？官方做何解釋？

外交部新聞司長陳毓駒表示：對陳婉真闖關事件，內政部入出境管理局已表示得很清楚，不准陳婉真入境，係依據國安

法第三條及施行細則第十二條的規定，陳婉眞未見入境簽證，企圖闖關是非法行為。國安法第三條規定：人民入出境，應向內政部警政署入出境管理局申請許可，未經許可入境者，得逕行遣返。⑮

　　陳婉眞為何要闖關？其理由何在呢？

　　陳婉眞說，她曾向「北美事務協調會」先後申請十多次要求回台奔喪，但是未能獲准，不得已才以闖關方式回台。又根據中國時報 77.7.25 洛杉磯專電：「陳婉眞說，她曾經找兩名美國國會議員向台北關說返台簽證之事，但外交部在回函中表示，陳婉眞曾與通緝犯同居（按指許信良），在海外從事台獨活動，如准許她返台將不利於台灣的社會治安，並將造成政治動亂。陳婉眞對此甚為不滿，認為對她構成誹謗。」聯合報 77.7.29 刊載陳婉眞所傳眞回台北的資料，有關今年五月二十四日，北美事務協調會答覆陳婉眞請託的美國國會議員，謂陳婉眞自赴美後，從未獲准回國，她的丈夫是企圖以暴力顚覆政府的極端份子，目前且發行一份鼓吹共產主義的「台灣新聞社會」雜誌，由於陳婉眞的公開活動，協調會洛杉磯辦事處不能核准其申請。

　　黑名單滿天飛，任何人未經判決有罪確定前，均應認為清白。政府不應以政治理由，在未經國民監督及法治運作下，強制剝奪人民返鄉自由。陳婉眞的闖關並不是單純的個案而是整體性的問題。政府不能再以模糊不清的藉口和不合理的方法拖延，而應以「治本」方式通盤考慮，就是這些「列管人員」眞具有危害國家社會之虞，他們身處國外，一樣可以做出顚覆政

府，詆譭國家之事，倒不如讓他們歸國返鄉，以便感化督促。

三、台灣人權的發展，關鍵在於世台會能否在台開會：

世台會簡介：

世台會即是世界台灣同鄉會聯合會（ World Taiwanese Association 簡稱 WTA ）的簡稱。世台會於民國六十三年九月在奧地利首都維也納成立，目前有日本、加拿大、美國、巴西、全歐洲五個會。在世台會的成員中，不乏有高學歷的旅美博士，如彭明敏、張燦鍙、郭榮桔、陳唐山、蕭欣義、許世楷、陳都、李憲榮等人。由於他們多年來極力主張對外「爭取台灣人的權益」並刻意區分「中國人」與「台灣人」的差別，而被認為是台獨或有台獨傾向的組織。它和政府之間猜忌最深之時，是在民國六十八年至民國七十五年間，連續針對美麗島、陳文成、林宅血案方面，提出「陳文成絕非自殺，而係台灣情治單位所為，與林義雄家屬血案如出一轍，必定無法破案」、「陳案暴露台灣情治單位恐怖手段」……，甚至有主張以暴力革命「消滅國民黨」的多項言論。⑮

安全問題掛帥，黑名單難討價還價：

入出境管理局局長汪元仁於七十七年七月二十八日，發表有關談話表示，「世台會」是由台獨聯盟所幕後策動的集團，而台獨聯盟亦早經司法單位判決為一叛亂組織在案，參加世台會成員具有暴力傾向。政府依據國安法第三條規定，拒絕核發其成員入境簽證。然而，國內外學者、專家及部份世台會會員，認為境管局的指控，缺乏證據，太過籠統含糊，並要求有關單位主動公佈「黑名單」和不准入境的理由。以下是他們的

看法：

1.林俊義（東海大學教授）：「世台會」的成員比較複雜，並且不具一致性，有部份是海外「台獨」份子，但也有部份是關愛台灣的海外同鄉。「世台會」的歷史一直在改變，大會主題大多是關心台灣未來發展有關的問題，甚至可以說這些與會的台灣人在「世台會」上的言論，可能不見得比現在台灣島內的言論來得激烈。政府對「世台會」的處理態度，應該隨著時間而改變，以較有彈性的觀點和政策來處理。⑮

2.張富美（史丹福大學教授）：同鄉會只是海外心向台灣的鄉親連繫感情的方式，事實上沒有證據顯示所謂「世台會」是由「台獨聯盟」所策動。如果回台參加「世台會」的同鄉，政府認為會有問題，可以派人跟蹤、監視。以我為例，每次返台都要四處請託，弄得一點人的尊嚴都沒有。何以政府對海外的台灣同鄉這麼的不信任？平常一些本來對政府並無敵意的同鄉也因為每次申請返台，一再被協調會刁難，甚至很多同鄉在台的父母過世，亦無法獲准返台奔喪，悲憤難抑，以後對政府自然滋生不滿之情。（自立早報 77.7.29 ）

3.邱連輝（民進黨立院黨團召集人）：他指出，境管局的指控，是完全沒有事實根據。「世台會」是由熱愛台灣鄉土的海外同鄉們所組成的聯誼團體；不錯，他們對國民黨的施政不滿，但他們絕非暴力份子，而且都是學有專長的學者，國民黨應該調整這種不健康的宣傳心態外，國民黨應該公佈黑名單內容，讓民眾自己去判斷，不要弄得神秘兮兮，因言入罪的時代早已經過去了。（參見，自立早報 77.7.29 ）

4.尤清（世台會工作小組召集人）：尤清認為境管局的說法簡直是「胡說八道，毫無根據」，他說「國民黨中也出現過共產黨，難道可以說國民黨也是共產黨嗎？」尤清更指出，固然世台會中，有部份份子與台獨聯盟有所關聯，可是絕不能將兩者劃為等號。以偏概全，「政府有什麼證據說世台會的人都是台獨份子」，國民黨引以為豪的黃埔軍校都出了共產黨員林彪，難道兩者間也可以等同視之嗎？何況，此次要求入境的世台會成員大都不是激烈的台獨份子，就算有人支持台獨也都只是在思想言論層次，境管局的說法不是中立的公務人員應有的態度，根本就是以執政黨的觀點，在看問題。⑮

然而，在執政黨及政府決策方面，已經決定，世台會過去曾主張「台獨」，目前並無證據證明世台會已經放棄台獨主張。執政黨中央政策副秘書長梁肅戎強調，政府絕不允許海外人士回國鼓吹台獨，搞「島內革命」，世台會工作小組召集人尤清，則保證會中絕不談「台獨」。尤清說，我們可以拿節目單給政府看，會中那裏會談到台獨？世台會決定八月十九日辦理報到，會議主題為「台灣人生命尊嚴的再生」，四場演講包括陳永興講「台灣人的生命價值觀」，林濁水講「台灣本土化的問題」，童村發講「台灣住民和樂相處之道」，陳翠玉講「台灣婦女的民主運動」；一場座談會為「台灣與中國的關係；由政治與經濟觀點來探討」等。⑯

入境談判破裂：（世台會在日本東京舉行理事會，並透過傳真機，與在台新店楓橋酒店所召開的年會，同時舉行）

國民黨政府方面：	世台會方面：
國民黨政府有關單位針對世台會台北年會作出三點處理原則： 一全面蒐集世台會成員名單，加以過濾，並清查其政治背景； 二對依國安法應予禁止入境者，駐外單位不發入境簽證，不准禁止入台者來台； 三通知各航空公司，對未持有來台簽證的旅客，不准登機，否則原機遣返，並處分航空公司。（自立早報77.7.29）	世台會會長李憲榮於77.7.30表示，不從事違法活動，但言論自由無須再受限制。他說：「言論自由是不能被剝削的，可能我們在開會討論中會談論到台灣獨立或中國統一，甚至國民黨的改革問題，假如這些都被冠上主張國土分裂的帽子，未免太過勉強。」（自立早報77.7.31）

　　愛國陣線的「捍衛小組」和老兵行動聯盟的「敢死隊」之對抗：

　　老兵行動聯盟組成的「敢死隊」誓死保衛八月十八日至二十一日，在新店燕子湖楓橋酒店舉行第十五屆年會的會場安全。愛國陣線為反制世台會在台召開表示，「敢死隊」區區三十人，他們不放在眼裏，他們已有萬全的準備，能充分應付任何情況外，⑯愛國陣線「捍衛小組」在民國七十七年八月十七日晚上八點半總部開完會後，即前往烏來方向的北新公路上，以白、黃、紅三色漆噴寫「反台獨」、「反暴力」、「世台會＝台獨」、「世台會滾回去」等標語。世台會沿途所設置的路標及海報，也為這批「捍衛小組」撕掉及毀壞的同時，⑯世台會糾察隊，除了加派人手，維護會場附近秩序之外，對於人手

一棍，尤清解釋爲山上蛇多，作爲打蛇之用。負責糾察隊的執行人賁馨儀，解釋爲，糾察人員過去是舞獅隊，有帶棍的習慣，而糾察人員本身則解釋，是爲了保護會場不受干擾的關係。⑮

　　東京、台北兩地同步舉行：

一、年會聲明：

　　由日本東京傳眞回台北的「第十五屆年會聲明爲：

　　㈠返鄉權利爲神聖不可侵犯之人權；

　　㈡人人有主張台灣獨立之自由；

　　㈢即時釋放全部政治受難者、停止任何政治迫害、停止政府暴力對付民衆；

　　㈣訂定二月二十八日爲「台灣人和平紀念日」，全國休假，追思先烈，默祈和平；

　　㈤面對國際現勢及島內實情，建立新憲政及新政府以符合台灣主權屬於台灣全體住民；

　　㈥台灣全體住民成爲新而有尊嚴之國家主人，認同台灣，和睦相處。（聯合報 77.8.22）

二、遊行方面：

　　「尤家將」的刀槍會，十八般武器盡搬上街頭，以及新竹方面，也共襄盛舉組成「鐵衛隊」保護遊行的安全。在八月二十一日下午，全省各地群衆分別聚集在台大校門口、國父紀念館和龍山寺三處。他們攜帶大量標語旗幟，以「台灣人有返回故鄉的權利」、「海內外大團結」等口號，爲訴求，沿途散發給路人，各隊伍並配備多輛宣傳車，於下午二時起分三路同時

展開遊行，於三時後，陸續在中正紀念堂會合，舉行演講會。⑩在全程活動的過程中最高潮的是，由民進黨主席姚嘉文、世台會海外代表羅益世及李憲榮之妻共同持火炬燒燬一份上書——由「老Ｋ安全局專門製作」的「黑名單」，表示海內外台灣人共同抗議政府非法戕害台灣人返鄉的權利。⑩之後，傍晚六時二十分，天色已近薄暮，遊行在「黃昏的故鄉」歌聲中結束。

△黑名單的撕毀：

民國八十年六月，依據美國台僑社團組成的「台灣人黑名單處理小組」所作的統計，黑名單共計四三九名：㈠不准入境（包括被通緝）者一○八者。㈡入境受刁難或入境後受干擾者二三五名。㈢不易歸類者九六名。⑩民國八十一年五月，立法院通過廢止「懲治叛亂條例」以及修正即使在言論階段也須處罰的刑法第一百條（在「著手實行」前面加上「以強暴或脅迫」五字）的方式之後，過去相當敏感的所謂「思想問題」，隨著人民的抗議聲中，逐漸消失之際，禁止回台的「黑名單」，在不斷的被海外異議人士闖關成功以來，於民國八十二年四月時，逐漸自動撤銷。自民國八十五年五月，行刺蔣經國案主角——黃文雄獲准入境後，黑名正式走入歷史，而成爲中華民國在台灣有史以來，政治犯全無的狀態。

十、黨、政、軍、特盤踞校園的恐懼篇

吳大猷先生對大學的諍言：「適度關懷政治，努力提升學術水準為重，過度的投入政治運動是一種浪費。」（中時77.1.6）同樣的道理，也有人反對政府過度對學生思想的控制，也是一種極大的浪費和造成社會的仇恨與不安。因為每個人都曾年輕過，也都曾擁有熱情與理想，對於社會的不公，現實之不合理多半抱著不妥協而激烈的態度。這種現象幾乎是世界性的。台灣的學生運動，若不刻意地加以扭曲，基本上也只是反映著每一代年輕人曾經擁有這種的熱情和理想主義。然而，在台灣的統治階層卻把簡單的事情弄得很複雜，勞師動眾，如臨大敵。國民黨在大學設置黨部，情治單位公然在校園設置辦公室，拿槍桿子的軍人更公然的在校園橫行。執政黨以黨治國的教育下，加上政治教條與校園武裝的雙重嵌制之下，建立獨尊天下的一家思想，對於種種「異端」的迫害更是不遺餘力。情治單位無孔不入的控制、調查與監視學生和教授言行舉止，更甚者則威脅恐嚇而無不用其極。這種政治介入學術，外行領導內行，大學教育的形式化、官僚化、學生創造力的退化，使之大學殿堂成為一個沒有靈魂的教育墳場。

※李文忠的退學案，激起校園運動的先聲：

校園在黨政機構撐腰的學校訓導、行政機構下蓄意製造神話及不健康的意識形態，使得大學教育走向偏狹的格局。在一元教育制度之下，製造出來的都是人云亦云，沒有本身思考能

力的垃圾，然後由這些垃圾去當老師，教出來的學生當然還是
垃圾。在不改善不合理的教育制度下，諸如延長義務教育完全
沒有意義，只是強迫年輕人再受三年不合理的教育。然而現今
在大學裏，有許多具有獨立思考能力又能洞察突破「政治神
話」的青年，由於無意中表露了「過多」的熱誠與關懷，而被
栽贓爲「思想有問題」，是「共匪」，是「共產黨的同路人」
或是受黨外的蠱惑。今就以李文忠的退學案，所掀起的校園運
動爲例。不是台大政治系的學生有什麼三頭六臂，能夠呼風喚
雨，主宰台大的學運，而是台大不是採取強制鎮壓手段，就是
持著推、拖、拉的官僚主義作風，造成社團的串連，進而爲黨
外台大校友的聲援與支持，而演變成爲校際性的學運大革命。

　　民國七十五年二月二十五日，李文忠參加學校註册時，由
於大二英文上學期已修不及格而被退學。李文忠表示，於七十
三學年度第一學期二修該科時，初送填上該科被電腦打掉，加
退選再填上交出後，又被教務分處承辦人蔡進煌刁難的同時，
該承辦人並未告知李文忠應前往刷掉該科選修紀錄。致使該科
在該學期爲「零分」。在校方當局正常運作下，此爲極小的差
錯，更正了事，焉需退學處分。但李文忠在訴願中指出，他本
人因「政治觀點與當局不同」多年來飽受壓力。如此事情就變
得非常複雜了。

　　五月五日上午一群台大學生持著抗議牌在台大校門口抗議
靜坐示威。五月十一日，台大再度爆發普選風波，以保障學生
的權益。三十位主張「代聯會主席普選」在校園高呼「普選」、
「我愛台大」口號。李文忠的退學案外，又被補了「記大過二

次，小過兩次，留校察看」，而六位聲援者也被記留校察看處分。台大當局所下的罪名爲「這些學生高呼辱校、普選等口號……」。爲此事，台大大學新聞社，因爲三篇文章未事先送審被勒令停止活動一年，三位負責人也分別被記過處分，而引起台大十二個社團發表聯合宣言，嚴重關切言論自由遭受侵害，要求台大另訂合理審稿制度。

　　爲了一個學生被退學，有關單位竟動員了二、三百個情治人員在監視，實在不可思議。當請願隊伍進入台大椰林大道時，台大職業學生，分不清是黨部或團部學生，蜂湧而上，空手赤拳，神勇無比。大學殿堂出現了集團性的暴力行爲，由以前的一小撮不滿份子，演變成一大群不滿份子，導致一千六百餘名學生簽署「大學改革芻議」事件。他們呼籲政府，中國共產黨黨務頭子胡耀邦因學潮而黯然下台。「共產黨能，爲什麼國民黨不能？」最後，蔣總統經國先生於民國七十六年十一月，指示學生黨部退出大學校園。但大學殿堂藏污納垢四十餘年，非一朝一日就能改變，也並非蔣總統經國先生的指示校園就自由化了。言論自由的權利是靠學生如火如荼地爭取，學生不畏校方懲戒的威嚇（諸如學生參加自由之愛運動，學生林佳龍、王馨瑩、鍾佳濱因演講而被記過）外，甚至搬出肥皂箱，在校園公開反對學校對學生言論自由迫害的同時，呼籲徹底撤銷校園黨部，對於軍人干涉校務，人二室調查組織，行政權過度介入教育，以及大學法規的缺失等等都需全面性的改革。

一、政黨勢力公然進駐大、中、小學

　　黨意左右學校的行政，影響教授的聘任和學生事務的決

定。學校行政組織與黨部組織的結合，學校的行政主管也是黨
內的高級幹部。當前（民國七十七年）九所國立大學中有六位
校長包括夏漢民、余傳韜、梁尙勇、阮大年、孫震、劉兆玄等
六人都曾任政府部門次長或副主委，並不是說做過政府重要職
務者不能做校長，但是如此高的比例，顯示政府拿大學校長當
作政府職位安排，而政府任命的校長，也不易保持超然立場。
（中時 77.2.3 ）

　　黨務爲主，特務爲輔的治校。校長及其一群各級主管高幹
「由上」而下的治校。秘密職業學生在情治單位所交付下的情
報任務「由下」而上的監視同學、教授。無以數計的小報告傳
到學校黨部，訓導安全人員手上，再傳到調查局、警備總部，
教授被約談、解聘乃至送到綠島之事情時有所聞。⑯四十年
來，多少大學生和有良知、有熱血的教授們卻一而再，再而三
地扮演著悲劇性的角色，在「巨石陰影下的玫瑰」飽受恫嚇和
壓制。他們在此惡劣的環境下所追求的目標莫非是「高貴」和
「平實」特質。其之所以高貴，乃在於追尋眞理的夢想和悍衛
憲法對人民的保障諾言；其之所以平實，乃在於對人類懷抱希
望，藉著他們的努力，替人類的未來指引方向。

△撤銷校園黨部的騙局：

　　自孫震接獲學生對大學制度最完整批判──「大學改革芻
議」的遞書後，孫震呈報上級。不出一星期蔣總統經國先生指
示教育部長李煥發佈國民黨黨部退出校園的消息，並昭告軍訓
教官不要管太多。然而，國民黨的頑抗份子做最後的掙扎，國
民黨知青黨部在幹訓時表明立場，「要國民黨退出校園，那是

不可能的事！」國民黨當局必須對撤除各級學校（包括大學、中學）黨部做個明智的抉擇。否則終有一日，在校園內黨部林立，成爲劇烈政爭的鬥獸場。要不然，國民黨必須以光明正大的態度，在公平、公開的原則下，快速建立政黨在校園內運作的規範。不要妄自菲薄，把自己看成陰溝裏的臭鼠，見不得陽光似的，或是美其名以什麼「學會」、「研究會」等暗渡陳倉，繼續大搞黨部活動。今就以台大創校以來第一次的普選爲例。又證實了當局人員口口聲聲說開放民主和所謂的學生自治是一個空殼子，或是只是「順應潮流」所帶來之教育革新的假相罷了！

△黨團金錢介入校園選舉：

逸仙學會贊助邱俊榮選舉經費，和北知青動員組織爲其拉票，反而成爲推出競選人落選慘敗的最大致命傷。在競選過程中由於傳聞歷歷指繪，而迫使邱俊榮的助理人員孫大千公開承認「只要國民黨樂意，贊助經費有何不可。」（自早 77.5.28）這種黨團金錢介入純樸學生選舉的醜聞，簡直是侮辱國父　孫中山先生。因爲孫中山先生畢生最痛恨的莫過於金錢捲入選舉。民國十三年四月十三日，孫中山先生在演講民權主義時說：「我們中國革命以後，是不是達到了『代議政體』呢？大家都知道現在的代議士，都變成了『豬仔議員』，有錢就賣身，爲全國人民所不齒。大家如果不去聞問，不想挽救，把國事都付託到一般『豬仔議員』，讓他們去亂作亂爲，國家前途是很危險的……。」尤其這次台大創校以來舉國注目的第一次普選，醜聞竟然出現在「逸仙學會」不遵守民主遊戲規則，豈

不令人心慟乎？

△無頭黑函的被查獲：

　　下午五時，在台大校總區的大門口，舉行最後一場公辦政見會。在政見會舉行時，羅文嘉的助選員方凱亮發現一名台大三研所（三民主義研究所）的學生姚蘊慧在大門口向公館打字行的送貨員當場領取兩袋傳單，經方凱亮查看一袋是一號候選人邱俊榮署名的信，另一份卻是攻擊選委會不公的黑函，於是經檢舉當場被選委會扣押。（中時晚報77.5.27）

△爲防止停電作票，而準備好手電筒：

　　當開票進行過半，羅文嘉勝算在握後，選委會還派人看住開票會場電源，以免停電而引發作票爭執，代聯會主席陳志柔提醒旁觀學生，萬一停電，就打開預備好的手電筒看住票箱。（自早77.5.29）這些年青的學生，都是在國民黨統治之後出生的莘莘學子，怎麼也會對國民黨的所做所爲不信任呢？這是國民黨應該深覺自醒的同時，羅文嘉能以3758票高票當選，更是值得學校方面的檢討與改進。

　　在其他各大、中、小學方面，在國家邁向民主化的過程中，學校應該讓學生多了解目前朝野政黨的實際情形，而不是有意地醜化某一黨，而又蓄意地美化另一黨。（諸如里港國中張姓教師以「朱高正是惡魔」爲作文題目，經屏東縣政府教育局調查屬實，認爲此係教師個人行爲，除予口頭糾正外，並加強輔導。）⑯尤其學校老師不宜充當入黨推銷員，把「入黨」和「愛國」混爲一談。有的老師更不該做不當的宣傳「入某一個黨，將來就有大官做」等學生被騙入黨的事情發生。甚至有

的老師聯合其他的教師輪番強逼學生入黨，這就太不應該了。

二、行政權過度介入學術與教育

　　教育應儘量獨立於政治權力之外，以排除教育行政不當干預之限制，以保障學術之自由和尊重大學自治之精神。對於大學教授身份、地位與權利之保障和學生之權利與義務之範圍，甚至學生之管理、社團之活動、刊物之審查、學生之懲戒都應有合理的依據與程序。今以台大為例，訓導權在自由心證之下，給予從事校園改革運動學生記過、留校察看、退學……等處分，使得這些學生含冤莫白。至於「教授治校」的民主改革，也開始有了大學教授的直接參與。使得校園民主遠景一片大好，但好景不常，一、兩個月之後，台大客座副教授李明輝，已不再為台大所續聘，而自認是「教授治校」下的第一位犧牲者。

三、軍人干涉校務

　　軍訓教官進入大學校園是蔣經國在擔任國防部長期間，為了加強思想控制和抑制言論自由的新「發明」。根據領先叢刊第七期指出「現役軍人不僅在校內擔任軍訓課程的講授，同時還廣泛地兼任了大學的各種行政與訓導工作，上至校務會議，行政會議，訓導會議及教務會議，下迄各系、各班之班會、各社團之社員大會其都有廣泛之參與權及指導權，連宿舍之生活管理也要插一手。」甚至，「有權」約談學生，逕行採取「調查、蒐證」的準司法動作。[165]

　　在台大「軍訓教官退出校園促進會」的傳單標題為「教官上戰場，學生好讀書」引起師生的注意和社會大衆的關切。有

關支持和反對軍訓教官駐校的雙方論點為：

支持教官駐校方面：	反對教官駐校方面：
1. 教官駐進校園可維持校園安定，協助校方管理學生的生活，甚或使學生接受文武合一的教育。	1. 軍訓課程是文武合一的教育：所謂「文武合一」是軍校的特色；但台灣需要這麼多軍校嗎？ 2. 教官維持校園安定：那麼校警的任務是什麼？軍人進入校園是因其中有國家的敵人嗎？ 3. 協助校方管理學生生活：軍人並不具有教師的資格，況且未免將軍人「大材小用」了吧？（民眾日報 76.11.18 ）

△而教官駐校的實質爭論點是：

㈠教官沒有從事招收黨員的任務嗎？

　　師大教授林玉體指出全國主管軍訓最高負責人公開承認教官負有吸收國民黨黨員以及維護執政黨政策之任務，顯然已直接與憲法所明訂「軍人應超出黨派」的規定相牴觸。自立晚報讀者政平，在看「華視新聞廣場」有感而表示：依其個人所知位居台南某工專教官即謂學生若不加入國民黨即予退學。且台南某女中某教官亦謂某班代若申請入黨者太少「不好看」。且個人經歷不僅教官招收黨員，國文老師亦有上課公然鼓勵學生入黨且陳述利害關係，幾近威脅利誘。⑯北一女學生，在教官充當推銷員時，十二位學生，站起，異口同聲說：「一黨專

政」，這個入黨推銷員便從教室後門溜走。

㈡教官沒有從事思想的箝制工作嗎？

依政平表示，他個人經歷，六年前在高雄某省中就讀時，爲文批評反共義士，即受學校教官及人二室百般干擾，且函請警察至鄉下老家探訪。（自立晚報 77.4.16）又根據台灣獨立聯盟（亞細亞同盟）二十五位受刑人中之四位——陳三興被判處無期徒刑、郭哲雄被判十二年、王清山及邱朝輝等被判五年徒刑的中學生涯回憶。當他們在讀高雄中學時，常被××省同學欺侮，因此他們看到無黨無派的候選人宣傳車經過校門口時一齊鼓掌歡呼，但被軍訓教官看到了，這幾位學生被教官叫到他的辦公室，先破口大罵一頓：「……爲什麼不對國民黨籍的候選人歡呼？無黨無派的候選人有什麼好鼓掌的？通通給我跪下……」四位同學也不加辯駁，只得依命跪下。（出土政治冤案，P.64，台灣 1947-1985）

㈢教官不干涉論文寫作嗎？

台大多年來，討論此問題之文章甚多，而干涉之情事，當事人亦指陳歷歷。（自立晚報 77.4.16）

㈣能否考上預官之問題？

由校園至軍中思想控制之一貫作業。孰不知政戰官是透過教官呈報之國民黨忠貞黨員才能上榜。（參見自立晚報 77.4.16）

一般人認爲教官不是不能留駐校園，但軍訓教官要跟學校行政劃分清楚，教官的角色必須單純化。教官不必擔負軍訓課程以外的工作，也就是教官不應該從事箝制個人之自由、民主

思想，大概教官駐校的問題，也就沒有什麼可爭論的同時，人
是親情的動物，若教官出自於愛的教育，以「學生褓姆」的姿
態在校園出現，必會贏得學生的敬重與愛戴。反之，教官若秉
著上戰場的精神管理學生，或是對所謂的「非我族類」的學
生，給予百般刁難、無情打擊，一般人認為教官還是撤出校
園，還給校園一個乾淨、自由沒有政治污染的殿堂。

四、辦教育不必兼辦特務

在一片開放改革的浪潮聲中，目前各大、中、小學之人事
機構仍有屬於情治系統的「人二室」的特殊任務組織，負責查
核學校人事，推行學校保防教育，調查學校職員之忠誠，維護
學校安全等。其中，最重要的任務乃是平時對教職員工，一言
一行進行思想行為之監視與紀錄，和調查與追蹤。如果老師的
言行比較開放民主，或著經常評論國是，批評執政黨，這位老
師一定會被「安全秘書」秘密地記上一筆「思想有問題」或認
為是「匪諜」，是「陰謀破壞份子」，是「包藏禍心之徒」甚
至「敗壞學子」；選舉之時，老師不能討論民進黨的候選人，
更不能公開地支持民進黨的人，否則又會是「思想有問題。」
但也有因為私人的恩怨，派系鬥爭而被「安全秘書」判定為
「思想有問題」而影響教職員工的升遷、考核或續聘。因此，
絕大多數的教職員工都視安全人員為異樣人物，敬鬼神而遠
之，見面言不由衷或彼此兩不相犯，每當「安全秘書」來了，
都會自然而然的改變話題，大談國泰民安，政府興旺，或詢問
氣候變化，桌上如果放著自立早報或一些民主雜誌，必定趕緊
收藏起來。

△殘害教師尊嚴的「人二」組織：

今參見領先叢刊第七期，自立早、晚報，和中國時報，於民國七十七年二、三月間的報導，做個綜合性的整理、分析如下：就僅憑一紙行政命令，於法無據，身份職權撲朔迷離的「第三隻眼睛」組織——人二單位。其所謂的「安全秘書」常利用職權挑剔、找碴，以打小報告「侵犯隱私與人格權」為能事，導致人心惶惶，在教學上備受牽制，言行上不敢得罪，心理上長年戒慎恐懼，唯恐動輒得咎，教師們敢怒不敢言，致使教學正常化受到嚴重考驗。因此教育部對人二室的解釋並給予安全秘書的職責、地位作一明確的定位。官方教育人二處說：「安全秘書是納入學校系統，絕無調查局或政黨力量監管，其職權僅在維護校園安全，防止小偷、火災並處理救援事宜，教育主管從未授意安全秘書對老師進行思想上的監管。」

根據郭健仁、江再來、王思民、林玉體等先生以及余陳月瑛女士等人之質疑意見做綜合性的概列為：

㈠安全秘書既如貴部所稱，非對老師的監管，則為何屬「人二處」？且為何校方新進人員資料須其過目？教師考核須其列席？教師出國又何須向其報備？根據「教師人權促進會」所接獲的台南市教師申訴案件中，就有台南一中的安全秘書，以「言論思想」問題「約談」老師的紀錄。

㈡安全秘書既非政黨力量監管，為何非國民黨員不可？難道非黨員則無法勝任。

㈢安全秘書其職權在於維護校園安全，防止小偷、火災並處理救援事宜。則安全秘書當整日整夜長駐於校，方克盡責，

如此校方爲何仍須値日夜人員？寧非浪費公帑？浪費人力？安全秘書能否提出具體功績過去曾經捉到幾個小偷或滅了幾次火災……等等。

　㈣安全秘書職權旣在維護校園安全，則其工作並無機密可言，爲何需單獨佔用一間辦公室？而不能與其他同仁共處？是否有見不得人之舉動外，安全秘書爲何還享有下列之特權：

　1.部份學校校長常抱怨，安維秘書之業務，多不經校長過目。

　2.在校內一切比照「主任」，諸如排課，寒暑假學藝活動所支領的行政津貼以及授課時數費等。

　3.學校必須提撥百分之八辦公經費給「安維秘書」支領時，又可免附收據。其私人請朋友上館子吃飯，可以掛學校的帳。

　4.校方所訂之報紙，每日必先經其檢查，才能分送至各辦公室。

　5.校方長途電話控制器，其擁有一把鑰匙可以任意使用。

　雖然官方藉詞搪塞的說，安全人員的任務是防止校園打架或偷竊事情的發生，但是究其底細，並非如此。絕大多數在學校服務一段時間的人，大家對安全人員扮演什麼角色，彼此心知肚明。教育主管當局一再的敷衍，只不過是又多了一個「欺騙大眾」的例證而已！爲了校園寧靜，還教育人員的清白以及重建彼此信任的社會。安全秘書不是退出校園，就是要做更多的學校服務，而不是從事於人人討厭以打小報告爲職業的同時，希望所有的教師們，也能勇於爲自身免於恐懼的基本人權

而奮鬥到底。⑯

△正義與邪惡戰爭的展開：

　　久爲全體教師及各界人士所詬病的校園「安維秘書」制度，終於敵不過正義的「師生之吼」而宣告引退。

　　在宜蘭縣長陳定南的指令下，於八月三十日，把全縣國中、小學教職員的「忠誠」黑資料送往中興紙廠變成白紙。陳定南在接受台灣教師人權促進會贈匾時，他表示，他的作法絕對合法，並強調「忠誠調查」資料是違法的東西，不能視爲公文書。

　　鑑於宜蘭縣長的做爲，高雄縣長余陳月瑛、嘉義市長張博雅和國民黨開明派的南投縣長吳敦義也有所反應。吳敦義縣長對於神秘兮兮的人二名稱有所異議，並表示儘管人二有正面存在需要，但單位名稱實不配合，且無法保證每名人二人員對所有同事公平、公正。尤其有些人二人員暗中在個人的「安全資料」上私自留下紀錄，爲避免公務員在不明狀況下留下一輩子的陰影，除法定紀錄留存外，非法定紀錄應一律刪掉。（自立早報 77.8.21 ）

△忠誠資料密件的大公開：

　　人二單位掌管多少個人資料？一般而言，有基本資料三件、動態資料、鑑定表等。對於在海外有親友的人則有「與大陸通信清查表」、「海外關係調查表」、「安全狀況研判表」、「公務人員親屬長期居留國外調查表」⋯⋯等。目前國人要燒的資料，除基本資料第一分「一般人事資料」及第二份「人事資料補表」外，其餘的都要銷燬。尤其是第三份印有「密」字

的兩小份基本資料。這資料卡㈠、是註明抄製副卡送司法行政部調查局的。資料卡㈡、的製卡單位，是各縣市教育局人事室。在這資料卡㈡、內，並列有弱點（易受利誘、易受脅迫、易受激勵）、欲望（工作方面、生活方面）、私人秘密（秘密事實、守秘原因、揭露後影響）等各欄。⑯

　　忠誠黑資料，除記載個人隱私外，還記載包羅萬象的各種事情。今以中時晚報七十七年九月二日，所刊載的密件大公開中，就足以知曉政府不信任百姓，時時嚴密控制百姓的情形了。

忠誠資料密件大公開

對大陸親友通信內容均列入調查

　　【記者張麗伽報導】「教師人權促進會」所掌握的台北市某私立學校部份教職員忠誠資料，有不少填寫得鉅細靡遺，內容由台灣本島一直延伸到海外。

　　一份註明為「附件」的「安全狀況研判表」，以校長為對象，研判時期達半年，研判人為該校安維秘書。這份表格區分「敵方」、「我方」兩大類，「敵方」包括共匪、台獨、偏激集團、國際陰謀和其他等五種，這位校長的情況被列為「共匪」欄。「危害安全因素」的內容是「校長○○○之胞弟○○○係共匪派赴留美學生現就讀○州大學研究太陽能於民國○年○月○日及○年○月○日先後來函向其統戰……」，反制（防制）效果欄建議「㈠為防止○校長及其家人秘密與其胞弟通信，請轉有關單（

位）在郵局嚴秘（密）檢查沒收，絕對禁止其與胞弟信件來往；㈡請轉區級黨部輔導通信」。

　　另一份以訓導處某人員為對象的「對大陸親友通信資料清查表」，保密區分列為「密」，佈建人員欄署名的也是安維秘書，內容註明「○年○月○日由逃亡船員○○○自美國紐約（以下為英文地址）轉自大陸○妻來信（原件）並附其母妻照片兩張，由我本人親見」，並提及「○年○月○日函告○○○轉寄美金五十元給其妻」，表示○妻通信內容為「告知其母已故，美金收到，下半年為其母修理墳墓之用，並囑○員在外保重」，填表時間與通信日期相距僅兩個多月。

　　屬於同一對象的另一份調查表，則備註「70.8.10 北市教人副二字第 2025 號函員工與大陸通信清查表乙種本校已於○年○月○日填報在案」，並通報該員「○年○月○日交在台姪女○○○赴港之便轉寄港幣五百元」；又有一份表格統計，這個人共和大陸親友通信三封，並附上便箋書寫的美國轉信人地址及日期。（中時晚報 77.9.2）

　　這校園中的黑手「安維秘書」顧名思義是做好「校園安定維護工作」，但事實上卻扮演著「監聽師生言行」、「私作考核」及「危言聳聽」的工作。目前（民國七十七年）安維秘書被全面裁撤以示尊師重道，各級學校及社會大眾均額手稱慶之際，然而，又有人擔心另一隱藏的黑手──教官，名為「教導軍訓專業人員」卻又兼負錄音、密

告、檢舉……等多重任務。（自立晚報 77.8.23 ）有關它的改革建議方面，於民國八十五年七月二十七日，行政院教育改革委員會，所舉行的第二十七次委員會議中，在回歸憲法與落實教育鬆綁的原則下，指出，軍訓處和訓育委員會過去所擔負的特殊任務，已無法為社會所接受，若學校軍事教育仍有必要，應改以自願方式，由國防部另謀新制。學生訓育應轉為生活輔導，回歸到一般的學校教育事務，不必在中央部會設專門單位。雖然目前教改會已做出通過裁撤軍訓處的重大決議，但教育部常務次長楊國賜表示這種的「建議案」未必為教育部所接受，其理由是，該單位的階段性任務，仍然尚未完成之所繫。（中時晚報 85.7.27 ）然而，又有人認為，如果教育當局不徹底消除情治系統在校園搶地盤的情形，去了「人二」，又來了「黨三」，對於尊師重道的改革，只是徒具形式罷了！

十一、落實軍隊國家化篇

國民黨已走過了軍政、訓政的道路，而進入憲政有四十餘年的歷史，然因武人領政、軍隊不能國家化，使之民主憲政無法落實的主因之一。所謂的軍隊國家化，乃是以「以政領軍」和「文人優位」的理念爲其基礎，做爲邁向民主國家和政黨政治的途徑。它強調軍人的職責在悍衛國家、保護國民抵禦外來侵略；軍隊不是統治者的工具、黨同伐異的政爭私器和介入政府或政黨的決策，而是國家政策的執行者。

由於國防設備日見龐大，政府每年預算將近二千五百億來充實軍事武力。在解嚴之後，政戰費用不但不減少反而增加二千八百萬，總共爲十一億三千多萬。從七十七年七月國民黨第十三中全會的中委會和中常會整體結構看來，軍人掌握了二十席中委，又包括三位中常委等不可忽視的力量，而令人擔憂這種的政治軍人型態在台灣政治制度尚未健全下，加之軍人與軍事機構在戒嚴體制下被賦予過大的權限。一旦台灣局勢變化，軍人可能立即被執政黨動員起來或自告奮勇壓制反對勢力，成爲政爭工具，而出現槍桿子出政權的局面。爲解除「軍人干政危機」，必須實現釐清黨、國界線，剷除軍中黨化教育，從速訂定「國防組織法」，以及劃清軍隊和幫派的糾葛等四大方針，把軍隊還給國家。

一、釐清黨、國界線

「愛國」不以「忠黨」爲前提，黨國不分，極易嚴重誤導

軍隊的効忠意識和混淆軍隊的法定角色與職責。依據憲法第一三八條：「全國海陸空軍，須超出個人、地域及黨派關係之外，効忠國家、愛護人民。」第一三九條：「任何黨派及個人不得以武裝力量為政爭之工具。」雖然上述兩條之規定無禁止軍人參加政黨，也不要求軍人脫離黨籍；至少要禁止政黨公然在軍中設立黨部從事政治活動為宜。否則依憲法第七條規定中華民國人民無分黨派，在法律上一律平等，其他各黨各派也比照國民黨在軍中設立黨部而增加軍人間互相仇視或甚至武裝衝突的危機。因此國民黨黨主席李總統登輝先生在螢幕上高喊著國民黨必需革新！開放！國防部長鄭為元向立法院保證黨已退出軍隊。行政院也一再標示「軍隊國家化，不屬於任何政黨」的口號。俞院長也在立法院宣佈「軍中已無國民黨黨部存在，政府並將取締在軍中從事政治活動者。」雖然他們已做出如此明確的保證，但是軍中目前仍然我行我素，根據自立早報於民國七十七年四月二日刊載，劉水庚先生指出，軍隊裏仍有「凱旋黨部」，設在「政治第一科」（簡稱「政一科」）我的黨員字號就是「凱二一特支──五特區──一支黨部。」他又說當一個新兵在進入訓練中心時，輔導長或是一些幹部就會展開招收黨員的工作，一個不肯加入國民黨的士兵，便將逐漸吃到一些「苦頭」──像考績永遠乙等，升遷不順、請假不准等。目前凱旋黨部的許多活動費用到現在為止，都仍然是由軍隊裏的「行政事務費」補助。自立早報於民國七十七年九月一日，又刊載了行政官員可以不回答，或答稱「不知道」，但不能說謊的事情，乃是陸軍少校毛新偉為了追求軍人超然立場目標，登

報聲明退出國民黨一事，暴露了國民黨表面革新，裡子不改的遊戲。毛夫人代夫表示「目前國民黨在軍中的活動與以往比較並無不同，例如佔用上班時間召開黨員大會或小組會議，使用公家資訊系統從事黨務等，但軍方卻自欺欺人地對外表示黨、軍已分家，基於正義良心，毛新偉遂決定宣佈退黨。」

二、剷除軍中的黨化教育

　　為了追求軍人的超然立場，首先必須調整軍中政工的角色，以落實軍隊的中立化。根據自立早報於民國七十七年四月二日刊載，據了解，長久以來，軍中黨務工作即由政戰系統負責，而在政一組織、政二文宣、政三監察、政四保防和政五福利的分工之下，有關國民黨軍中黨員的吸收、管理及黨籍檢查業務，就都責由政一人員主管，而連、營級輔導長、營級政戰官、旅政戰處、師政戰部，以迄軍、軍團、國防部總政戰部等高層單位，相關政戰業務皆有組織工作。在軍中「回歸憲法」思想教育方面是由政戰系統負責。目前服役軍人在莒光日時思想教育的普遍反映是接受更深的黨化教育以及帶著惡毒的幼稚宣傳，諸如被強迫灌輸國民黨最好！國民黨最強！……，×進黨是偏激不法團體，是別有用心人士，是破壞國家法治的野心政治份子等。在民國八十五年十一月，民進黨立委陳其邁向國防部副部長王文燮質詢，並提出軍方一份八十四年度的教材，教材中指出，中共、台獨與偏激份子是軍方的「三合一敵人」，並把陳水扁等人列為「隱匿」的偏激份子，這件事軍方基層軍官都知道，為何軍方高階將領不知道？對此，國防部副部長王文燮則表示，他沒有這種教材，他保證軍方會全面檢討。（自

晚 85.11.18 ）有關上述，把民進黨人士列爲假想敵的情形，在實行政黨政治已有數年之久的現今，確有加速改革軍中思想教育的必要，以免有礙軍隊國家化、中立化的期待與落實。

三、整飭軍事法令，速訂「國防組織法」

目前我國沒有所謂的「國防組織法」，有關軍事權的各種規定，散見於各法規、甚至有以行政命令定之者，須速訂「國防組織法」統一軍事權，由行政院領導，並向立法院負責，俾落實民主法治，保障我國「免於內戰的威脅」以及人民「免於恐懼的自由」。至於擁有強大軍事指揮權而不受民意節制的參謀長，其角色相當特殊，不僅是國防部的幕僚長亦是總統的軍事參謀長，但他卻無法出席立法院，接受質詢，而納入民主憲政的常軌。

四、劃清軍隊與幫派的糾葛

軍隊是國民黨的私人武力，幫派更是國民黨的地下軍團。政府遷台後，被蔣經國先生下令政府官員必須與洪門幫派斷絕來往的組織，於民國七十七年八月下旬，終於公開「亮相」，並標榜著「世界有事該當作，天下無奸不可攻」的理念下，組成了「吾愛吾鄉聯誼會」及「中華民國洪門總會」等隨時準備「政府要我們動，我們就動」的任務。不管如何「洪門」要積極參與社會，必須自我過濾不良成員，否則就是扛著擁護政府的口號，或藉著反制民進黨及台獨言論以拉攏執政當局，必爲社會大眾所唾棄。

洪門、青幫橫行軍方，幫派人物充斥黨、政、軍、特。究竟在國民黨政府有多少知名人物和這兩個幫派有密切關係。根

據新潮時代週刊第二四〇期指出，蔣經國是青幫三十八代弟子，郝柏村是青幫三十九代弟子，宋心濂青幫四十一代弟子，國防部長鄭爲元青幫弟子，陸戰隊司令馬履綏青幫弟子。前軍情局局長盧光義洪門弟子，郝柏村的妻子郭婉華洪門山頭，憲兵司令部陳遠青幫四十一代弟子，空軍總司令陳燊齡青幫弟子，前警總副總司令錢懷瑜洪門弟子。黃杰之弟黃震是洪幫雙龍頭，台北縣長林豐正是洪門「天目山」的「新附大爺」……等。該雜誌並指出在「六一二」挑起流血衝突的「愛陣分子」中，則藏有多名的「洪門弟子」。

自民進黨於民國七十五年九月二十八日正式誕生以來，以及從國民黨內部分裂出來的「新黨」，於近年內，也正式掛牌運作以來，落實軍隊國家化，乃是必然的趨勢之外，現今也讓我們對於整個軍事和軍人方面也做個概括性的討論。在大原則下，人人須認清的事實，乃是國防預算每年花去二千五百億是佔中央政府總預算的 46.5 ％。軍隊不是一個生產事業單位，一切經費來自百姓血汗錢。軍人的職責在於悍衛國家，保障人民安全，不是在搞政治和搞軍閥。在一般而言，軍人思想究竟比較封閉，缺乏包容與寬恕的精神。就拿軍中的思想教育來說，諸如「只要對國家民族有益的事，就毫不遲疑的去做。」許多的軍人以及和軍事單位有密切關係的單位人員，在「愛國家民族」的大帽子下擅自擴大解釋，以爲「愛國」就可以做一切事情的心理，對非我陣營的人反對，就列入「共產匪黨」的同路人。對於帶有民主、自由思想的人就視之爲「叛亂份子」。由於他們的思想閉塞，不知「民主憲政」、「法律尊嚴」是何

物，而爆發出許多爲人嗤之以鼻的事情。其情形有如十八世紀
英國大文豪約翰孫博士 Dr. Samuel Johnson 的一句名言，愛國
是惡棍最後的招牌（ Patriotism is the last refuge of a
scoundrel ）之外，又根據林偉正先生在美麗島雜誌所刊載的
「愛國衣」打油詩爲：

1. 只要披上愛國衣，消除異己是良機；
   非法集會不取締，因爲黨方有旨意。
2. 只要披上愛國衣，民主民權爲我敵；
   有關單位授機宜，反共難民淪工具。
3. 只要披上愛國衣，鬥倒鬥臭任我意；
   紅衛兵式大會聚，賓館門前樣板戲。
4. 只要披上愛國衣，局長拿他沒脾氣；
   任你苦勸他不依，卻等署長大人乞。
5. 只要披上愛國衣，不殺敵人要殺己；
   違法亂紀可姑息，法治公理何處覓。
6. 只要披上愛國衣，打殺辱罵都可以；
   那管學生是白紙，教官帶頭行教育。
7. 只要披上愛國衣，反共難民受禮遇；
   反觀台中爭明理，歌唱民謠遭水襲。
8. 只要披上愛國衣，黨外異己可攻擊；
   鎮暴警察又何懼，石頭電池照樣襲。
9. 只要披上愛國衣，街頭作法違法紀；
   白布拳頭三字經，難民搖身變巫醫。
10. 只要披上愛國衣，法律規章硬不依；

　　反問愛國有罪嗎？必遭全民共唾棄。

11.只要披上愛國衣，各種高帽可亂立；

　　因為現值戡亂期，任你含冤無訴地。

12.只要披上愛國衣，愚民神話加禁忌；

　　戒嚴不知何時息，民主前途堪憂慮。（美麗島，一卷三期，P.25，68.10月）

　　在上述所謂的「愛國衣」心理作崇下，諸如軍校出身的董桂森被情治機構奉派在美國刺殺江南。先「鎮」後「暴」的綠島職訓隊員暴亂案死了八人。五二〇農民街頭遊行，暴警滋事，憲兵中校王偉駿涉嫌毆打在場協調警民衝突的立委朱高正。軍事監獄在監察院將重查雷震案之際，將雷震回憶錄燒燬。軍事單位對新聞自由的藐視，有如禁止自立報系記者的前往採訪。總之，在自由、民主、法治思想未達共識前的短暫混亂社會，希望支持政府政策的所謂「愛國者」，不論您是否「愛之適足以害之」，今後你去做任何一件所謂的「愛國」事，都得仔細思考一下。這現象有如美國國會調查對尼加拉瓜游擊隊軍售案時，日裔國會議員井上健嚴肅的對胸前掛滿勳章的陸戰隊中校諾斯說：「反對政府政策的人，也有比你還要愛國的。」

十二、情治系統須國家化、合理化篇

　　民國七十七年上半年，中山科學研究院核能研究所副所長張憲義神秘失蹤後，暴露了國民黨情治系統「安內」有餘，「攘外」不足的現象。台北地方法院記者休息室遭人裝置竊聽器，又暴露了安全人員遍各地的景象。世界台灣同鄉會的會員被有關單位認爲有「安全顧慮」並列入「黑名單」不得返鄉，引起全球台灣人民憤怒的同時，也再度引起世界各國認識或是誤認國民黨政府統治下的國家是一個無人權的「警察國家」或是「特務國家」。

　　在我國的特殊環境下，情治系統屬於國民黨的「專利品」。它對外維護國家安全的能力不足。張憲義事件證明了國民黨政府是閹雞（自立早報 77.3.28 ）；然而，它對內往往以消滅異己爲己任。它對黨外人士基本上抱持著懷疑和否定的態度。把和國民黨的競爭者、批評者通通視爲國家的敵人，而加以「叛亂者」、「陰謀份子」、「分歧份子」加以標識。這就是台灣目前混亂的主要因素，也是國民黨無法給人一個「民主政黨」形象的最大阻礙。

　　過份膨脹的國民黨情治系統是淵源於大陸時期的藍衣社、力行社和復興社。藍衣社目前以「三民主義力行社」作爲掩護。根據一般說法，我國有八大或十大情報系統。所謂的「八大」是 1.國家安全局 2.中央黨部 3.情報局 4.警備總部 5.調查局 6.警政署 7.憲兵司令部 8.總政治作戰部。而「十大」是將中央

黨部分爲海工會、陸工會和社工會等三個而成爲「十大」。雖
然黨、政、軍三大系統內部各有肩擔情治系統的部份功能，但
專責情治的組織，在台灣以調查局、警總和情報局爲主幹。

△調查局

法務部調查局是中統系統延續的主脈。它目前以人事安全
管制及經濟調查爲特色。調查局在各公家機關、學校甚至民間
大企業在內都派有專人在負責上述任務。隸屬於「人事室」之
下的「人二單位」，其人員雖由行政院人事行政局核派，但僅
系「文書作業」，而實際操縱大權者乃是法務部調查局。名義
上「人二」單位職司負責政風督導會報之策劃執行，主要是依
行政院訂頒之「端正政風整肅貪污方案」，本「預防與查處並
重原則」，一方面貫徹執行防弊措施，一方面加強查處，藉以
肅清貪污，導正風氣。據民衆日報 77.3.18 指出，過去依民衆的
反映，市府各單位中，收受紅包最嚴重者以建管、稅捐、警察
等單位爲甚，而據事實的績效看來各單位賄賂的情形並不因
「人二室」的存在而有所改變。可見「人二」對於檢肅公務人
員的貪瀆、舞弊實際上根本發揮不了什麼功能。就拿七十二年
爆發的中央市場改建國宅舞弊案，台北市稅捐稽征處稅務員集
體詐領私宰獎金等幾件大案子中，沒有一件是人二系統所舉
發。因此有超黨派議員成立「貪污檢舉中心」鼓勵民衆「自力
救濟」。這無疑是對「人二」存置的一大諷刺。市議員顏錦福
更要求乾脆撤銷人二系統，以免妨礙整個市政的發展。究竟
「人二」是在幹什麼的呢？在過去政黨政治尚未確立之前，屬
於調查局系統的「人二」和「安維秘書」方面，是調查各機

關、學校公務人員和教師的思想考核和忠貞程度為其主要任務。有時為了達到思想控制的目的，在戒嚴令下，經常有不惜亂扣帽子，「拿雞毛當令箭」的假公濟私修理異己，來造成公務人員以及教師們的恐懼心理。

△警備總部

警總的成立，並非根據憲法規定而是屬於戒嚴時期的產物。民國四十七年台灣防衛總部、台北衛戍總部、台灣省保安司令部、台灣省民防司令部等單位因事權重疊，全部撤銷，成立警備總司令部。根據警總設立的宗旨是維護地方治安、加強肅清匪諜、執行動員戒嚴的任務。

根據風雲論壇第九冊九十八頁，透視情治系統一書中指出，警備總部名義上是直屬國防部。在公開的分工上，它主管海港、機場、海岸等的安全、出入境、緝私等，但事實上警總權力卻不僅如此。由於警總有竊聽和管制電訊的權力，它的觸鬚直接伸展到一般人民的政治及社會生活之中，諸如，在戒嚴期間，公然搶奪黨外雜誌的，就是這個單位在執行。

△國防部情報局

情報局由軍事委員會的第六組，演變成國防部第二廳，再度為保密局，而後為情報局，主司對中共的直接鬥爭。多年來，情報局突擊大陸犧牲不少精銳人馬。目前面臨青黃不接的困境。

中央黨部以下各單位的組織與職掌：

(1)組織工作會：負責國民黨在全國各地黨務組織的工作。特別是針對選舉工作，在地方「安樁部點」並長期觀察、監視地

方政治菁英，區分「敵」、「我」，加以籠絡；或予以打擊。一旦到選舉期間則更與情治系統密切配合，「打擊」國民黨的競爭對手，其中「非理性」的手段，不勝枚舉，實不足爲外人道耳。

(2)社會工作會：負責對各類民間團體，如工會、農會、漁會、婦女會……等進行政黨控制的工作。

(3)文化工作會：負責指導全國的文化活動，以保持思想的純正。爲達思想「淨化」的目的，往往對大衆傳播媒體採「行政處分」，對於政論雜誌對國民黨的批評，縱使與國策無關，往往慘遭查禁命運。

(4)海外工作會：負責與海外僑社、黨部等連繫與組織工作。除海工會駐外人員肩負情治工作外，以國民黨中山獎學金出國；或是軍方支助出國的軍校等留學生，也「自動自發」協助海工會各駐外單位，對留學生提供各種「服務」。海工會和其他情治單位配合之處也相當多。諸如，駐外使館人員，「文化」或「經貿」中心人員、調查局、警總等單位在海外也派駐專人等遍佈在僑社、大學校園等各種場所蒐集資料，至於「線民」，也分佈於各階層來了解僑民和留學生狀況。

(5)大陸工作會：負責大陸國民黨地下組織的連繫，也肩負蒐集情報的任務。

(6)青年工作會：負責了解各校社團的政治活動，並防止校園學生運動變質外，黨團的校園工作與情治單位的關係也特別密切。

　　自解嚴後，過去所謂的八大情治系統，已經有了重大的改

變，然而，目前在國內可稱爲情治系統的單位，也有八個，共
計有國家安全局、內政部警政署、法務部各檢察署、法務部調
查局、國防部憲兵司令部（情報處、警務處、各地調查組）、
海防部情報處、總政戰部反情報調查總隊、以及軍事情報局等
單位。

△1.總政戰部反情報調查總隊方面──它在每個軍種都設有反
情報大隊，在地區方面，則設有北、中、南三個反情報站，
下轄十八個組。其主要任務是調查不良幫派在軍中發展組
織，滲透軍中之預警情資，國軍官兵涉及重大違紀犯法事件
情資，國際人士意圖蒐集我國軍隊編制、兵力、武器等軍中
事務的預警情資，以及其他涉及軍中事務情資等。

△2.國安局方面──根據安全局業務細則規定，安全局國內情
報處職掌業務包括：國內保防、偵防、心防、僑防、國內安
全調查、管制、情報與反間，及治安工作之指導與協調，其
下設有四科，其任務分別爲：

第一科：保防政策之聯繫、偵防（叛亂案件）及無法反制事
件之審核、指導、涉嫌線索之偵查、處理特殊分子管制工
作、防制「僞台獨」、「急統」、「中資」組織活動、防制
僞裝滲透及入出境管制之審處、防制敵方心戰、偵辦反動文
字、海外來台人士安全狀況調查、監偵涉嫌華（外）僑有關
安全調查，及對外滲透情報交換合作及專案調查事項。

第二科：國內安全調查、文書情報安全資料及人事資料列
管、國內社團列管（凡向內政部報備的社團都被列管，其他
未報備的社團甚至列爲特案追蹤的對象，初步統計有一千一

百七十一個社團組織遭列案管制）、忠貞審核及專案調查事項。

第三科：主管社會治安事件。在社會治安方面：包括遊行、請願、農、工、學、環保、媒體抗爭運動及勞資糾紛。社會不肖分子包括流氓、竊盜、不良少年、遊民、乞丐、精神病、傷害前科之列管。宗教活動、邪教及其他宗教組織之列管（被列管宗教有十六個，均被視爲邪教，日本的奧姆眞理教也是其中之一）。另有刑案、涉外案、退除役官兵言行監督（退役將領入出境管制、特案列管之退役人員）、港口、機場、山地管制之安全工作及專案調查事項。

第四科：業務職掌範圍包括全國性、地方性之政治、財經、文教、新聞、社會情報、文化檢肅工作之督導、國內外政團、黨派情報運用、國內分歧分子涉外、通共政情資料、專業通訊、特種情報及反間案件之決議權及專案調查事項。（新台灣周刊第 40 期，P.33、34，1996.12.29）

△3.憲兵司令部情報處與警務處方面——憲兵情治單位最主要是負責協防警方處理重大刑案偵防及情資蒐集、海防走私偷渡之情資佈線與預防等。

△4.憲調系統方面——目前在國內有二十一個憲調組，其代號台北市（憲調第 101 組）、高雄市（憲調第 102 組）、台中市（憲調第 103 組）、花蓮（憲調第 104 組）……等，幾乎每個縣市均有，其主要任務爲協防警方與地區檢察官，共同偵辦地方刑案與涉及軍事有關的各項案件。（以上參見新台灣周刊第 40 期，P.32，1996.12.29）

總之,在龐大的官方「社調」機構和眾多的「線民」佈樁下,使之台灣人民在解嚴前,不斷的生活在恐懼的環境之中。至於,在海外方面,台灣人民所受到的干擾,也不亞於國內。許多的台灣人民在過去「線民」和「職業學生」的搶功,或夾私仇而達陷害之目的下,使之有家歸不得的情形相當嚴重。如今,已經解嚴,並不是台灣就不再須要這些機構了。而是,不管如何一個國家大量依賴特務協助統治,處處箝制或甚至迫害人民的基本權力是一個可怕的現象。情治機構是國家的公務機關,其設立、組織及職掌運作攸關人民的權益,須有明確的法律依據。情治系統如在合理合法的基礎上運作,將有助於國家安全及社會安定之維護。然而,情治系統的法律地位及法定職權如不獲澄清或以非法方式從事活動,反將成為法治的破壞者。因此,有許多的台灣人民,不斷呼籲情治單位的運作,不但不能侵害司法權的行使外,更應受民意機關事前及事後的監督以防止類似「江南」案重演的同時,對於過去由特務製造的「冤案」、「假案」、「錯案」也應儘速徹底釐清。

十三、外匯存底神秘運用、國庫通黨庫，以及經濟腐敗篇

　　李師科搶銀行影片的上映，究竟挖了誰的瘡疤？相信大家心裏有數。溫和、善良的台灣人民包括來台的外省人民在內，兢兢業業的付出自己所能、所有爲台灣創造了「繁榮」的經濟景象。然而，外匯存底神秘運用、國庫通黨庫以及經濟腐敗等現象，無不令人擔憂。

壹、外匯存底神秘運用的危機

　　外匯問題牽涉到人民對國家的信心。外匯存底是民眾辛勤努力賺來的血汗錢。外匯存底究竟有多少？放在何處？是否會被私人挪用？又是否在緊急狀況時，會落入私人荷包嗎？這些問題人民當然有權知道，而且政府也有責任定期公開報告盈虧及其運作情形。

一、外匯存底擺在何處？以及如何存放？

　　台灣的中央銀行外匯存款僅次於日本中央銀行、西德的聯邦銀行位居世界第三位。自蔣總統經國先生逝世後，有關台灣七百五十億美元外匯存底的去向，早已鬧得滿城風風雨雨。在民國七十七年三月十八日行政院長俞國華爲了解除民眾對外匯存底存放的疑慮，終於被迫在立法院公佈台灣的中央銀行，除了存在與「蔣」、「宋」有關的美國廣東銀行外，⑯尚存放於英國、法國、西德、瑞士、荷蘭、日本、加拿大、泰國、新加坡和香港等地區。在這些八十五家銀行和十五家證券公司中，

其名單包括有，住友銀行、西太平洋銀行、瑞士國家銀行、世
華聯合銀行、多倫多道明銀行、花旗銀行、伊利諾大陸銀行、
義大利信用銀行、第一勸業銀行、大和證券、澳洲國家銀行、
摩根信託公司、上海商業銀行、加州大平洋銀行、中國國際商
業銀行、美商漢華銀行、歐文銀行、德意志銀行、第一商業銀
行、波士頓第一國家銀行、富士銀行、台灣銀行、美國信託銀
行、法國巴黎銀行、荷蘭安利銀行、美國商業銀行、加州廣東
銀行、新英格蘭銀行、大通銀行等一百家。（自早 77.3.19 ）至
於，在存款的方式方面，國民黨政府，美其名為了防止北京打
起「統一中國」的法律戰，台灣的外匯就很危險，因此不打上
「中華民國中央銀行」的字號及戶頭，而改用密碼代號的存款
帳戶。根據金融專家們指出，用密碼代號的存款方式，如果國
家在緊急危難時，台灣人民辛苦所賺的血汗錢，很有可能在一
夜之間就有被侵吞的危險外，就是在台灣尚未面臨危機的今日
（ 1988 年七月中旬），外傳中央銀行有用蔣孝武名義，將三十
億美元外匯存放在新加坡的情形。雖然蔣孝武本人矢口否認這
項的傳聞，但卻無法排除人民對他的懷疑（參見自早 77.7.17 ）

二、外匯輸共的危機：

　　江鵬堅曾經指出，國民黨政府雖一再強調對付中共的統戰
採取「不談判、不接觸、不妥協」的三不政策，但是國民黨和
中共，六十多年間有內戰、有和談、有聯俄容共、離離合合關
係微妙。因此，國共之間會不會秘密交易、暗中接觸，一直為
台灣人民所憂慮。外匯存底的長期保密，亦有傳聞：外匯存底
可能輸共而換取某種有利國民黨的條件等種種謠言。因不能信

其有，但亦無法斷言其無。於民國七十七年七月十八日，自立早報終於刊出了國民黨經援大陸的部份計劃。陳立夫是民國二十五年與二十六年期間國共第二次合作時國民黨的主要談判代表。陳立夫等人提案建議，如果中共放棄武力犯台，以中國文化替代「四個堅持」，則海峽兩岸可以互惠爲基礎，共同成立「國家實業計劃推行委員會」，由台北提供北京五十至一百億美元的低息貸款，協助大陸經濟發展之外，大約在民國八十年四月三十日，政府正式宣佈終止動員戡亂時期，來承認中華人民共和國爲一個政治實體後，台海兩岸，不管是在政府方面或是在民間方面，均有開始積極交流的趨勢。直到民國八十五年三月，台灣舉行四百年來的第一次總統民選時，中共文攻武嚇，用飛彈打在基隆和高雄外海不遠之處後，國民黨政府，才又修正或放慢對大陸投資合作以及交流的腳步，其情形，有如根據中央日報八十五年十月十六日的報導爲：「海峽交流基金會副董事長兼秘書長焦仁和昨日指出，面對中共以經貿作爲對台統戰之措施，我方不能接受，除了『戒急』之外，還要『戒懼』，更要『反制』，也就是要有因應對策，我們不能把經濟發展放在對我有敵意的對象之上。」至於，兩岸在往後的交流上，會有什麼突破性的發展，則是難以預測。

貳、國庫通黨庫

　　國民黨在中國大陸把持政權數十年以來，無不以革命英雄自居，以爲天下是老子打下來的，中華民國只是國民黨的一黨私產而已！國民黨自從在大陸失利以後，黨員就開始叛的叛、散的散和逃的逃，一時之間黨員大爲減少。當國民黨來到台灣

之後，爲了加強控制和穩固其政權，而於民國三十九年，就開始不斷的擴大其組織，來深入台灣的各個角落。至於維持該黨龐大的組織經費方面，絕非單靠國民黨黨員每月一、兩塊錢所繳納的黨費所能支付之事。今將介紹如何維持國民黨的行政組織經費方面、國民黨的工商企業經營方面、國民黨的大眾傳播事業經營與補助方面、以及國民黨的政治性大拜拜活動補助方面，就足以知曉「國庫」如何的通「黨庫」了。

一、國民黨的行政組織方面：

　　根據傅正先生於民國七十八年九月所出版的「對一黨專政開火」一書中指出：「到目前爲止，直屬於中央黨部的單位，便包括有台灣省黨部、台灣區公路黨部、台灣區鐵路黨部、台灣區郵電黨部、台灣區產業黨部、中華航業海員黨部、特種黨部（即黨化軍隊的軍隊黨部）、以及直屬知識青年黨部、直屬區黨部等，還另有海外黨部、以及所謂敵後黨部。這類隸屬於中央黨部的一級黨部之下，又有各級下級黨部。例如台灣省黨部之下，有二十一個縣市黨部及一個陽明山黨部；縣市黨部之下，還另有區黨部、區分部的組織。在各級黨部的正式編制之外，還有各種附屬單位，諸如革命實踐研究院、及革命實踐研究分院、名稱改變而內容未改的國防研究院、青年救國團、文化工作隊等等。所有這類單位，除掉地方黨部的區分部外，都養了一大批吃黨飯的黨工幹部，以黨務工作爲養家活口的職業。在難以數計的黨工幹部推動之下，各級大小黨部，又要隨時辦理各種形式的集會、訓練、講習、演習、宣傳、考察、招待、展覽、補助、救濟等等，乃至於彙集各種紀錄、卡片、圖

表、照片、統計等等資料；最近又在台灣各大學的研究所尚沒有固定經費的今日，爲了豢養幾個專吃主義理論飯的食客，還耗費四十萬元的開辦費，添設了一個三民主義研究所；甚至在大專畢業學生連自費出國也十分困難的今日，爲了培植國民黨忠貞幹部，又耗費美金三、四萬元以上，辦理中山獎學金留學考試。國民黨由於組織如此龐大，人員如此衆多，活動如此頻繁，開支之浩大，自在意料之中。至於詳細數字，雖無法加以統計，但由青年救國團每年便需三億以上的情形來推測，如果國民黨的一切直接間接開支全部合併起來，每年勢非超出十億以上，便絕無法應付。」⑩

二、企業方面：

國民黨的黨營企業究竟有多少呢？這是大家所關心或好奇之事。抗戰勝利在望，民國三十四年五月十七日，國民黨在重慶召開第六次全國代表大會第十六次會議時表示，爲因應今後政黨政治的常軌，謀黨費之自給自足，以一百億元爲目標，用於投資或舉辦各項生產事業後，於民國三十四年九月，改組中央財務委員會，以陳果夫爲主任委員，開始建立黨營事業。民國三十五年三月，國民黨在六屆二中全會時，在蔣介石的支持下，決定接受敵僞工商企業資本時，撥出五千億法幣爲黨營事業基金。民國三十八年年底國民黨撤退來台時，在大陸總資產約七百五十萬美元的黨營事業，賠掉九成達六百七十萬美元，只有一家黨營企業及時撤退來台。⑰民國三十九年三月一日，蔣總統介石先生，在台復行視事後，於同年八月五日，「中央改造委員會」正式成立，其中，第七組爲專責黨辦企業和黨員

經濟生活，開始配合著政府的經濟政策，獨占或寡占經濟利益
的同時，並包攬公營事業以及政府的業務。在民國六十年六
月，中央投資公司正式成立，改變了過去由中央財委會直轄黨
營事業的作法，改由控股公司轉投資方式，來和民間財團合
作，擴大其觸角與影響力。有關它的經營情形，根據自立早
報，於民國七十七年二月十二日刊載指出：「早期國民黨在台
灣的黨營事業，除了裕台公司和齊魯公司屬於經濟事業，其餘
全都屬於文化性事業。經過民國五〇年代的擴充，到了民國六
〇年代，則擁有六家直屬中央財務委員會的公司，包括中央投
資公司、裕台公司、齊魯公司、中央產物保險公司、瑞華公
司、中興電工機械公司；以及黨股占五〇％以上的轉投資事
業，計有台灣裕豐紗廠公司、景德製藥公司、台灣建業公司、
建台水泥公司、中央玻璃纖維公司、新興電子公司、中興電工
公司七家。國民黨黨營經濟事業並不是每一家都保證穩賺不
賠，由於重要人事都由國民黨中央財委會安排，往往帶有政治
酬傭性質；加以經營企業不同於搞黨務，非有企管專業知識是
無法承擔重任，所以不少黨營事業在外行人領導之下，管理績
效不佳、無法因應國際經濟變化，到最後，有的企業只好合
併、有的企業轉手、有的企業苟延殘喘。……演變迄今，國民
黨黨營事業直屬中央財委會的有：中央投資公司、光華投資公
司、齊魯公司、裕台公司、中央產物保險公司、中興電工機械
公司、中興票券金融公司、景德製藥公司。（自早 77.2.12）在
民國七十六年七月十五日，台、澎地區解除戒嚴，黨國逐漸分
家，除了繼續稀釋黨資，化整為零，模糊外界對黨營事業的注

意力外，並開始進行海外投資計劃。根據民國八十四年四月
「財訊」刊載梁永煌的「一二一家黨資事業總覽」情形爲：1.
中央投資公司，投資金融、石化和綜合事業，有台灣石化、中
美和、台苯、世華銀行、台灣糖業、統一超商、中國鋼鐵、中
鼎工程、中華開發、建台水泥、裕豐紗廠……等，共六十四
家。2.光華投資公司，投資氣體、科技事業，有欣泰石油氣、
永進生物科技、宏碁科技、台灣電訊網路、台灣貿開……等，
共三十八家。3.啓聖實業公司，投資營建開發，有漢谷開發、
宏啓建設、啓祥實業、昭凌工程顧問……等，共十七家。4.建
華投資公司，從事專案事業投資，有大華證券、華信銀行、中
信銀、中華開發、中興票券、台灣蠟品、七海旅運社等七家。
5.悅昇昌投資公司，從事海外事業投資，有中央貿開、台灣貿
開、新加坡大星、香港台灣貿易、泰興企管、賴比瑞亞商詹伯
勞德等，共六家。6.華夏投資公司，從事文化事業投資，有中
央通訊社、中央日報社、中華日報社、中廣公司、中影公司、
中視公司、台視公司、正中書局、中央文物供應社、華夏國
際、博新多媒體等，共十一家。

　　國民黨在台灣做生意，在黨、政一家的呵護下，生意愈做
愈大後，再透過營業利益，支持政治活動，相互爲用，怎麼不
創造出國民黨在台灣的「政治」和「經濟」奇蹟？

三、大眾傳播界方面：

　　1.廣播方面：許榮淑於民國七十七年四月二十日表示，政
府歷年來對中廣的補助，已有二十一億之多，早就足以成立一
家國家廣播公司之後，⑫於民國七十七年五月五日，對於新聞

局所編列的「購置中廣公司國內廣播節目時間」近九千萬的預
算中，民進黨委員指爲國民黨對國家頻道資源的另一種壟斷形
式。康寧祥認爲政府常年支用龐大的國家預算補助一個非國家
機構，適足以使民營的中廣公司，成爲國民黨的傳聲筒。張俊
雄指出，包括新聞局對中廣公司國際廣播的補助，以及交通部
長虹計劃第二期的編列經費，下年度對中廣公司的補助經費，
高達五億七千餘萬元；朱高正強調不只要刪除下年度的全部預
算，還要清算中廣四十年接受不當補助的帳，如果中廣不能清
償這筆納稅人的血汗錢，就要政府接收中廣！（自立早報
77.5.6）

　　2.報業方面：於民國七十七年，立法院審查教育部購買
「中央日報郵寄海外華僑的九千六百餘萬經費」時，民進黨指
出該筆預算非但是「黨政不分」，並對中央日報的可讀性提出
強烈的批評。張俊雄引用僑選委員會宣以文的話指出，「中央
日報海外版在國外根本只是家庭主婦買豬肉時的贈品罷了！就
算想找個地方擺著任人取閱，店家還不見得同意他們擱那兒！」
（自立早報77.5.6）

　　3.雜誌、通訊社方面：在外交部的預算中，民進黨建議刪
除黨政不分的不當補助。其中包括對「亞盟」及「亞洲與世
界」社的國民外交補助，以及對「中央通訊社」的國際文宣工
作及資訊連繫等方面的補助。（自立早報77.5.14）

四、政治性大拜拜活動的補助：

　　1.自由日政治性大拜拜：民進黨委員，於民國七十七年五
月強烈指責政府每年對亞盟中國總會以及亞盟秘書處給予一億

五千八百餘萬元的補助，是一種公帑的浪費外，尤清更指出，
「難道請影星唱歌跳舞，找些不三不四的人來演講就能反共成
功了嗎？」許榮淑亦對政府這種「形式主義反共」大加抨擊，
認爲和拿黃金利誘投誠的作用，同樣拙劣。（自立早報77.5.1
7）

　　2.國建會酬傭政治性的大拜拜：一般人認爲「國建會」花
了一筆龐大的經費，來酬傭海外學者，然而眞正敢言、有創
見、有寬大胸懷的學人並沒有被邀請。而被邀請攜家帶眷返國
的所謂學者們，在國建會發表意見時，政府在表面上好像非常
尊重，但實際的接納卻是十分的微小。

　　3.地方性黨團的補助：有時，國民黨爲了該黨的利益，不
惜違反行政中立，而假借某種名義，有如「民主護法」大會等
活動，要求各地方鄉鎮派員參加，並給予大量的補助等事情發
生。它往往被反對黨批評爲這是國民黨「府會一家，黨政不
分」的表現。

叁、經濟腐敗

　　禮義之邦，遠離自我。美麗寶島特權、弊案、索賄無日不
上報。立法院趙少康委員，不止一次的提議設肅貪機構，遲遲
沒有迴響。又有人說如果肅貪人員搞特權，那麼設立肅貪機構
也是枉然矣！

　　有關經濟上的腐敗方面，可分爲軍方和民間兩方面，來加
以探討：

　　一、在軍事方面：有關國防的採購方面，過去均是以「機
密」爲由，而少爲外人所知。然而，自蔣總統經國先生逝世

後，在民主化的強力要求下，對於國防的採購方面，也開始慢慢的走出黑箱作業方式。其情形有如，在民國七十七年時，在國防預算上兩黨開始討價還價。今僅以採購「戰車」為例，就足以知曉有關軍方的大概採購情形了。根據民進黨所提供的資料顯示，我國採購的 M48H 混合型戰車和由 M48A3 改裝的 M48A5 戰車，平均每輛造價約美金三百萬元，但是同樣的武器，摩洛哥向美購買一百輛，包括後勤裝備，才美金六千八百萬元，平均每輛是六十八萬美金，而南韓向美購買，每輛也才三十二萬美金左右。我國每輛戰車的造價為其五倍至十倍之多的情形看來，⑰不管是在買方或是賣方方面，有關它的內幕可能不是很單純！

二、在民間方面：它可分為行庫超貸和權貴搞特權等兩方面，來加以探討。

1.行庫超貸的問題：由於行庫放款制度的不健全，而產生許多的流弊，其情形，根據美麗島雜誌刊載指出："本省行庫大多屬於公營，因公營事業經常犯了「吃」、「偷」、「懶」的毛病，高層冗員充斥──行庫董監事多屬退職官員，俗稱「夏台鳳」，即「下台俸」之意──他們既學非所長，又帶有嚴重官僚氣息，無法發揮監督功能，使得行庫業務弊端叢生。諸如：青年公司案、啓達案、華僑商銀行員挪用公款案、第一商業銀行巨額騙取外匯案……，真是不勝枚舉。"（美麗島第一卷第二期 P.26 ，68 年 9 月）

2.權貴搞特權，檢、警、治人員嚇破膽的問題：不管是共產國家或是民主國家，都有權貴搞特權的問題存在，不過國民

黨在台灣方面，似乎比起其他國家更爲嚴重一些罷了！今以下列三例簡述如下，就足以了解其大概情形了。

△有關蘇南成涉及高雄市政大樓舞弊案方面，多名監察委員提出糾彈，經監察院討論結果，絕大多數增額監委都主張應該彈劾，輿論民意也多傾向如此，監察院不敢不彈，卻又不敢彈，其原因是彈劾政務官會引起政治不安。我們的政府何其脆弱！（民眾日報77.3.19）

△李鴻禧教授於民國七十七年七月指出，台灣又發生了若干政治權貴壟斷經濟特權，以攫獲暴利事件。其中較著者如「電信總局數位式電子交換機採購事件」、「台電與潘氏公司購煤事件」、「鴻霖公司與華航票務關係案件」、以及「彰化濱海工業區案」等；因涉及之公司負責人、股東或重要幹部，若非黨國元老或黨政大員之子弟，就是已退休之高級官員；夾其政治權貴之勢力，獨占經濟特權而坐收鉅利。這些案件雖都經人告發，指證歷歷；但監察委員之調查，固然遲緩澀滯，躑躅不前；就連以摘奸發伏訴追犯罪爲厥職之檢警治機關，也始終不聞有積極在著手偵查或蒐集證據之訊息。（自立早報77.7.11）

△公共工程弊案頻傳，全民同感憂心，舉其大者，如「四汴頭抽水站弊案」、「八里污水處理場弊案」、「西濱快速道路野柳隧道弊案」、「中油廢水案」、「台電輸配電塔弊案」、「捷運弊案」、「中正二期航站弊案」、「十八標弊案」……等枚不勝舉。法務部長廖正豪，於民國八十五年十一月十八日，在談民意代表中，有許多「黑」背景之人以及目前政府正

在從事大力「掃黑」行動之時，毫不諱言的指出，在政府機關中，有人和黑道勾結，去年貪瀆所得為九十億元，今年迄今則有一百二十幾億元的驚人數字看來，國民黨政府應該好好檢討、改進之時了！（參見自晚 85.11.18 以及自晚 85.12.25）

　　綜觀上述，除了一些的腐敗事項外，在過去授予獨占地位的公營企業或是黨營事業方面，由於過渡的呵護，而缺乏競爭力的同時，又面臨著現今已步入政黨政治，以及經濟自由化的強烈競爭下，更須有廉潔而高效率的行政機構做為它的後盾，如此才不會落入俗話所說的「官屋漏，官馬瘦」的情形了。

十四、外交一敗塗地篇

　　爲什麼國民黨要拿人民的血汗稅金去餵那些靠金錢援助以及經常滿足他們往往利用兩岸當前矛盾狀態，從事國際勒索的小小邦交國呢？又爲什麼國民黨還死要堅持設外交部呢？這原因很簡單，這個所謂的「外交部」只不過是對內而非對外。它的目的是向台灣人民製造一個假象，它仍然還有外交罷了！

　　十多年前，我們不僅是聯合國會員，更是安全理事會的常任理事國，當時與我們建交的有一百多個國家，其中包括世界上最主要的國家。然而，在蔣總統介石先生「漢賊不兩立」的決策下，形成敵進我退，國際地位日益低落，友邦越來越少，無法立足於國際。現在與我們有邦交的國家，只剩下中南美洲和非洲等約二十個小國，我們的外交，在國際舞台上，不僅是一個「亞細亞的孤兒」，而是一個「國際的孤兒」。我們既然有政府、有所謂的「外交部」，我們的遊客、我們的貿易商，在世界各國爲何不能和其他各國人民一樣的享有平等、互惠的待遇？如果國民黨政府有國格，就必須維護它的國民在國際上的尊嚴，並享有在世界各國的平等待遇與互惠權益。

　　爲了二千萬台灣住民的前途，國民黨黨員必須一齊挺身而出，爲救亡圖存，棒喝那些老而昏庸、誤國誤民的層峰決策人士，迅速擬訂新策，重返聯合國。⑭住在台灣的同胞們也要奮身而起運用各種手段向國民黨政府施壓、抗議以消除國民黨在外交上根本站不住腳的原因是國際己經不承認國民黨在中國的

地位，有如台灣人不承認國民黨在台灣的法統一樣。只要國民黨代表「中國」一天，台灣就有在國際上淪亡的一天。⑰

　　為什麼我國的外交會面臨如此的悲慘困境呢？人民為什麼會對政府沒有信心和產生許多的抱怨呢？它除了面臨中國共產黨的打壓外，自身問題也很多，其情形有如：

一、外交弊端是內政的寫照與延伸

　　要提昇台灣人民在國際的地位，首先必須健全外交部的組織。一位中國外交史教授說，「弱國無外交」，其實是滿清政府及北洋軍閥之藉口，用以掩飾內政不修及官員昏庸無能。正如一位美國前聯邦參議員法律顧問說：「（中華民國）當前國勢強盛（經濟發展），外交辦不好，是沒有什麼藉口的。」⑰今以聯合報於民國七十六年十二月十二日所針砭的內容可知其一、二。該報指出：「近年來，國府外交工作之困境及拓展問題，常是有識之士疾首皺眉的焦點所在，而我外交工作的僵化制度，駐外人員年齡老化，使館人員不諳當地語言，駐外人員利用外交豁免權營利，酬傭性外放退休人員等問題，亦多為各界所詬病。」其情形有如：

㈠外交人員素質低落：

　　外交人員升遷沒希望、待遇不能看、人才不屑顧。新進人員水準愈來愈低，去年（民國七十六年）外交領事人員特考報名人數四百五十人，原定錄取五十名，但因應考人的平均素質並不理想，結果只錄取了四十名。今年的特考，錄取人數依然定為五十名，但報名人數卻銳減為二百五十人。⑰這對一向以擁有「最多」優秀人才為傲的外交部是一項不容忽視的隱憂。

外交官行情的沒落要歸咎於本省人在外交部「沒出息」，外交
部的所謂「大使」又被軍職轉任的人員佔了一部份，若無強硬
背景的外交人員要一步步爬到大使職位幾乎是夢想，因此，在
部內人員，往往因爲「不上不下」的情形不能突破，一一求
去，使得人才大量外流（參見民衆日報 77.8.25）

㈡大使水平也不高：

　　周書楷常說：「只要蔣總統支持我，我就誰也不在乎。」
近日來周大使改口說：「李登輝是我的好朋友。」除了，上述
外，周書楷習慣使用驚人之語，他常爲國事家事「煩憂」之
際，總不忘來一句「撈過界」、「搶功勞」的國罵，並且斥咄
我國這些與教宗過往較密的主教們爲「賣國賊、亡國奴」來宣
洩一番。周大使最有名的「戲言」，是在一次公開場所中指稱
教宗若望保祿二世爲「戲子」。教宗早年曾參加戲劇團工作，
據聞此話傳至教宗耳中時，曾令他震怒不已。羅光主教爲了此
事，不知向教宗賠了幾次不是。除此之外，周大使曾多次在中
館員面前指責「天主教男盜女娼，教士吃喝嫖賭，地位越高越
壞」等等，此話一出，總是令我國館員羞赧之色油然而起。
（自立晚報 77.2.9）

㈢駐外單位「黑官」充斥：

　　幾乎所有我國駐外單位，都是如此的腐敗。今以北美事務
協調會爲例，就可知爲何我國的外交會一敗塗地。根據自立早
報七十七年五月九日刊載指出，北美事務協調會的黑官比率，
可能高達百分之五十以上。一位北美事務協調會官員估計，在
協調會駐美代表處中，秘書級以上的官員與一般雇員比例，大

概是一比一，當然秘書級官員也有「黑官」，而僱員則幾乎全部是「黑官」。又根據外交部雇員聘雇辦法，駐外單位雇用當地雇員的資格只限高中畢業即可。因此在駐美代表處，許多高級長官的眷屬擔任該雇員；甚至有一家三口在駐處支領薪俸。這些當地雇員絕大部份工作認眞；但是強恃「人事背景」而驕縱者亦不在少數。往往主管對「有背景」的雇員，更有畏心，禮遇三分，影響士氣。⑱至於，派駐海外的人員及機構方面，也有相當嚴重的「人情氾濫」情形，諸如舊金山中華文化中心，亦是如此。

二、懼外與無能的悲哀

近年來，我國的外交表現及國人對外交部反應如何？從下列幾件事情，就足以知曉我國對外以求苟存，以及對內以圖掩飾的外交悲哀了。

例一、台籍日兵的索賠，以及政府的漠不關心：

我們的統治者國民黨政府以中日無邦交爲由，惟恐討債行動會影響中日關係，根本不協助台籍日本兵向日本討回公道的索賠行動。因此台灣住民原日本兵關係暨遺族協會聯合會，在沒有政府輔導情況下於一九八八年二月二十七日台灣住民五千人到中山堂除抗議政府不聞不問外，並希望爲台籍日本兵爭取更合理的補償。（自早 77.2.28 ）

例二、張憲義的間諜事件與國格問題？

張憲義事件，國格尊嚴何在？國民黨政府，你爲什麼不生氣？美國在台協會表示不承認也不否認和張憲義的關係。中國時報七十七年三月二十五日，指出據美國紐約時報的報導，美

國官員已承認張憲義是中央情報局的線民，並由其安排潛逃至
美，類似的事若發生在其他國家，幾乎絕對會引起兩國關係的
緊張，爲什麼我國官方至今仍一片沉默？外交部發言人陳毓駒
表示外交部正與國內有關單位進行了解，但至今完全沒有向美
方求證，此話如果當眞，便不禁令人懷疑外交部究竟關不關心
我國國家主權的維護？否則爲什麼外國情報組織收買我現役高
階軍人竊取國防情報的傳聞甚囂塵上時，外交部卻不聞不問？
這樣竊取國防機密的行爲，不論其動機爲何如果是事實均相當
程度地侵犯了我國的國家主權與尊嚴。又根據自立早報七十七
年四月二十三日，刊載外交部次長章孝嚴對於張憲義案件有關
美方涉入的問題，章孝嚴再次指出，我國迄今毫無證據證明此
事，而美國中情局發表「不承認也不否認」的說法，我國不能
自行任意解釋，而對美採取在外交上十分嚴重的抗議行動。

　　例三、漁民在公海遭受他國暴行，外交部亦置若罔聞：

　　除印尼海軍在公海上砲擊台灣漁船，造成嚴重死傷，國民
黨外交部不動聲色外，自立早報於民國七十七年五月十七日又
指出令人氣憤的阿根廷事件，是「台灣漁船在福克蘭群島附近
水域遭阿根廷海軍暴行之後，由於沒有使領館可保護中華民國
人民權益，在阿根廷法院又沒有起訴能力，中共外交部台灣事
務辦公室遂利用台灣投訴無門之苦，向阿根廷政府抗議。台灣
的外交孤立使中共有越俎代庖的機會，也使得中共趁機製造台
灣涉外事件，中共外交部有權管轄的形象，更進一步使台灣當
局的『地方政府』層次更加突出。」

　　綜觀我國的外交政策，長期以來，似乎處於「多做多錯、

少做少錯、不做不錯」、「以不變應萬變」、「弱國無外交」
等落入葉名琛模式的「不戰、不和、不守、不死、不降、不
走」的「哀莫大於心死」的觀念之中。然而，自李總統登輝先
生，在國內局勢大致穩定之後，於民國八十四年（西元 1995
年）六月，有機會在美國歐林講座，講述「民之所欲，長在我
心」時，充分的表達了台灣人民的心聲外，還成功的向世界各
國展示了中華民國在台灣的存在事實。

十五、監察院千古篇

沒有浩然正氣，焉能稱之監察院？沒有凜然正義焉能稱之為監察委員？孫中山先生創立五權憲法之監察院機構，乃在於使監察權能超然獨立於立法權之外。孰知監察院在政黨政治運作下，監察權已淪為黨同伐異的工具。自行憲以來監察院的功能，每下愈況、日益式微、正氣被邪惡所蒙蔽，正義被權勢所欺壓。很多「翻案」及「糾彈案」，諸如二二八事件、孫立人、張學良、雷震案、台電購煤案、電信交換機採購案、官派高雄市長彈劾案……等，都畏首畏尾，作曲意辯解，沒有令人滿意的結果。監察院給升斗小民的印象是不僅不敢打「老虎」連拍「蒼蠅」都躊躇了。（自晚 77.8.29 ，呂亞力）因此學術界不少人公然倡議廢除監察院，民眾包圍監察院、羞辱監委、「呈獻」蒼蠅拍子，在監察院前辦「小殮」喪事……等層出不窮。這種監察權的萎縮、監委形象的低落、監察尊嚴的塗地，使之柏台大人施鐘響都感慨的說：「監察院亂七八糟，乾脆關門算了！」⑲

我國監察院會落入如此悲哀地步，大概有下列幾種原因：

一、監察院無法超越黨派：

*1.*監察院一黨獨霸，它在民國七十六年的監委選舉中，政府以十二席足額提名方式全部包辦，並不顧民眾輿論之批評，強行修改選罷法，使監委選舉變為多數連記投票，有效封殺在野人士進入監察院。

　　2.監察院內公然設置黨團成爲「黨爭」的角力場所而非超然的機關。

　　3.監察委員行使糾彈時，均須處處請示「黨意」而不依據所調查的事實來論大是大非。如此之監察院怎能糾彈不法，以肅官箴，改善政治風氣。

二、豬仔監委及其協助查案成員的素質有待商榷：

　　1.豬仔監委比比皆是：行憲初期，監院柏台中，有不少像于佑任、陶百川等不畏權勢、剛正不阿的監委，然而，他們大多年紀已大，自身難保，早已退出監察行列。現今民國七十六年的監察委員，在省議會「整體規劃」的監委選舉中，除了國民黨一家之外，沒有第二家分號，在所選出的十二位「金柏台」中，有三分之一只有中學學歷，眞不知國民黨把監察院當作什麼機構。

　　2.監察院內軍人充斥：在各方要求將軍官轉任文職制度廢止之時，在監察院發給每位委員參考的一份職員簡歷表上發現，具有協助查案資格的職員中，即有五分之一左右是軍人出身或軍官轉任。專門負責協助監委查案的調查專員中，十位薦任專員中，有四位是由軍官轉任，七位簡任調查專員中，則有兩位具有軍方背景。在監察院十個委員會的主任秘書中，有五位是軍官轉任，比例高達二分之一。（自立早報77.5.16）由上述情形可以知曉在監察院協助調查某些特定案件所需的專案人才，少之又少外，院內各科室主管頗不乏軍職轉任或是中學學歷的素質。雖然事務上的經驗可以彌補學識之不足，但在經驗累積之初，由誰來償付那種的學習代價？

三、官架十足，行政效率低落：

從民國六十八年至七十五年間，協查職員在缺乏專業背景知識情況下，監察院對於所收受的人民陳情、請願及檢舉的書狀，平均百分之四十九遭到「事出有因，查無實據」的「存查」命運。民國七十六年監察院曾經力圖打破被譏之爲「存查院」的「雅名」，從事紓解「天下蒼生」疾苦，存查比例雖然降爲百分之十，但是調查案件以及糾彈案件和被彈劾的人數，卻並未明顯的相應增加。（自立早報77.3.6）

四、監察院亦烏漆八黑：

在民國七十七年九月十五日，彈劾蘇南成的第四次審查會中，除了執政黨的黨政運作主力人士全部出席的同時，而平日配合黨務運作的「資深委員」又佔多數下，終於以八比三之數否決了彈蘇案外，又爆發了監察院長黃尊秋和無黨籍監委施鐘響在監察院的對話：黃尊秋公開表示「誰拿到好處，大家心裏有數。」施鐘響在監察院咆哮表示「誰拿到好處，要不要我現在掀出來？」（聯合報77.9.17）的爭執。

今以彈蘇案爲例，儘管輿論喧騰、民意沸跳，而監察委員之中，據說「拿好處」者有之，「陪吃飯」者有之，「請示主席」者有之。彈蘇案中的十七位官員個個平安，蘇南成柳暗花明，以八比三被否決彈劾。故在彈劾該案的當天早晨蘇南成絲毫不懼他本人的案件而快樂的飛往韓國參觀奧林匹克運動大會。爲了尸位素餐的監察院，笑看全民福祉任人污衊踐踏！高雄市民進黨市議員陳光復等四十六名成員漏夜揮「軍」北上，凄風苦雨鮮花輓聯冥紙公祭監察院。白布條寫著：「監察院千

古」、「痼疾久纏身，此日幸死人稱慶」、「手捧湯匙碗筷、吃罷魚翅燕窩，只拍蒼蠅，不打老虎」等。以上在監察院所辦的喪事是屬「小殮」。而高雄市政府大樓前的祭禮是屬於「大殮」。監察院治喪委員會的公告訃聞是：「監察院久失御史風範，因罹患南成型癌症，臥病良久，幸於九月十五日中午十二時十五分，因彈蘇案衰竭，病逝台灣客棧，爲彰顯惡跡劣行，特停靈於高雄市政弊案大樓南成廳，俾供各界慶悼，並將於九月二十四日下午三點假市政弊案大樓舉行公祭，隨後發引安葬於國民黨墓園。」訃聞中的具名如下：「杖期夫黃尊羞」、「派哀子蘇難成」、「孤媳陳蘇三」、「誼子張玟獻、黃順得、吳石南。」（自立早報 77.9.17 ）

十六、請勿踐踏基本人權篇

人身自由是一切民主自由權利的根本要件，沒有它，一切的自由均是口號。在國民黨統治下的情治單位，以刑求是尋求證據的最便捷的途徑。因此在台灣誤捕、刑求、施暴事件迭起。打、刺、踢、電、灌、吊全餐招待。刑求逼供從頭頂到腳底，臉部打得肥腫蓋過雙眼，胸部打得潰爛、灌水、倒吊、電擊下體，昏迷的倒在吐血的血泊中，而終身殘廢甚至死亡的事件迭起。這種的刑求爲法治國家所不許，亦爲民主國家所不容。美麗寶島台灣，會出現漠視「人身自由」權的一切罪惡禍首，只是一黨獨大。如果國民黨不專制，也不會有囂張情治人員把奉公守法的百姓推入黑暗的深淵；如果國民黨不獨裁，警察人員怎能任意施暴百姓，導致離奇死亡命案的爆發，其情形有如王迎先命案的發生。今以民國七十六、七年，警察以及監獄，在對基本人權的嚴重侵害方面，列舉如下：

一、在警察的偵訊方面，諸如：

*1.*民國七十六年十月二十四日，民衆日報第三版刊載：恒春警察分局車城分駐所四名警員於十月十七日逮捕一名魏姓竊嫌，偵訊後，以竊盜罪嫌移送地檢處偵辦。魏嫌於二十三日下午持戴鐵雄醫師驗傷單及吐血血衣，前往屏東地檢處按鈴申告，向檢察官控訴四名車城分駐所警員刑求逼供。魏嫌指稱四名警員輪流偵訊時，刑求逼供毆打成傷，使他吐血，致使嚴重內傷。

2.民國七十六年二月二十五日，民衆日報第三版刊載：被疑為涉及溫素卿分屍案的男子劉洪飛，於二十三日，被警方「約談」。在警方偵訊中，突然心臟麻痺，休克致死，劉某的家屬表示，以劉的身體狀況，不可能心臟麻痺，懷疑係遭警方「電擊」所致。

3.民國七十六年十一月二十六日，民衆日報第三版刊載：國聯徵信社兩名職員周正國與徐魁龍，前日被帶往警分局「約談」有關龜山分屍案一切時，若他們考慮思索或回答較慢時，刑警人員便動手毆打胸部及腹部。周正國表示，刑警人員是用電棒電擊他的下體，徐魁龍則稱除了下體被電擊之外，還被「灌水」。

4.民國七十七年五月二十日的「五二〇」事件中，被警方收押的九十六名「嫌犯」，根據前往土城看守所探望的親友表示，張正忠、陳茂雄、林慧如（林國華之女）、魏木卿四人，身體有明顯嚴重的外傷，而林宗耀（筆名林濁水，民進報總主筆）則在偵訊過程中遭毆打成內傷。其餘的人也均表示，他們在遭逮捕後，都曾被凌虐、當作洩憤的工具。

林濁水表示，他是在一點左右與學生一起靜坐時，被鎮暴人員拖進分局內，一陣拳打腳踢地亂打。四點到五點，偵訊時，又被持續不斷地痛揍、刑求長達一小時。林濁水說，警方逼迫他「承認縱火」，他不願意，警方即「撞」、「踢」、「摔」地對其身體施暴。後來，警方心血來潮，命令他蹲馬步，他仍不願遵從，就又吃了半個鐘頭的拳腳。當林濁水被移送土城看守所後，時代週刊記者，到該處專訪林濁水。問：警

方控告你「縱火」，你承認犯罪嗎？答：警方在偵訊時，是以分派方式隨意指稱我縱火，在作筆錄時，警方也不斷對我施以刑求，強迫我承認縱火，我事實上並未縱火，無從承認。我只是在警方發出警告後，仍沒有離開現場，但這並未構成犯罪。問：聽說你在遭受刑求毒打一個多小時，其間沒有求饒，也沒有憤怒，揍你的警察均感奇怪，為什麼你沒有憤怒？答：警察他們已經失去理性，對他們憤怒根本沒有意義。（參見時代週刊 226 期 P.16-19）

二、在流氓管訓方面

　　岩灣和綠島職訓總隊暴動事件，暴露了一個長期以來忽略的人權問題。

　　李勝雄律師指出，「『動員戡亂時期檢肅流氓條例』當初會通過立法，本身就違法，因為這完全違反罪刑法定原則，刑法上，哪有『流氓』這種罪名？」[180]

　　郭吉仁律師指出，「法律上對流氓不清不楚的定義，是造成警政機關可以隨便送人去管訓的最大幫兇。」類似「品行惡劣」、「欺壓善良」、「白吃白喝」這種對流氓的抽象定義在「檢肅流氓條例」中處處可見。（新新聞周刊 P.38，76.12.7）

　　民國七十三年十一月，政府實施「一清專案」，全面取締流氓。第二年取締的累積數目已突破二千人，直到民國七十六年總共有四千七百多人被移送管訓。（參見時報新聞周刊 P.1，76.12.8）

　　在民國七十六年七月，宣佈解嚴後，一切法治運作均應迅

速修正回歸憲政常態。依法人民除現役軍人外，不受軍事審判；人民犯罪亦無接受軍事機構執行感訓處分之必要。但目前有關流氓的核定和感訓業務的執行，依「檢肅流氓條例」規定，仍由軍方的警備總部執掌，且司法單位對流氓的認定並無最後的仲裁權。（台灣人權，第二期，P.10，77.1.30）

　　綠島八名命案的爆發，乃是新法和舊行政命令的界線不清，不能即時補救或移交所致。民國七十三年一清專案期間，所移送管訓的流氓，是依據「台灣省流氓取締辦法」的行政命令執行，而引起各界的非議。為使流氓的管訓，能夠合乎司法程序，終於，在民國七十四年七月十九日，又有「動員戡亂時期檢肅流氓條例」的通過。雖然，移送管訓的流氓須經過治安法庭的裁定，再移交給職訓隊感訓的改進。⑱但它仍然有許多的缺失，其情形有如：

(一)法律的周延性不足方面：

　　岩灣和綠島的暴動問題是出現在感訓期限上。依照新條例，感訓期限一至三年，最高並得延長至五年，延長需檢具事實報由原裁定法院核定。然而，在新法公佈之前移送管訓的隊員，並無「適用新法」的規定。⑲受刑人的刑期可以一延再延，任人而非任法決定。

(二)執法的客觀性不夠方面：

　　岩灣暴動事件發生後，李勝峰等二十八位立委，才在院會開始放炮，指出一清專案開始執行自民國七十三年十一月至七十六年十月，警政單位已提報流氓四千三百五十三人。其中有些冤曲不實，而各單位對流氓之提報，是採取「配額」方式。

也就是不以是否符合流氓要件而提報，而是依提報額數，照人頭硬套標準而取締。警備總部對配額的計算是根據人口總數、犯罪人數及現有警力的總人數三項基準算出。因此當地人口數多，警力多，就一定要提報較多的流氓。而與當地眞正擁有流氓總數不一定相關。至於，在執行上的偏差問題方面，往往有小囉囉填充配額，大流氓則逍遙法外的情形外，也有警察挾怨報復的例子。諸如幾年前綽號叫「秘雕」的拉客黃牛，因抖出交通大隊警察受賄的內幕，而被警察懷恨移送管訓的情形。⑱

在管訓方面，雖然罪犯須爲他們自己的所做所爲，擔負一切的後果，然而流氓也是人，也應有他的基本人權。對於不合乎人性和人道等不合情、理、法的管理方式也應予以改善，以免有凌虐人犯、殘臂、斷腿、淪爲植物人或離奇死亡……等嚴重侵害人權，以及草菅人命的事情發生外，（參見，台灣人權第二期 P.10 ， 77.1.30 ）對於看守所的管理人犯方面，也同樣的須要兼顧基本人權的問題，其情形有如，在民國七十六年一月十日至三十日，蔡國良等三人，認爲張姓受刑人毒癮發作，企圖自殺，將張姓受刑人綁在擔架上，用馬達鞭抽打腳底，並綁了三天三夜，任他在擔架上睡覺、大小便，吃飯則由雜役餵外，並用電擊棒電擊受刑人生殖器。案發幾個月後，檢察官到該看守所檢查該受刑人的雙手時，發現還有勒痕，證實這些勒痕絕非綁在擔架上十多分鐘所能造成。因此高雄地院推事判高雄看守所管理員蔡國良、吳東城及謝嘉泓等人凌虐人犯罪一年二個月，減刑爲七個月的情形發生。（聯合報 77.8.2 ）

△揮別白色恐怖，綠島垂淚碑的籌建

晚霞如火燒古城　　群山齊動傳茄聲
孤島有情長夜泣　　蟄龍沈睡海吐腥
無邊風雨蕭蕭去　　曙色朦朧一線明
法場鮮血囚房泣　　痴心仍圖喚蒼生

柏楊

　　為了走出專制統治的舊軌道，以及撫平戒嚴時期對人民的傷害，人權教育基金會，於民國八十五年十一月十七日，假台大校友會館，發起「綠島垂淚碑」的籌劃與興建。

　　這個象徵著踩躪、屈辱、迫害和掙扎的綠島（原名為火燒島），它自日本據台後，就把這個位在台灣東南海域遙遠的小小島嶼，做為政治犯的集中營後，在國民黨領政的五十餘年以來，它仍然被相繼使用，做為箝制人民思想和打擊異己的天然囚籠。百年來，這個常被執行死刑槍聲，以及受難者終日呻吟，相互呼應的「哭島」，不但是受難者家屬、親友的傷痛之地，也是追求自由、民主和人性尊嚴的人權鬥士們的關懷之地。近年來，隨著戒嚴的被迫解除，以及高壓專制體制的結束，為了防止未來莫名其妙的苦難不斷地在我國領土之上重覆演出，人權教育基金會，決定在這面積只有十六平方公里的神秘火燒島上，建立一座「垂淚碑」。在這碑上，不分黨派、籍貫、男女、老少的被刻著白色恐怖期間每位受難者的姓名，用來紀念、緬懷以及反省台灣曾經走過這段悲痛的歲月。

十七、「政治受難者」不復權，
民患永不絕篇

在台灣特殊環境或是少數人統治多數人的恐怖統治通則下，許多雞毛蒜皮之事，卻把台灣人民弄得家破人亡。隨著蔣氏家族的快速沒落，以及台灣人民的自立自強，和堅信自由、民主是唯一的生活方式理念下，翻案的最大意義，在於恢復人權與歷史正義。從歷史的角度看翻案有其肯定的價值，尤其我國長期處於特殊的政治格局。四十年來，情治單位的無知惡行，或是基於時勢之所需，導致「美麗島」人準備聯合四十年來各種冤案的當事人及家屬，組織了「台灣政治受難者暨家屬聯誼會」、「台灣政治受難者聯誼總會」、「台灣地區政治受難人互助會」、「台灣關懷中心」、「台灣人權促進會」、「台灣民主運動北區政治受難基金會」……等關心台灣政治受難人的團體，來發動更大規模的翻案行動，要求還其清白、回復參政權與工作權，以廓清政治的白色恐怖氣氛，開啓了一個嶄新的時代。

中共在文化大革命時，犯下了許多的錯誤，但事後都獲得「平反」、「翻案」。我們在政治上自稱比中共高明，難道把清白還給當事人和把真相交給全民的勇氣都沒有嗎？執政當局應該面對現實，把四十餘年累積下來的許多不清不楚的冤案、假案、錯案，以理性的態度，來面對翻案。如果無錯則可安定人心、穩定社會。如果過去真有錯誤或發現任何確實的新證

據，政府有義務設法彌補錯誤，給予冤屈者或犧牲者應有的自由與補償，而不宜用鋸箭法、煙幕法、掩埋法、鴕鳥法或其他任何可笑而無效的辦法來紓解民眾的積抑和疑慮。

　　經驗告訴我們，故入人罪，捏造證據事實，引用錯誤的法律見解判決，是無法嚇阻台灣政治改革的要求。我們堅信在邁向民主、自由、開放的社會，一切都要走回正軌，人人有免於恐懼的自由。在統治者與被統治者，政府與人民，以及人與人間將不再容許有「順我者昌，逆我者亡」的事情存在。只要自己堂堂正正、清清白白，沒有任何力量可以剝奪他們的任何權利！

　　至於，在政治受難者的復權方面。政治犯的存在，是民主社會的一個不名譽的烙記。從民國三十七年（西元 1948 年）十二月十日，實施戒嚴，到民國七十六年（西元 1987 年）七月十五日，宣佈解嚴爲止，台灣地區比較明確的政治案件有三千多件，而所牽連的人數超過一萬人以上。但國民黨政府當局始終否認台灣有政治犯，只有曾犯「內亂罪、外患罪」的所謂「叛亂犯」。然而，因時代之變遷，民智之發達，民進黨對執政黨（國民黨）呼籲強調爲了共同解決當前國家內、外所面臨的困境，爲了政治和諧，爲了維護基本人權，爲了建立法治，對政治犯不僅要減輕其刑，更要「平反」，不只要釋放，更要恢復其完整的諸如參政權、工作權……等的公民權益。一般人民也認爲政府對於犯罪處罰，應在於矯正教育而非報復。既然可讓他們出獄，卻又剝奪其生活技能，不讓他們生存，這就好像是鼓勵他們除非叛亂成功，否則無法重新生活下去，這對社會一

無好處外，尤其在解嚴之後，實有修正的必要。

△政治犯的一生遭遇及其對民主政治的貢獻方面

台權會鑑於政府無意革新，藉機壟斷政權，繼續以公權力打擊反對黨，而呼籲當局拿出愛心。因為大多數政治犯的黃金時代，幾乎都消磨在獄中，政治犯出獄後，生活困頓成為政治的邊際人和經濟的弱勢人，他們不但要重建其家庭的親情關係，更要面臨社會的排斥與強大的競爭壓力外，他們更需要各界的關懷與鼓勵，使他們能夠重新立足於社會。翻開過去的例子，不少政治犯一方面在獄中受到人身拘束，一方面又要面對妻離子散、家破人亡的悲劇。柏楊、施明德、郭越文在獄中與妻子離異；王拓、王幸男、林義雄在獄中必須忍受親人逝世的痛苦。黃華出獄後，曾面對大廈的對講機不知所措，呆坐數個鐘頭。⑱絕大多數的政治犯因年老或經濟因素退出政治舞台，但有不少的人卻依然有相當活躍的政治活動，如姚嘉文（民進黨主席）、陳水扁（民進黨中常委）、李逸洋（民進黨中央文宣部主任）、黃華（民進黨中央組織部主任）、魏廷朝（民進黨桃園縣黨部執行長）、楊金海（台灣政治受難會事件聲援會召集人）、陳文輝（苗栗縣議員）、黃信介（民進黨主席）、張俊宏（民進黨秘書）、以及施性忠、顏明聖、黃天福等人，則仍然活躍在反對派政治舞台。他們所秉持的政治理念和主張，對我國民主憲政的落實，將產生鉅大的衝擊。（自立早報77.2.2）

△台灣的所謂政治犯和外國政治犯的差異

政治案件受刑人的定義，目前缺乏比較客觀的標準，一般

皆以寬鬆認定，只要因政治主張、理念或某種政治行動被判處徒刑者皆是。但在台灣戒嚴統治下許多被判處重刑的所謂「叛亂犯」，有的卻是根本沒有參與政治或過問政治的行為。因此，這些不幸被捲入政治案件的受刑人，往往喜歡自稱是「政治受難者」，而根本否認是一位「叛亂犯」和「政治犯」。今舉下列三個例子，就可知其一、二。

1.曾有三次坐牢經驗的民進黨中央組織部主任黃華表示：政治案件受刑人中，最多是本身根本沒有政治意識或從沒有過問政治，只因與某個特定的人認識，或某個特定的人到他家住過，卻因而受到牽連。這種牽連有時甚至涉及到某個政治案件當事人的許多同校同學或整個同班同學；其次，對現實不滿，偶而發發牢騷，他們對國民黨、共產黨都罵，也會誤觸法網，被判處七、八年徒刑，現在如果還要抓這種人，恐怕台北市一半以上的人都要鋃鐺入獄。（自早，77.2.2，高天生報導）

2.民國四十年，英文法名作者柯旗化，在高雄市立女中教書，因替朋友當證人而被冤枉為思想有問題，判刑二年。當時那位朋友任教的學校被人檢舉全校附匪，結果全校老師統統（通通）被抓。民國五十年，柯旗化又以「叛亂」罪名被抓，判了十二年徒刑，卻關滿十五年才釋回。（自早，77.7.12）

3.民國六十一年，陳瑞麟正在太魯閣山上為考研究所作準備時被抓，理由是「為匪宣傳」。其中牽涉很多，有無意中說出「反攻無望」，也有任教國中時，被認為在課堂上的言論影響學生等說詞，而被判刑七年。（自早，77.7.12）

最近幾年，政治、社會情勢趨向開放，反對派政治人士指

控政府以司法手段進行政治迫害。因此對「政治案件」的認定
更加寬鬆。例如民國七十四年七月，前新竹市長施性忠被以
「貪污瀆職四項」判刑二年半；民國七十五年陳水扁、黃天
福、李逸洋三人因「蓬萊島雜誌」誹謗被判處有期徒刑，以及
鄭南榕、林正杰、顏錦福等人分別觸犯選罷法條文被判刑等，
也因爲反對派政治人士認爲上述各案件皆有「政治因素」介入
而認定爲「政治案件」。民國七十六年，反對派政治人士的街
頭示威抗議活動增加，與示威抗議活動有關的衝突事件，相關
的當事人受到司法妨害公務、秩序或暴行脅迫等罪刑懲處，也
列入政治案件的範疇。（自早，77.2.2，高天生報導）

　　人非聖賢、孰能無過？知過能改善莫大焉！姑且不論叛亂
犯是不是眞的犯了法，旣然服完刑期，還被剝奪了終身的權
利，這是全世界都沒有的現象，是極不合法、不公平也不人
道。倘若這些大善之人，再入社會，仍飽受歧視與排斥，則善
人亡矣。今就以美國、西德、南韓對政治犯赦免的情形，就足
以了解我國「全國性之減刑」不許政治犯復權的「報應」色彩
了。今就以台灣的實質現況，來加以探討，因爲法律之規定是
有限的，而人事之變化卻是無窮的。政治局勢之演易，往往並
非起初立法者所可預知，政治思潮之翻轉，尤使法院推事望塵
莫及。然而，一般而言，政治犯之能成氣候，皆有不少民衆爲
其後盾。民主國家旣然標榜「人民有權，政府有能」，則當以
民意爲其依歸，不赦「政治犯」，絕不能杜絕民患。因此，美
國每有大赦，則其所赦的，大多爲政治犯。西德在西元一九六
八年以及一九七〇年，先後頒行「普通免刑條例」，其所赦免

的,大多是以政治犯爲主,以滿足人民之正義情感,並維持國家秩序於不亂。在南韓方面,金大中曾經是叛亂犯,但他仍舊可以爲大統領的候選人。反觀,號稱自由、民主的我國,政治案件受刑人出獄後,被褫奪一服公職權,二選舉權,三被選舉權,四專利工作權等。⑱⑤散佈在各種法律中,如

　　1.刑法第三十六條褫奪之公權:一、爲公務員之資格,二、公職候選人之資格,三、行使選舉、罷免、創制、複決四權之資格。至於,其餘因受刑罰而喪失之資格,如:爲律師之資格,爲藥劑師之資格等等,並不隨之恢復,公務員喪失之職務,亦不自動恢復。

　　2.醫師法第五條、獸醫師法第三條、律師法第二條、藥師法第六條、會計師法第四條、建築師法第四條、技師法第三條與公立各級校長遴用辦法第十一條中,均規定「曾犯內亂、外患罪、經判刑確定者」或「背叛中華民國經判決確定者」得撤銷該執業執照。

　　3.選罷法第三十四條第一款明定政治犯沒有被選舉權。由上述可知,一般談論政治犯復權,都是指恢復公權而言,但在中華民國政府統治下,政治犯復權不只是恢復公權而已,還要恢復工作權。(自早 77.4.25)

△對政治犯復權,具有代表性之人的看法

　　一、因美麗島事件被以「叛亂罪」科刑的民進黨主席姚嘉文,從金大中一度是叛亂犯仍舊可以爲南韓大統領候選人,而批評我國相關法令剝奪政治案件受刑人的參政權和工作權顯然不合理,要求有關單位仿照先進國家的立法檢討改進。⑱⑥

二、陳適庸表示所謂政治犯應該是指良心犯，至於犯內亂、外患者與政治犯的意義應該有所區別。他並表示，美麗島事件的審判，也許經過時移勢轉，目前可能許多人有不少意見，但他希望能循其他管道來爭取政治犯參選的機會。⑱

三、國民黨籍委員林鈺祥指出，由於有關內亂、外患罪的條文繁多，因此，他也同意循其他管道來解決此一問題。而民進黨許榮淑委員則列舉了與內亂、外患罪有關的三十幾項法律，希望執政者能努力儘速恢復其參政權。⑱

四、朝野兩黨立委，在立法院審查選罷法時，不僅民進黨議員力爭政治犯復權，就是國民黨議員亦不反對。國民黨籍立委林聯輝指出，政治犯的問題，不能用法律的方式來解決，應以政治方式徹底予以解決。我們認為，今日台灣既已解嚴，進入正常的民主社會，則不論法律方式也好、政治方式也好，執政當局都應考慮恢復政治犯原所擁有的一切權利。當局更應設法使包括政治犯在內的所有反對力量活動合法化，尊重反對力量的反對權力與權利，勿將彼等壓縮為社會邊緣人，勿逼使彼等力量更偏激化。易言之，我們要引導所有反對派人士的百端言論活動忠於憲法、忠於國家；引導彼等成為一般忠誠而合法的反對力量，使台灣早日走上民主法治社會，使國家民主憲政早日奠定長治久安根基。⑱

△對政治犯復權之補救

根據中國時報刊載，中興大學法律系副教授劉幸義認為：欲使政治犯恢復其工作權，應該有三個途徑：

一、由總統行使「特赦」：

以時間來看，這是最快速的方式，在特赦後一切法律效果全部消滅，就等於沒有犯罪紀錄，政治犯們因犯罪所喪失的一切權利都可以恢復。通常「特赦」是在國家有慶典，或者是執政者認為司法程序過分嚴厲，所提出的補救措施。

二、由行政院修改限制政治犯工作權的相關法律：

這是最複雜的，但也較長遠的一條路，通常是法律政策改變，執政者認為當時的法律已過時，現在不需要規定的那麼嚴格，因此加以修訂，目前限制政治犯工作權的法律甚多，要一一完成修法程序，可能要花費一段時間。

三、由受判決人本身採取主動，提起再審之訴，或提出上訴：

政治犯們欲正本清源，最根本的是確認自己是否為「叛亂罪」，如果他們能找到軍法官違法裁判的證據，可以聲請再審。若要提起上訴，可能還得打憲法官司，因為國安法剝奪了他們的上訴權；這是受判決人為了確認自己的清白所能進行的補救措施，但在證據蒐集上可能相當困難。（中國時報 77.4.7）

綜觀上述，今就以政治犯復權之考量，現在是不是適當時機？從學理來看應該是，因為目前正是一個政權結束，另一個政權開始的時期。以前政權所產生的政治犯，新的政權若認為值得原諒，就可以特赦。這叫做「大權作用」，只有總統有這項權利。⑲雖然目前新總統未對政治犯行使「特赦」，但解嚴後，有關單位對於戒嚴時期受軍法審判的非軍人受刑人，已採取酌情減刑與復權的彌補措施，然而相當多政治案件受刑人認

爲國安法剝奪其上訴權，有必要進一步採取大赦、特赦等措
施。⑲

附　　錄

一、台灣民主國的文告：

西元一八九五年（光緒二十一年、明治二十八年）五月十六日，「台灣民主國」被定名後，於五月二十六日，巡撫唐景崧接受邱逢甲、陳雲林以及洪文光等十餘人所呈獻的國璽及藍地黃虎旗後，唐景崧即向清廷致電「台灣士民，義不服倭，願爲島國，永戴聖清。」（姚錫光「東方兵事記略」第八篇一八九七年 P.78）的同時，向台灣人民及中外發出文告。

一、對台灣人民的文告內容爲：

「日本欺凌中國，大肆要求。此次馬關議款，賠償兵費，復索台灣。台民忠義，誓不服從，屢次電奏免割，本總統亦多次力爭，而中國欲昭大信，未允改約，全台士民不勝悲憤。當次無天可籲、無主可依。

台民公議自主，爲民主國，以爲事關軍國，必須有人主持，乃於四月二十二日，公集本衙門遞呈，請余暫統政事，再三推讓，復於四月二十七日，相率環籲。五月初二日，呈上印信，文曰台灣民主國總統之印，換用國旗藍地黃虎。竊見衆志已堅，群情難拂，故爲保民之計，俯如所請、暫允視事，即日

議定改台灣為民主之國。國中一切新政，應即先立議院，公舉
議員，詳定律例章程，務歸簡易。唯台灣疆土，荷大清經營締
造二百餘年，今雖自立為國，感念舊恩，仍奉正朔，遙作屏
藩，氣脈相通，無異中土，照常嚴備，不可疏虞，民間如有假
立名號，聚眾滋事，藉端仇殺者，照匪類治罪。從此清內政，
結外援，廣利源，除陋習。鐵路兵船，次第籌辦，富強可致，
雄峙東南，未嘗非台民之幸也。」（台灣省文獻委員會「台灣
省通志稿」卷九台灣民主國 P.11 ）

二、對中外的文告內容為：

「竊我台灣隸大清版圖二百餘年，近改行省，風會大開，
儼然雄峙東南矣。乃上年日本啓釁，遂至失和，朝廷保民恤
民，遣使行成。日本要索台灣，竟有割台之款，事出意外，聞
信之日，紳民憤慨，哭聲震天，雖經唐撫帥電奏迭事、並請代
台紳民兩次電奏，懇求改約，內外臣工，俱抱不平，爭者甚
眾，無如勢難挽回。紳民復乞援於英國，英泥外交之例，置之
不理。又求唐撫帥電奏，懇由各總理事務衙門商請俄法德三大
國併阻割台，均無成議，嗚呼慘矣。

查全台前後山二千餘里，生靈千萬，打牲，防番，家有火
器，敢戰之士，一呼百萬，又有防軍四萬人，豈甘俯首事仇。
今已無天可籲，無人肯援，台民惟有自主，推擁賢者，權攝台
政。事平之後，當再請命中國、作何辦理。倘日本具有天良，
不忍相強，台民亦願顧全大局，與以利益。唯台灣土地政令，
非他人所能干預，設以干戈從事，台民惟集萬眾禦之，願人人
戰死而失台，決不願拱手而讓台。所望奇材異能，奮袂東渡，

佐創世界，共立勛名。至於餉銀，軍械，目前儘可支持，將來
不能不借貸內地，不日即在上海廣州及南洋一帶埠頭，開設公
司，訂立章程，廣籌集款。

　　台民不幸至此，義憤之倫，諒必慨爲傾助。洩敷天之恨，
救孤島之危，並再希告海外各國，如肯認台灣自主，共同衛
助，所有台灣金礦、煤礦，以及可墾之田，可建屋之地，一概
租與開闢，均沾利益。考公法讓地爲紳民不允，其約遂廢，海
邦有案可援，如各國仗義公斷，能以台灣歸還中國，台民亦願
以台灣所有利益報之。

　　台民皆籍閩粵，凡閩粵人在外洋者，均望垂念鄉誼，富者
挾資渡台，台能庇之，絕不欺凌，貧者歇業渡台，既可謀生，
兼同洩憤，此非台民無理倔強，實因未戰而割全省，爲中外千
古未有之奇變。台民欲盡棄其田里，則內渡無家可依，欲隱忍
偷生，實無顏以對天下，因此槌（搥）胸泣血，萬衆一心，誓
同死守，倘中國豪傑及海外各國能哀憐之，慨然相助，此則全
台百萬生靈所痛哭待命者也。特此布告中外知之。」（連橫
「台灣通史」卷四獨立紀 P.106 ）。

　　自台灣民主國成立後，唐景崧即任命過去清廷的各部主
管、官兵，以及台灣人民自我組成的「義勇軍」等，共計一五
〇營，約五萬人積極展開對日抗戰，以圖自救。

二、中國民主黨創立宣言草案（稿）：
（雷震、李萬居、吳三連等，
於民國四十九年秘密擬稿）

一、前言

中華民國四十九年　月　日我們有志創立新黨的人士在台灣省台北市集會、正式宣布中國民主黨於今日成立。

我們想把我國政治導入現代民主政治的常軌，在此時此地，組成一個英美式的和平政黨。因為我們知道在這個地區，為一個政治理想而和平奮鬥，比用武力革命更艱難得多，六十多年的歷史告訴我們，許多和平改革運動的政治團體，每每遭受各種各樣的打擊而消滅癱瘓。當和平的政治團體消滅或癱瘓的時候，就是武力革命抬頭的時候，其結果，不僅那個專以打擊和平政治團體為能事的政權，總是在武力革命之前崩潰，而全國人民也必陷於國破家亡的慘境，這是我們這一世代的人所親身體驗的。現在我們又在台灣組成一個和平性的新政黨，回顧往事，我們的心情自然是沈重的。

然而時代畢竟是轉變了。我們清清楚楚地看出，我們中國人民無論是在台灣的、或流亡在海外的、或在大陸掙扎於生死邊緣的，基於十數年或數十年切膚之痛的體驗，大部份都已認識到反共的真實意義。這個意義、簡括的講，就是大家要做「人」，要做充分享有基本人權的「人」。這是我們這個世代的人最可寶貴的措施，都可同樣的任人自由批評而求改進，有

了公平選舉，人民的政治願望，才會循正常的途徑以獲實現。

　　我們的黨是全國性的，決（絕）沒有地域界限，台灣人與生活在台灣的大陸人，不僅血統相同，也沒有政治利害衝突。台灣人與大陸人對於共黨政權的深惡痛絕是一致的，台灣人希望光復大陸與大陸人想回到故鄉，其心情也是一樣的。至於想把政治導入民主正軌以保障人權，更是大家一致的要求。如果我們的黨在人數方面台灣人多於大陸人，這不過是由於人口比例而自然形成的現象，在精神上決（絕）無礙於融合。

二、我們的政綱

　　㈠爭取國家的獨立與統一

　　⑴我們決心從事一切努力摧毀共黨政權，使中國從中共與蘇俄的雙重奴役之下獲得解放。

　　⑵我們決心維護中國的獨立，並進而謀求中國的統一。

　　㈡維護國際的正義與和平

　　⑴我們尊重聯合國憲章，並願盡其所能，促使聯合國偉大目標的完成。

　　⑵我們主張與自由世界國家普遍的維持並增進和平友善關係。

　　㈢保障人民的權利與自由

　　⑴憲法上所列舉的人民權利與自由必須確保，不得加以任何限制。

　　⑵實行法治，在法律之前人人平等，任何人不得於法律之外享有特權。

　　⑶台澎地區應解除戒嚴。

(4)未經立法手續的機構一律撤銷，如國防會議，警備司令部，青年反共救國團。

㈣維護司法獨立

(1)我們主張法官不得參加政黨，以符合憲法上「法官須超出黨派以外」的規定。

(2)我們主張司法應與行政分離，以做到真正的司法獨立。

㈤建立國家軍隊

(1)軍隊應屬於國家，憲法上關於「全國陸海空軍須超出個人地域及黨派關係以外」的規定，必須切實遵行。

(2)現任軍人不得兼任文官，亦不得參加政黨，任何政黨不得以武力為維持或奪取政權的工具。

(3)黨派應退出軍隊，任何政黨不得在軍隊中設立黨部，或其他類似組織。

(4)裁減軍隊，裁軍應指明為軍官及士兵，並予以適當安置。

㈥建立文官制度

(1)我們主張政務官與事務官應實行劃分，事務官不得從事政黨活動。

(2)我們主張一切公務人員均應有足夠維持其適當生活的薪俸或報酬。

(3)厲行退休制度。

㈦樹立政黨政治的規模

(1)我們反對一黨專政。

(2)我們主張一切政黨應立於完全平等地位，從事於和平與

公平的競爭。

　(八)增進人民經濟福利

　　(1)我們認爲一切經濟發展，應以提高人民生活水準爲首要目標。

　　(2)我們主張自由企業，除公用事業及其他有獨佔性之事業外，一律得由人民自由經營。

　　(3)我們主張職工有組織工會的自由，不受任何政黨的支配，並有團體契約權，社會保險制度。

　　(4)爲了實行大規模的經濟建設，我們主張歡迎僑胞及外國人的投資與技術合作。

　　(5)我們主張改善農民生活，肥料換穀的比率，應做到合理。

　(九)發展教育文化事業

　　(1)我們主張各級政府應增加教育文化經費的支出，以期達到憲法第一六四條的規定。

　　(2)我們認爲一切教育文化事業，應使國民有自由發展的充分機會，因此我們反對黨化教育及任何黨派利用學校作爲宣傳黨義或灌輸敎條的工具。

　(十)實行地方自治

　　(1)我們主張省縣自治通則應早日立法，使省長由民選產生，地方自治得以早日完成。

　　(2)我們認爲省市及縣市依憲法所規定的自治權利，應予確保，以爭取各地方的向心力並啓發其創造力。

三、我們對當前的政治主張

　　基於上列的政綱，我們對於當前的政治問題，擇其最關重要的，提出各項概括主張，並分別說明於次：

　　㈠關於保障人權者

　　共黨政權是根本否定人權的，我們要反攻最基本的意義就在於維護人權，捨此而言「反共」，反共不過是一虛幌子，其實際內容，則爲以暴易暴的權利爭奪，這是今天大家所公認的。我們要有一個名實相符的反共政府，所以我們主張把一切妨害人權的措施徹底革除。

　　要切實做到這一點，必須具備一個必要的前提，那就是政府本身要守法守信，否則任何法律制度都可作爲騙人的工具。例如秘密逮捕、用刑逼供，都是於法無據的。但是特務機構、警察及軍法機關卻偏要這樣做，這是政府自己違法。又如司法軍法的劃分，是政府一再所強調的，但今天的警備司令部，幾乎無事不管，這又是政府自毀信用。爲確實保障人權，我們主張：

　　⑴對於嫌疑犯的逮捕、拘禁、審訊、處罰，必須嚴格的經由法定機關，依照法定程序行文，凡以非法逮捕、拘禁或刑訊者，其主使人及執行人均應視其情節的輕重，依法科以罪責。

　　⑵凡已受非法逮捕、拘禁、或服刑滿者，應立即釋放，不得勒令交保。

　　⑶治安機關對於人民集會結社的各項限制應一律取消。

　　⑷人民創辦報刊只須依法登記，政府不得任意稽延或批駁。

⑸台灣入境管制應行放寬，出境除對役男及有案者外，其餘一切限制應完全廢除。

⑹各種刑事法規，應由立法院通盤檢討，凡與憲法抵（牴）觸或刑法衝突者，應分別修正或廢止，其中如總動員法近年來已被濫用，尤應及早廢止。

⑺簡化特務機構，特務工作應與英美等民主國家一樣，限於特定範圍，使人民有免於恐懼的自由，以清除社會上瀰漫的戾氣。

㈡關於取消一黨專政者

一黨專政與一黨執權完全不同，像英美那種兩黨制度的國家，經過人民定期的選舉，甲黨獲得多數人民的信任而執權，乙黨則退處在野以監督，這是民主政治的常軌。像這樣的一黨執政，我們不但不反對，而且是我們追求的目標。但一黨專政則完全兩樣，不僅一黨獨霸政權，並且視國家爲私產，一切厲行黨化。在這樣的局面之下，軍隊不是國家的軍隊，而是黨的武力；教育不是國家的教育，而是黨化青年的工具；司法不是國家的司法，而是黨的御用品，一切公務機關、社會團體，及公營事業都成了黨的俘虜物，乃至國庫成爲黨的私囊，黨員成了特權階級。這樣黨化局面不停止，民主政治實無從談起，爲取消這樣一黨專政，我們主張：

⑴現役軍人應宣誓脫離政黨、効忠國家。

⑵撤銷國防部總政治部與軍隊中的黨部及政工組織。

⑶維護教育行政的完整，應撤銷各學校青年反共救國團組織，各學校的軍事教官不得從事政黨活動。

(4)尊重學術自由，各級學校的黨義課程應予停授，而改授憲法。

(5)法官（包括司法與軍法）不得參加政黨，凡以黨化為目的的法官訓練機構，應一律取消。

(6)原為國家財產經黨攫取而變為黨營事業的，應一律歸還國家，轉售民營。

(7)黨費不得公然或用變相名目由公庫開支（包括中央政府及各級地方政府的公庫）。

㈢關於軍事財政經濟者

根據實際情形，經過慎密研究，我們認定軍事、財政與經濟實在互相關聯，目前的問題，經濟害於財政，財政害於軍事，所以我們把這三個問題併在一起來談。

就軍事言，現在是核子武器時代，軍事力量的強弱，並不繫於兵員的多寡，而繫於科學化水準的高低。以僅有一千餘萬人口的台灣，長期維持六、七十萬的大軍，從財政觀點看，是為絕大的負累；從現代化的軍事觀點看，亦無此必要，而且在我們的軍隊當中，士官以上的軍官人數超過了兵的人數，實屬不合理。

我們的財政，在支出方面，國防經費佔了百分之八十左右，而且國防費之所以龐大，官兵人數太多實為主要原因，以致官兵待遇並不因國防費的龐大而免於菲薄。在收入方面我們的租稅結構，仍以間接稅為中心。這種現象一向為研究財政學的學者所不滿。我們對此雖亦具有同感，但我們覺得今日財政問題最惡者的一面，還是支出方面而非收入方面。我們固然主

張收入與支出同時改革，但支出方面的合理實較收入方面的改
善更爲迫切與需要。

　　由於財政支出的不合理，我們的經濟自然深受其害。生產
固然稍有增加，但人口的增殖率超過了生產的增加率。這不是
經濟的發展或成長，而是經濟的萎縮或疲滯。政府天天高唱節
約，但政府本身消費的增加，以致資本的累積實在小得可憐。
美國經援物資的相對基金已經變質，出售物資所收回的台幣，
並非嚴格的用於經濟建設，而多用於彌補財政的虧欠。同時許
多繁瑣而重複的經濟管制，更進一步的扼殺了民間企業和國際
貿易。

　　基於以上的分析，對於軍事財政與經濟問題，我們特提出
左列主張：

　　⑴採取精兵政策，現有國軍之超額軍官及士兵應予分期裁
減，對於被裁軍官及士兵，應輔導其轉業於生產事業，予以適
當的安置。

　　⑵提高軍人待遇，使其能維持適當與合理的生活，升遷調
補應公平並厲行退除役制度。

　　⑶立法院審查中央政府總預算，對於國防經費的支出，應
有最嚴格的審核之權，以防浮濫。

　　⑷逐漸建立以直接稅爲中心的租稅制度，取消各種附加
稅，簡化稅捐名目及稽征（徵）手續。

　　⑸公營事業應限於獨佔性事業及公用事業，其餘一律出售
民營，公營事業予（預）算應予公開。

　　⑹台灣銀行對於公私營工商業貸款應一視同仁，不得特優

於公營事業而妨礙民營事業的發展。

(7)凡是妨害增加生產與發展貿易的一切經濟管制（包括外匯管制）應一律廢除。

㈣關於地方選舉者

我們在前面講過，公平選舉是我們目前急於爭取的兩大目標之一。因為公平選舉是民主政治的必要條件，也是民主政治的起碼條件。這一條件如不具備，所謂民主只於欺人之談。歷年來台灣地方選舉，在國民黨當權派一手包辦之下，違法舞弊，花樣繁多，輿論早有指責，國人無不知曉。例如在辦理候選人登記之前，迫人退讓，在競選開始之後，對於非國民黨所指定的候選人之競選活動，橫加干涉與阻撓，在選舉時，指使軍警及公教人員助選，更是明目張膽的進行，而最駭人聽聞的，則有所謂「安全措施」、換票、代領代投、張冠李戴式的唱票及其他種種方法，以改變投票的結果。

每一次選舉結果，國民黨當權派無不高奏凱歌，自鳴得意。但依我們的觀察，每經一次選舉，國民黨即喪失一次人心，以致人民與政府的距離日益加大，這是我們不得不引為深憂的。為求改進選舉，收拾人心，我們特針對現狀，提出下列主張：

(1)辦理選舉人員，應由執政黨與在野黨平均推薦，以便共同辦理，共同負責。

(2)監察人員應實行公開，不僅各黨可推派，各候選人亦得依其意願推派人選參加監查。

(3)嚴禁軍警及公教人員從事任何助選活動。

(4)對於人民從事競選及候選人之競選活動，不得加以任何非法的干涉或阻撓。

(五)關於召開反共救國會議者

今日中國係處於歷史上的空前變局，大陸整個淪陷旣已十年，億萬同胞在共黨暴政的凌虐之下更呻吟待救。在這一變局之下，稍有責任感的政府，旣不應私心用事，以「小朝廷」自誤，而熱血愛國的人士，亦不應自甘暴棄，徒呼負重。我們對於共黨必須先展開「以民主對極權，以自由對奴役」的政治鬥爭，進而才能造成時機，反攻大陸。反攻復國，工作至爲艱難，旣非任何一黨一派的能爲力，更非任何一黨一派所能包辦，必須團結海內外一切反共的黨派與人士，一德一心，共同努力，庶克百濟。數年以前，國民黨與政府爲號召團結，曾提出開反共救國會議的主張，輿論多欣然響應。但蹉跎歲月，迄今未見實行，自食其言實屬不智。

「漢賊不兩立，王業不偏安」，歷史照（昭）然前車可鑑，我們如果不能早日反攻大陸，僅就目前局面以圖自保，決非良策，姑無論共匪狼子野心，時思一逞，而國際間兩個中國的陰謀，亦正在潛滋暗長之中，所以我們今日所處的地位，並非絕對安全。

本黨成立伊始本諸「救國不敢後人，成功不必在我」之義，極願見反共救國會議及早召開，使中國政治獲得新機，進而促使反攻復國的工作得以早日展開，不勝厚望，謹此宣言。

三、台灣人民自救宣言
（彭明敏・謝聰敏・魏廷朝等，
於民國五十三年九月撰寫・印製）

　　一個堅強的運動正在台灣急速地展開著。這是台灣島上一千二百萬人民不願受共產黨統治、不甘心被蔣介石毀滅的自救運動。我們要迎上人民覺醒的世界潮流、摧毀蔣介石的非法政權、為建設民主自由、合理繁榮的社會而團結奮鬥。我們深信、參加這個堅強運動使這個崇高的理想早日實現、是我們每一個人的權利、也是我們每一個人的責任。

（一）

　　「一個中國、一個台灣早已是鐵一般的事實！不論歐洲、美洲、非洲、亞洲，不論承認中共與否，這個世界已經接受了『一個中國，一個台灣』」的存在。

　　即使亞洲政策上陷於孤立的美國，也只有少數保守反動的政客、在炒「不承認主義」的冷飯，輿論主流，尤其是知識份子，都要求在法律上承認「一個中國、一個台灣」，以謀中國問題的最後解決。美國的外交政策也正在往這個方向發展。為什麼美國還在口頭上把蔣政權當作唯一合法的中國政府？因為美國要藉此與中共討價還價，以達成有利的妥協。美國跟中共在華沙談了一百幾十次，美國一直強調只要中共放棄「解放台灣」的要求，美國對中共的門將永遠開放著。

蔣政權只靠第七艦隊苟延殘喘，我們絕對不要被「反攻大陸」這一廂情願的神話矇住眼睛，走向毀滅的路上去。第七艦隊一旦撤退，蔣政權在數小時內就會崩潰，「反攻大陸」云云，只是蔣介石用來維持非法政權和壓榨我們的口實罷了。

（二）

「反攻大陸」是絕對不可能的！凡是具有起碼常識的人們，都會毫不遲疑地下這樣的判斷。蔣介石控制下的軍隊，頂多是一個防禦力量，而絕不是一個攻擊力量。它的存在完全依賴美國的軍援，而美援的目標，又僅在保持美國太平洋的防衛線，因此它不能獲得超過防衛需要的攻擊武器。它的海軍無法在海上單獨作戰，因為它不但沒有主力艦，連調養一隻軍艦的設備也沒有。它的空軍由短程戰鬥機組織，攻擊所不可欠的運輸機和長程戰鬥機卻少得可憐。它的陸軍，仍然以輕裝步兵為主力，機械化部隊和重炮兵只不過是裝飾品而已。

台灣沒有支持反攻經濟的能力，蔣介石儘管全力支持軍隊，不惜以百分之八十以上的預算做為軍費，但憑這彈丸之地，維持數十萬軍隊，平時已苦於奔命，戰時怎能夠供給龐大的戰費？又怎麼能夠補人力的毀滅？

戰爭的目的已不存在，蔣介石雖然號召自由民主，但處處蹂躪人權，一手把持政權，以特務組織，厲行暴政。有人說，大陸來台人士，返鄉心切，容易受蔣介石的驅使，其實，中共國勢的強大，已使百年來飽嘗外侮的民族主義者揚眉吐氣，他們相信，這絕不是貪污無能的蔣介石政權所能望其項背的，我們究竟為誰而戰？為何而戰？蔣介石已失去了使人信服的戰爭

目標，誰願爲這個獨夫賣命？

蔣介石的官兵，把一生奉獻給這個獨夫，請問他們得到什麼代價？一旦年老力衰，不僅不能享其餘生，且被擯去民間流浪街頭。這種騙局怎麼不令他們痛恨，因此退伍軍人常說「亡大陸的固然是退伍軍人，亡蔣介石也將是退伍軍人」。

現役官兵的生活，更是慘不堪言。他們常常說「毛澤東斷了我們的祖宗，蔣介石絕了我們的子孫」。狂者挺身而走險，狷者鬱鬱終日，官兵越規犯禁層出不窮，指揮官能多方寵賂，結果兵比官驕，軍紀掃地。

至於代退伍軍人入伍的台籍青年在他們的記憶中仍然留著蔣介石在二·二八事變中屠殺二萬台灣領導人物的仇恨，他們雖然三緘其口，始終還是蔣介石的「沈默的敵人」，在軍裝的鐵面孔下，固然看不出他們的思想，他們無論如何不致認賊作父，受蔣介石的奴役。政工制度牽制軍事行動，減低軍事效能。軍事行動的優點，在於能迅速動員人力物力，完成任務。政工制度則徇教條監視軍事行動，政治目的重於軍事目的，政治責任抵消了軍事效能。雖然軍中明理之士，如孫立人等，曾提出異議，但卻被戴上莫須有的罪名，迄今含怒莫白。官兵常說，「一旦動員，先槍斃政治指導員」。

想一想，一支缺乏攻擊能力的軍隊，在沒有戰費、士氣消沈、效率低落的情況下，和強大的中共作毫無目的的戰爭──這個叫著（做）「反攻大陸」，而頑強的五星上將蔣介石，卻效法唐吉·可（軻）德高舉一支破爛不堪的掃把，向風車挑戰。

（三）

　　爲什麼蔣介石仍高喊「反攻大陸」？因爲這個口號正是他延續政權驅使人民的唯一手段。十五年來，他一直藉這一張空頭支票宣佈戒嚴，以軍法控制一千餘萬的人民，他所要的「反攻大陸」的把戲，實在是二十世紀的一大騙局。

　　國民黨官員何嘗不知道這個騙局不能持久，他們一面將自己的子女和搜括而來的財富送往國外，準備隨時逃亡，一面扮作江湖郎中，把「反攻大陸」的延命丹擲給死在眼前執迷不悟的蔣介石。

　　讓我們看看這個口號有什麼魔力：

　　第一、矇蔽人民，利用人民心理的弱點，以苟延早已喪失存在的蔣政權。部份大陸來台人士思鄉心切，可因「反攻大陸」的幻想而支持蔣介石，部份台灣人則因盼望政治壓力和經濟負擔減少，而姑信其有。

　　第二，可利用非常時期的名義，排除憲法和法令的正當行使，陷害愛國而富於正義感的人們，進一步限制言論、封鎖新聞、控制思想、實行愚民政策。

　　第三，挾中共以自重，向美國討價還價，作爲勒索美援的工具，當中美交涉不順利，或美國向蔣介石施以壓力時，立即在香港放出國共和談的消息，使有恐怖中共病的美國不知所措。

　　總之，「反攻大陸」的口號，對外可以要挾中共以自重，對內可以厲行恐怖政治，延續政權。

（四）

　　蔣介石政權到底代表誰？國民政府自稱是：「中國唯一的合法政府」。它認爲現在的國民大會、立法委員、監察委員，都是經過人民選舉而產生的，包括中國大陸和台灣代表在內。我們知道，這些選舉都是十八年前（一九四七年）舉行的，我們也知道不到二年（一九四九年）中國大陸的人民已痛恨蔣政權的腐化無能，蔣介石雖然擁有數百萬軍隊卻很快地被趕出了中國大陸。顯然，大陸人民已選擇了另外一個政府。當時的國民政府已不能代表當時的大陸人民，何況在十八年後的今天，新的一代已經成長，蔣政權顯然不能代表現在的大陸人民了。

　　那麼，蔣政權能否代表台灣的人民？三千餘人的國大代表中，台灣的代表只有十餘席，四七三人的立法院中，台灣的代表也不過六名，他們的任期已分別於十二年前和於十五年前屆滿，當然不能代表現在的台灣人民，何況二二八事變時，蔣介石屠殺了兩萬的台灣領導人物（當時台灣人口只有六百萬），雖然台灣人一直忍氣吞聲，但他們一直是蔣介石「沈默的敵人」。

　　談到台灣人和大陸，我們必需指出，蔣介石政權雖然在口頭上高喊「台灣人與大陸人必須攜手合作」，其實卻最忌諱台灣人和大陸人眞正合作，所以極力挑撥離間，無所不爲。這種政策，在選舉中表現的最爲突出。蔣政權分化台灣人和大陸人，使他們互相猜忌、彼此獨立，以便操縱與統治。因此蔣政權一直防範台灣人和大陸人的竭誠合作，協力剷除蔣介石的專政，實現民主政治。當雷震尋求台灣人和大陸人合作的途徑

時，蔣介石終於撕破了臉皮，不顧國內外輿論的指責，張牙舞
爪地將雷震戴上紅帽子。蔣介石深知台灣人和大陸人合作實現
之日也正是他的政權瓦解之時。

　　或者說，蔣介石政權是國民黨的代表，並且根據他們的傳
統的「黨國合一」論也就是代表中國。其實，蔣政權甚至於不
能真正代表國民黨。國民黨本身只有獨裁而沒有民主，絕大多
數的黨員，沒有說話的權利，他們的代表，在大會中只能恭聽
頭目的訓詞，鼓掌鞠躬而已。他們只是一群「點頭人」，只能
一致通過頭目的提案，至於提案的內容，是不能也不敢過問
的。黨內又是派系分立，在蔣介石的權力鬥爭中，為兩廣勢
力，胡漢民、張發奎、李宗仁等被清算的派系固不必說，其他
不得寵的派系也不能進入權利（力）的核心。這些被排擠的多
數黨員，當然是憤慨而不滿的。黨內明智之士，或避而不談政
治以作無言的抗議，甚至於積極抨擊，或為反對蔣政權的主
流。

　　我們可以說蔣政權是國民黨內的少數小人集團的代表。它
既不能代表中國又不能代表台灣，甚至不能代表國民黨。

（五）

　　台灣經濟的發展面臨兩大問題，一是龐大的軍隊組織，一
是激增的人口，這是不負責任的蔣政權在「反攻大陸」的虛偽
號召下自我毀滅的陷阱。

　　根據蔣政權本年的統計，軍費支出佔預算百分之八十以
上，這個數目並不能概括所有的軍事費用，每年由糧食局供給
軍隊二十萬噸米的價格遠低於市價，而且遠低於局定的價格，

軍隊的運費電費以及其他應付公營事業的費用，從未結賬，軍需工廠所得與美援物資拋售所得，也歸軍隊所有，軍隊的消費，已超過資本的形成。

激增的人口，也減低了經濟成長的效果，影響所及，失業問題日趨嚴重，尤以農村的情形最為惡劣。台灣的勞動人口約有四百萬人，而失業人口至少在一百萬人以上，約佔勞動人口的四分之一，每平方公里的耕地，要擠一千二百三十人，受大專教育的優秀青年迫不得已，紛紛出國，每年都在千人以上。蔣政權不敢面對現實，將問題的解決訴諸自欺欺人的「反攻大陸」上面，雖然有些知識份子直正呼喊著，但仍然無濟於事。他們說主張節育的人是失敗主義者，而把希望寄託在剛出生的嬰孩，認為二十年後，這批後代將為他們執干戈而「反攻大陸」。

許多人以為台灣的土地政策是蔣政權的德政，其實，蔣政權實行土地改革的動機，卻是為了削弱潛在的反對力量。從清朝以來，台灣傳統的政治領導人物，都來自地主階級。蔣介石深知政治人才的興衰對他的專制的影響，因此，先在一九四七年二二八事變中屠殺了兩萬台灣領導人物，又在一九五〇年實施土地改革，打倒傳統的政治領導階級，當然大陸人不屬於台灣地主階級，也是土地改革能實施的主要原因。由於蔣政權傾心消滅地主階級，地方力量終一蹶不振，而農民卻在農產品價格的抑制，無從逃避的重稅，以及肥料換穀政策的重重剝削下，每日為糊口掙扎而無餘力。

經濟政策應該有一套長期發展計劃，但蔣政權所做的，只

是不顧經濟原則的盲目投資，以及表面而臨時性的應急措施。他們爲了維持軍糧，不惜殺雞取蛋（卵），榨取農民。他們深怕軍費一時中斷，所以不敢面對現實，改革它命脈所在的稅收制度，而任它腐化，他們爲了鞏固政權，更與財閥勾結，抑制貧苦大衆，造成貧富懸殊的不安定社會。

讓我們看看蔣政權的最後面目，一方面將它們的劊子手們放在重要的位置，加緊暴力統治，他方面以所得「十二億公債」，都市平均地權及變賣公共事業等來榨取人民，屢次派遣他的掌櫃徐柏園到中南美疎（疏）散民脂民膏，大買地產。

（六）

台灣足以構成一個國家嗎？國家只是爲人民謀福利的工具，任何處境相同，利害一致的人們都可以組成一個國家。十餘年來，台灣實際上已成爲一個國家，就人口、面積、生產力、文化水準條件來看，在聯合國一百十餘國中，台灣可排在第三十餘位，其實許多小國的人民反而能享受更多的福利和文化的貢獻。如北歐各國、瑞士、南美的烏拉圭，都是很好的例子。我們應拋棄大國的幻想和包袱、面對現實，建設民主而繁榮的社會。

有人說，蔣介石已成了裸體的皇帝，我們可以座（坐）待他的末日。但是我們不能不想，走到窮途末路的蔣政權，將台灣交給中共。我們更不能不憂慮，台灣將被國際上的權力政治所宰割，所以說我們絕對不能等待。

許多知識份子仍然在迷信「和平轉移政權」與「漸進的改革」。我們必須指出，如果回顧劣跡昭昭的國民黨史，我們立

刻就可以發現，只要剛愎狂傲的蔣介石睜著眼睛，任何方式的妥協不是夢想，便是圈套——專門用來陷害知識份子的圈套，所以我們絕不能妄想「和平轉移」的妥協。

我們還要坦誠的警告與蔣政權合作的人們，「你們應立即衷心悔悟不再為蔣政權作威作虎（福），不再做蔣政權的爪牙耳目，否則，歷史與人民將給你們最嚴厲的制裁」！

（七）

在台灣這種正在開發中的地區，經濟發展實際上是文化、社會、經濟、政治的大革命，而政治則為一切推動的泉源，台灣儘管具有現代化的良好基礎，可是只要腐化無能的蔣政權存在一天，我們距離現代化仍然非常遙遠，我們絕對不能期待「漸進的改革」。基於這種認識，我們提出下列主張，即使流盡最後的一滴血，我們也要堅持到底。

甲、我們的目標

㈠確認「反攻大陸」為絕不可能，推翻蔣政權，團結一千二百萬人的力量，不分省籍，竭誠合作，建設新的國家，成立新的政府。

㈡重新制定憲法，保障基本人權，成立國會與負責且具有效能的政府，實行真正的民主政治。

㈢以自由世界的一份子，重新加入聯合國，與所有愛好和平的國家建立邦交，共同為世界和平而努力。

乙、我們的原則

㈠遵循民主常軌，由普選產生國家元首。他不是被萬人崇拜的偶像，也不是無所不能的領袖，更沒有不容批評的教條。

他只是受國會監督與控制，熱心爲民衆服務的公僕。

　㈡保障集會、結社與發表的自由，使反對黨獲得合法的地位，實行政黨政治。

　㈢消滅特權、革除貪污、整肅政風、改善軍公敎人員的待遇。

　㈣樹立建全的文官制度、實行科學管理、提高行政的效能、確立廉潔公正的政治。

　㈤保障司法獨立、廢除侵犯人權的法規、嚴禁非法的逮捕、審訊與刑罰。

　㈥廢止特務制度、依民主國家常軌規定警察的地位和職務、並樹立人民的守法精神。

　㈦確保人民對國內外通信、遷徙與旅行的自由，維護開放的社會。

　㈧以自衛爲原則，裁減軍隊，並保障退伍軍人的地位和生活。在經濟方面，由於國防負擔大減，我們可以根據長遠的目標和計劃，充分利用人力物力，加速經濟的成長。我們將以民主方式分配經濟權力，廢除個人或階級經濟特權，保障機會均等。我們將建立直接稅制，加強累進所得稅與遺產稅，消除貧富懸殊的現象。我們計劃擴大國家的生產力，消滅失業，普遍提高國民生活水準，使人類的尊嚴和個人的自由具有實質意義。我們將改造農村傳統的生活方式與維護溫飽的觀念，建設科學化、機械化、現代化的農村社會。過去蔣政權盲目投資，無理干涉企業，以低工資支持資本家，以肥料換穀辦法剝削農民，以消費稅和戶稅增加一般大衆負擔所造成的各種問題，我

們將予以徹底解決。

　　我們確信社會的目的在維護個人的尊嚴，增進人民的福利，因此我們反對蔣政權統治下的恐怖、貪婪與妨礙團結發展的各種措施，而要建立一個互信、互助、友愛的社會，使每一個人都能過完美積極幸福的生活。

（八）

　　多少年來，中國只是兩個是非，一個是極右的國民黨的是非，一個是極左的共產黨的是非，真正的知識反而不能發揮力量。我們要擺脫這兩個是非的枷鎖，我們更要放棄對這兩個政權的依賴心理。在國民黨與共產黨之外，從台灣選擇第三條路──自救途徑。

　　讓我們結束這個黑暗的日子吧！讓我們來號召不願受共產黨統治，又不甘心被蔣介石毀滅的人們，團結奮鬥，摧毀蔣介石的暴政，建設我們的自由國土。

　　愛好民主自由的同胞們，千萬不要因看到暗澹的現實而灰心、而絕望。讓我們告訴你們，國內外的情勢對我們越來越有利，而我們自救力量正急速地擴大中，在政府機關、地方團體、軍隊、公司、報社、學校、工廠、農村，到處都有我們的同志。我們這個組織，已經與在美國、日本、加拿大、法國、德國的同志們取得密切的聯繫，並且得到熱烈的支持。一旦時機來到，我們的同志將會出現在台灣的每一角落，跟你攜手合作共同奮鬥。

　　同胞們！勝利就在眼前，團結起來！這就是我們的標誌，從今天起，它將隨時隨地出現在你們的面前，記住！當你們看

到它的時候，這個組織正在迅速地擴大著，這個運動也正在有
力地展開著。

（參閱台灣獨立聯盟美國總部「台獨」三一號、一九七四・
九・二八）⑲。

四、民主進步黨的誕生，及其重要文獻

㈠民主進步黨未發表的創黨宣言

近代人類歷史早就證明：民主是歷史的洪流，是誰也擋不住的，任何反民主的力量，都不過是一股小小的逆流，終必爲民主的洪流所淹沒。

很不幸，國民黨自執政以來，始終企圖抵擋這種歷史洪流，無意眞正實行民主。更不幸的是，國民黨在大陸慘敗以後，竟不知道以眞民主來收拾人心，補過贖罪，反而在權力失落恐懼症的陰影下，完全以共產黨的手法反共。

國民黨退據台灣三十七年來，總是竭盡所能的加強統治，而不斷擴張特務、警察、憲兵的力量與地位，甚至不惜與流氓組織掛勾，進行政治暗殺的陰謀，在這國民黨權力至上觀念的支配下，也就自然造成了整個封閉體系與落後形象，不僅教育越來越教條化，文化越來越庸俗化，而且社會越來越彌漫色情、賭博、暴力。即使本該是最神聖的選舉，也無法逃過金錢與暴力的污染。

現在大家所看到的，無非是色情行業如雨後春筍，大家樂席捲台灣，兇殺案乃至分屍案層出不窮。至於公共安全的維護，生態環境的保護，更有如無政府狀態。因此，僅僅高雄市一地，解體油輪爆炸的悲劇落幕，萬壽山崩塌的悲劇就上演。

眼看社會秩序與道德的崩潰，隨著政治秩序與道德的崩潰而發生以後，眼見台灣的外在壓力又日漸嚴重，國民黨的內部

也隨時可能發生劇變，尤其國民黨與中共更隨時可能從事秘密政治買賣。台灣的命運與前途，顯已進入生死存亡的歷史轉捩點。

　　面對這個轉捩點，究該何去何從？尤其究會有何種下場？在只有聽憑國民黨主宰的情形下，不少人都越來越徬徨、憂慮、恐懼，乃至千方百計的尋找夢寐以求的世外桃源。

　　但我們堅決相信：台灣不是一黨一家的私產！台灣是屬於大家的！是屬於出生在台灣與生活在台灣的全體人民的！所以，台灣的命運和前途，絕不該由國民黨擅自決定，而該由我們所有出生在台灣和生活在台灣的全體人民共同決定。而且，我們還堅決相信：在這個歷史的十字路口，台灣只有走向真正民主，才是唯一的生路，任何一黨一派的集體領導、軍事獨裁、乃至一家一族的家族政治，都是假民主、反民主的死巷子。

　　環顧今日台灣，唯有黨外才是保障民主的重要力量。但唯有團結才能真正發生力量，而且唯有組黨才能真正團結。而最近幾個月來，黨外公政會在各地分別舉行的組黨說明會，都獲得民眾熱烈回響。特別是八月十五日晚在台北市中山國小操場的那一場，情形的熱烈，更打破了台灣三十多年來的紀錄，進而表現了廣大民眾對於黨外組黨的渴望與支援。

　　我們既然早已獻身黨外民主運動，現在又面對此情此景，當然要義不容辭的承擔組黨責任。因此，我們決定組織民主進步黨，而且宣佈從現在就正式成立。我們要先將黨外力量團結起來，進而將一切民主、愛民主的力量團結起來，對國民黨發

揮眞正的制衡作用，保證台灣的民主，並且掌握台灣的命運和
前途。

我們的黨，旣然是以追求台灣的民主進步爲目標，儘管國
民黨還是以革命政黨自居，迷信槍桿子出政權，我們還是要堅
持現代民主國家的政黨原則，寧願爲普通政黨。我們決心一本
五大信念，就是憲法、自由、福利、理性、和平，追求一個全
面進步的社會。而與任何政黨從事公開、公平、公正的競爭，
一切取決於所有台灣地區的人民。在今後，我們仍願與任何政
黨溝通，但不會迷信溝通，尤其希望國民黨不要繼續不以誠意
進行溝通。同時，我們更不願與任何政黨衝突，但未必是害怕
衝突，特別希望國民黨不要蓄意製造衝突。

我們認爲：國民黨員是人，所有非國民黨員都是人，我們
同樣也是人。站在憲法保障的人權基礎上，誰也不該比誰多一
分，誰也不該比誰少一分。他們旣然有權組織國民黨，所有非
國民黨員當然也有權組黨，我們同樣也有權組織民主進步黨。

遠在二十六年前，我們早已有中國民主黨慘遭扼殺的痛苦
經驗。七年前，我們又有美麗島黨外黨再受摧殘的悲慘敎訓。
雖然我們一再受到無情的非法迫害，我們還是忍了又忍，等了
又等，但在熬過了幾十年的漫漫長夜以後，國民黨居然還要一
拖再拖，始終沒有眞正實行民主的誠意，使大家看不到一絲民
主的曙光。現在，爲了台灣的民主，也爲了台灣的進步，更爲
了與我們大家命運和前途息息相關的台灣命運和前途，我們又
怎能再忍？更怎能再等？

最後，我們不得不鄭重強調：縱然國民黨硬要用過去迫害

中國民主黨和美麗島黨外黨的手法對付我們，我們也義無反顧，絕不退縮。我們個人可以被抓、被關、被殺，但必會前仆後繼，保證民主進步黨絕不在迫害下消失。但我們仍要竭誠呼籲：所有出生在台灣與生活在台灣的海內外人士，爲了台灣，也爲了自己，勇敢的站出來，參加我們的行列，讓我們並肩攜手，踏著黨外前輩的足跡，高舉黨外的民主旗幟而共同奮鬥！前進再前進！

民主進步黨敬啓

註：

　　民國七十五年七月三日，謝長廷、尤清、傅正、黃爾璇……等黨外有力人士，在周清玉代表處決定成立「組黨籌備小組」的同時，採用謝議員的提議，命名該黨爲「民主進步黨」後，除謝議員負責黨章的起草外，由傅老師負責「宣言」，尤委員負責「基本綱領」和黃教授負責「行動綱領」等分工合作。在傅正的「宣言」草案方面，該籌備小組多次提議、修正後，除費希平委員一人希望對該「宣言」在文字上仍須再作一些的修正考慮外，其餘的成員均無異議，可算是一種已定案的文獻。

　　民國七十五年（西元一九八六年）九月初時，在台灣爆發了四十年來最大規模，而且長達十二天的街頭抗爭活動。同年九月二十八日，在台北圓山大飯店所召開的「黨外選舉後援會公認候選人推薦大會」，以一百三十五位的發起人，遽然向國民黨政府的「黨禁」挑戰，快速的通過了「民主進步黨」的創黨決議後，在國民黨警、特虎視眈眈的壓力下，由於時間倉卒（促），未及提出已備妥的宣言，以致這個在台灣歷史上重要

政黨的成立，而沒有所謂的「創黨宣言」，實爲遺憾！⑲

㈡民主進步黨給全國同胞的公開信
——一九八六年十二月一日

近代人類歷史早就證明：民主是歷史的洪流，任何反民主的力量，都不過是小小的逆流。

但大家也知道：現在民主政治是政黨政治，沒有眞正的政黨政治，就不配稱爲民主政治。很不幸，自民國成立以來，在民國初年，雖然政黨勃興，乃至最理想的兩黨政治也露出曙光，但只是曇花一現。更不幸，隨著獨裁極權浪潮的興起，革命政黨居然成了最主要模式，非僅迷信黨外無黨、黨內無派，而且迷信槍桿子裡出政權、黨化軍隊，使黨爭不是和平競爭，而是血淋淋的戰爭以至禍國殃民。尤其不幸，抗戰勝利不久，由於國民黨的貪污、腐化、無能，完全如同國民黨候選人最近在政見會上所指責的一樣，雖然具有絕對優勢的兵力，卻在流血黨爭中慘遭失敗，喪失了整個大陸，而撤退到台灣，一直到今天，還不知道何年何月才結束！

事理很清楚：要反共唯有民主，也唯有民主才可以反共。因此，爲了追求眞正的民主，三十多年來，黨外人士一直爲求促進政黨政治的奮鬥，希望建立眞正的反對黨，發揮應有的制衡作用。但是，不僅中國民主黨胎死腹中，而且美麗島黨外黨也歸於流產。儘管如此，我們絕不氣餒。直到最近一年，面對台灣局勢已經越來越接近歷史轉捩點，我們堅決相信：眞正政黨政治的促進，絕不容一拖再拖。因此，經過周密的策畫、部

署，特別是無數的艱難、險阻，在今年九月二十八日，我們終於正式宣佈民主進步黨的成立，而且在十一月十日召開全國代表大會完成了一切組黨工作，開創政黨政治的新時代！

我們的黨經全國代表大會通過的黨章、黨綱，就是我們追求台灣眞正民主進步的藍圖，也是我們向海內外同胞提出的民主進步保證書。

我們在「基本綱領」中提出的「我們的基本主張」，從民主自由的法政秩序、成長均衡的經濟財政、公平開放的福利社會、創新進步的教育文化、到和平獨立的國防外交，相信都是民主進步所必需。而我們在「行動綱領」中進一步提出的「我們對當前問題的具體主張」，無論是外交、國防、自由人權、政治、財經、社會、勞動、農漁林牧、教育、文化，相信更都是目前台灣所急需。

我們保證：我們的信念，我們有決心貫徹。我們的主張，我們有信心推動。但我們的黨是否能發揮預期的力量，畢竟還是決定於大家是否能熱烈支持。我們完全相信：人民的力量才是最偉大的力量，唯有獲得人民的熱烈支持，我們的黨才會成長、壯大，爲促進台灣的民主進步奉獻出最大的力量。

很高興，自從我們的黨成立以來，已經從海內外獲得廣泛的支持。特別是，我們先後在台北市、台中市、高雄市舉辦的三場「新黨之夜」晚會，每次都有超出萬人以上的同胞參與，而且不惜慷慨解囊，捐助建黨基金。所有這一切，我們都將永遠珍惜，誓以行動來報答。

由於我們的黨成立不久，各方面都還在草創階段，不可能

完全符合大家的理想，甚至缺點一定不少。因此，我們竭誠希望：除了給我們支持外，也給我們批評、指教。我們保證：爲了台灣的民主，爲了台灣的進步，即使是對於最嚴厲的責難，我們也會虛心檢討，努力改進。

現在，增額中央民意代表選舉正在進行。這一次的選舉，是我們的黨剛成立便遇到的選舉。由於組織還有待建立，尤其大眾傳播工具又幾乎完全掌握在國民黨的手裡，我們推出的候選人，先天條件更不如人，完全是處在逆勢。唯一值得安慰的是，選民的眼睛畢竟是雪亮的，選民的耳朵也畢竟是靈敏的，要聽真正有政見的政見，真能帶動台灣民主進步的政見。因此，在全台灣各地區，我們的黨向大家推荐的候選人，自辦政見會的吸引力，不知遠超過國民黨候選人多少倍。

不過，投票的時間已經快到了。我們不得不呼籲：所有關心台灣民主進步的同胞，所有希望台灣真民主真進步的同胞，千萬要發揮在聽政見時給我們的候選人鼓掌、歡呼的熱情，非但把最神聖的一票投給民主進步黨的候選人，而且要用全力爲民主進步黨候選人拉票，勝敗完全決定於每位同胞的一票。

最後，我們不得不鄭重強調：支持民主進步黨的候選人，就是支持民主進步黨！支持民主進步黨，就是支持台灣的民主進步！

㈢誓爲民主進步的新時代而奮鬥
——民主進步黨第一屆全國黨員代表大會
第一次臨時大會宣言

　　自從去年九月廿八日我們組黨以來，台灣終於進入一個新的時代，一個民主進步的新時代！

　　回顧過去四十年來的台灣，是在一個十分老化的黨所控制的老化政府的統治下，不僅想法老化，而且做法老化。因此，不管外在環境如何變，內在形勢如何變，總是以不變應萬變。

　　尤其是在政治方面，以革命起家的國民黨，從不了解民主的眞正意義與價值，而迷信革命萬能的老觀念始終不變。即使在號稱進入民主憲政時期以後，還是採取一黨訓政時期的老手法，黨政不分，黨國不分，充其量，只是掛民主的羊頭，賣革命的狗肉。結果，雖然有一部憲法，卻受到臨時條款，以及各種違憲的法律、命令、乃至措施的破壞。憲法所明明白白規定的，從人民的自由權利、到中央政治體制、地方政治體制、以及以軍隊國家化爲主的基本國策，都一直沒有落實。

　　直到我們突破了四十年來的黨禁以後，國民黨終於發現：「世事在變、局勢在變，潮流也在變。」不得已而有所謂解除戒嚴，開放黨禁的宣佈，而且進一步有髮禁、舞禁、黃金買賣管制的解凍，甚至有取消報禁的表示。

　　但是，就在大家歡迎和期待眞正變的時候，國民黨的老化心態的老化手法，又使一切遲緩下來，旣不願大刀闊斧的求變，更不肯放開腳步求新。因此，即使是國民黨政府再三用作宣傳資料的所謂解除戒嚴與開放黨禁，還硬想以所謂國家安全法與人民團體組織法取代，企圖換湯不換藥。

　　但不管國民黨如何不願變、不肯變，我們還是認爲：一個變的時代已經來臨了！是誰也擋不住了！台灣不只要變，而且

要加速度的變，向一個眞正民主進步的新時代變。

　　我們的黨在成立時所宣佈的黨綱，就是我們求變、求新的主要藍圖。而我們的藍圖，是建立在我們的五大基本綱領上，就是民主自由的法政秩序、成長均衡的經濟財政、公平開放的福利社會、創新進步的教育文化、和平獨立的國防外交。

　　因此，我們反對制定國家安全法，要求無條件解除戒嚴。我們也反對制定人民團體組識法，要求無條件開放黨禁。同時，我們也要求無條件廢除臨時條款，全面改選中央民意代表，地方體制法制化、軍隊國家化、校園民主化、司法獨立、開放報禁。

　　我們相信：我們有足夠的把握，與國民黨從事和平的競爭，但我們必須強調：一定要站在公平而又公正的立場，而且是用公開的方式。所以，我們要求：國民黨也要有勇氣，接受我們的挑戰，不要再利用政府公權力的方便，尤其不要濫用軍、警、情治的力量，破壞甚至迫害政治上的反對黨派。

　　不過，我們的黨，旣然旨在追求眞正的民主進步，儘管國民黨在憲政時期還要以革命政黨自居，我們還是堅持現代民主國家的政黨原則，寧願是一個民主政黨，按照一般民主政黨的常軌運作。在中央民意代表還沒有全面改選以前，在中央民意代表機構之中，我們只佔有少數席位，仍不得不委屈地走議會政治的道路，但國民黨如果硬要利用萬年國會所造成的多數，對於我們的黨所推出的中央民意代表所代表的眞正民意，進行無理封殺，我們只有考慮走上街頭，呼籲全體人民的支援。

　　在今天的台灣，民主的道路畢竟還不平坦，進步更需要不

斷的奮鬥，而我們的黨成立還只有半年，我們的力量還不夠壯大。我們雖願盡全力爲民主進步的新時代打頭陣，仍舊不得不懇切呼籲全體人民的共同支援。在過去，就是由於大家的支援，我們的黨才能成立，我們的黨所推出的候選人，才能在去年底的增額立法委員與國大代表改選中紛紛以高票當選。而且，也是由於我們在全台灣各地舉辦晚會時大家的慷慨捐助，我們才有起碼的經費，才能勉強買得起一層黨部辦公大樓。在今後，我們仍希望大家繼續支持。

今天，我們的黨，特別針對目前國內政局，以及黨內若干問題，召開這一次臨時全國黨員代表大會，經過鄭重討論後，通過㈠如何推動「返鄉省親」運動案、㈡如何推動中央民意代表全面改選案、㈢反對制定國家安全法案、㈣司法迫害案件對應案、㈤推動全島反公害運動案、以及黨章、黨綱修訂案、重大違紀處分案、增強黨內民主參與案。我們相信：我們的決議，都適合當前的需要，無論對台灣的民主進步或我們黨內的民主進步，都具有重大的意義。

我們保證：我們的黨，永遠是屬於人民的黨，永遠會與人民站在一起。爲了台灣的民主，也爲了台灣的進步，更爲了開創一個眞正民主進步的新時代，讓我們大家一起來奮鬥！

一九八七年三月廿九日

五、李總統對台北新公園
二二八紀念碑的揭幕講詞

　　朝野期盼的二二八紀念碑在今天落成了，登輝內心感受難以言宣。將近半個世紀以來，深印在國人心中的那道傷痕與烙印，終於得以平撫，實在值得欣慰。這座匯聚民間和政府眾多善良心靈而成的紀念碑，激發我們面對歷史的勇氣，啓示我們面對歷史的智慧，提醒我們不再重蹈歷史的錯誤，同時也象徵著我們告別歷史悲情的堅定決心。

　　登輝曾經親身經歷二二八事件，多年以來，始終爲這件可以不發生卻終於發生；可以免於擴大而終於不免擴大的歷史悲劇，感到萬分哀痛。這件不幸事件斲喪許多社會的菁英，蹂躪許多生命的尊嚴，阻隔人民與政府的親和，壓抑人民對國事的關懷，延緩社會的進步，國家的整體損失難以估計。今天，罹難者家屬和子孫能親眼看到這座彰顯歷史公義，啓示族群融合的二二八紀念碑矗立在寶島的土地上，親耳聽到登輝以國家公僕的身分，承擔政府所犯的過錯，並致深摯的歉意，相信各位必能秉持寬恕的胸懷，化鬱戾爲祥和，溫潤全國人民的心靈。只可惜部分受難家屬已離開人世，沒來得及看到這座紀念碑的完成，令人深感遺憾。

　　政府是爲人民而存在，要爲人民創造可以安居樂業的環境，提供人民得以發揮長才的機會，以達到老者能安，壯者能用，少者能懷的境界。目前，我們國家在民主化、自由化的轉

型中，正朝著理想的境界一步步前進。然而，不容諱言，我們也有歷史殘留的包袱，等待朝野共同發揮智慧，合理疏解。登輝認為，一個負責的政治人物必須坦然面對歷史事實，勇於承擔歷史責任。今天這座紀念碑的落成，正顯示我們面對歷史的誠實態度，也顯示我們有勇氣、有信心，攜手走出陰霾的過去，迎向光明的未來。但是，我們也不能只以建造這座紀念碑為滿足，歷史真相的公開、受難者的國家補償、紀念日的設立，以及國人心靈的重建和人格尊嚴教育的推動，都有待我們在近期內一一展開，逐步實現。此外若尚有考慮不周之處，也盼各界賢達不吝賜教。

這座紀念碑不但是歷史悲情的終結，國人心靈淨化與人格尊嚴的提昇，也是我們國家步入嶄新階段的里程碑，今後我們還有更艱鉅的任務：我們要更加發揚鄉土文化，激發國人對這塊土地的認同與熱愛；我們要投注更多的心力推動司法與教育改革，使法治精神與民主政治緊密結合，建設人盡其才的現代化社會；我們也要倍加珍惜我們的家園，保護我們的生活環境，成為人間淨土；我們更要透過各項學術研究與文化活動的推展，促進族群融合、凝聚同舟一命的共識。這些工作對我們社會未來發展影響深遠，登輝懇請社會各界共同參與，為後世子孫營造美麗的遠景。

今天，二二八紀念碑昂然矗立在深具歷史意義的台北新公園，沒有怨恨，沒有悲情，像一座歷史的警鐘，時時提醒我們走出歷史的悲劇，時時告誡我們要不分族群、彼此疼惜、相互祝福，以開放的胸懷，穩健的腳步，共同經營大台灣，搏聚休

戚與共的生命共同體。

從今天起,歷史的悲情與苦難的記憶,不再是籠罩國人心頭的陰霾,而是激勵國人開創美好前景的動力。二二八紀念碑正是象徵我國政治民主、社會自由和民生幸福的燈塔,溫煦的燈光將永遠照亮人心,指引我們奔向充滿希望的未來!

（一九九五年二月廿八日·二二八紀念碑揭幕式講話）⑭

註　釋

① 美麗島雜誌，P.75 第一卷，第一期，68.8 月。

② 台灣 P.6 伊藤潔著，江萬哲譯，新遠東出版社，83.12 月。

③ 參見台灣人四百年史 P.33 史明著，蓬島文化公司出版，69.9 月。

④ 參見復興基地台灣歷史及沿革，P.11，曾迺碩編著，正中書局印行，76 年出版。

⑤ 台灣建築史 P.69 李乾朗著，雄獅圖書公司出版，68.2 月。

⑥ 復興基地台灣歷史及沿革，P.18，曾迺碩編著，正中書局印行，76 年出版。

⑦ 參見台灣人四百年史 P.60 史明著，蓬島文化公司出版，69.9 月。

⑧ 民族與文化 P.2-5 陳奇祿著，黎明文化事業出版，70.12 月。

⑨ 台灣歷史閱覽(3)，李筱峰、劉峰松合著，自晚，83.5.10。

⑩ 復興基地台灣歷史及沿革，P.21，曾迺碩編著，正中書局印行，76 年出版。

⑪ 參見台灣建築史 P.84 、 86，李乾朗著，雄獅圖書公司出版，68.2 月。

⑫ 台灣，P.28 、 29，伊藤潔著，江萬哲譯，新遠東出版社，83.12.15。

⑬ 參見台灣，P.37，伊藤潔著，江萬哲譯，新遠東出版社，

83.12.15 。

⑭ 參見台灣，P.47，伊藤潔著，江萬哲譯，新遠東出版社，
83.12.15 。

⑮ 台灣歷史閱覽(7)，李筱峰、劉峰松合著，自晚， 83.5.24 。

⑯ 台灣歷史閱覽(7)，李筱峰、劉峰松合著，自晚， 83.5.24 。

⑰ 參見台灣，P.57，伊藤潔著，江萬哲譯，新遠東出版社，
83.12.15 。

⑱ 參見台灣，P.50，伊藤潔著，江萬哲譯，新遠東出版社，
83.12.15 。

⑲ 參見台灣人民歷史 P.230 、 231 ，陳碧笙著，人間出版
社， 1886.12 月。

⑳ 參見台灣文史叢書⒇，激動！台灣的歷史 P.45 ，張德水
著，前衛出版社， 81.8 月。

㉑ 台灣代誌（上） P.192 、 193 ，謝森展、古野直也合著，
創意文化公司出版， 1996.2 月。

㉒ 台灣，P.57 、 58 ，伊藤潔著，江萬哲譯，新遠東出版
社， 83.12.15 。

㉓ 甲午戰後台灣民主國的歷史眞相，李國祁著，聯合報，
84.3.19 。

㉔ 本國歷史（高普特考 P.186 ）陳明正編著，聞名出版公司
,74.1 月。

㉕ 甲午戰後台灣民主國的歷史眞相，李國祁著，聯合報，
84.3.19 。

㉖ 台灣風物，第三十九卷，第一期 P.120 、 121 ，陳逸雄譯

註，台灣風物雜誌社出版，78.3.31。

㉗　激動！台灣的歷史 P.58，張德水著，前衛出版社，81.8
月。

㉘　馬關條約與台灣民主國百週年的省思，許極燉著，民衆日
報，84.4.4。

㉙　參見台灣，P.81、82，伊藤潔著，江萬哲譯，新遠東出
版社，83.12.15。

㉚　參見台灣文史叢書⒇，激動！台灣的歷史 P.64-67，張德
水著，前衛出版社，81.8月。

㉛　台灣歷史閱覽㈨，自晚，85.5.31。

㉜　參見激動！台灣的歷史 P.77，張德水著，前衛出版社，
81.8月。

㉝　新台灣文庫⒂，雕出台灣文化之夢 P.84，林衡哲著，前衛
出版社，78.7月。

㉞　參見台灣文史叢書⒇，激動！台灣的歷史 P.83，張德水
著，前衛出版社，81.8月。

㉟　參見台灣代誌（上）P.223、233，謝森展、古野直也合
著，創意力文化公司出版，1996.2月。

㊱　參見戰後台灣史記 P.66、67許介鱗著，文英堂出版社，
85.9月。

㊲「蔣主席致陳儀二月蒸電」，『大溪檔案：台灣二二八事
件』收錄於中央研究院近代史研究所『二二八資料選輯
㈡』。

㊳何漢文「台灣二二八起義見聞記略」，收錄於李敖編『二二

八研究』P.134、140 李敖出版社，1989年。

㊴ 「張鎮呈蔣主席三月五日報告」，『大溪檔案：台灣二二八事件』，（台北：中央研究院近代史研究所，P.67，1992年。

㊵ 「陳誠呈蔣主席三月五日代電」，『大漢檔案：台灣二二八事件』（台北：中央研究院近代史研究所，P.68-69，1992年）。

㊶ 雕出台灣文化之夢 P.164，林衡哲著，前衛出版社，78.7.15。

㊷ 台灣人四百年史 P.221，史明著。

㊸ 參見戰後台灣史記 P.164、165 許介鱗著，文英堂出版社，85.9月。

㊹ 台灣人四百年史（精要版）P.220，史明著。

㊺ 參見七十八年度，中華民國文化發展之評估與展望 P.73，蕭新煌，文建會出版，79.3月。

㊻ 台灣新文學運動 P.68，彭瑞金著，自立晚報社出版，80.3月。

㊼ 何定藩編『陳誠先生傳』，P.167，台北：反共出版社，1996年。

㊽ 戰後台灣史記，P.288、289 許介鱗著，文英堂出版社，85.9月。

㊾ 回顧鄉土文學論戰，張大春，中國時報，80.1.7。

㊿ 激動！台灣的歷史，P.255 張德水著，前衛出版社，81.8月。

(51) 文化傳播叢書，第一册 P.104 ，陳其南文建會出版， 76.4 月。

(52) 台灣新電影的歷史文化經驗 P.61 ，陳儒修（英文原著），羅頗誠（翻譯改編）萬象圖書公司出版， 82.12 月。

(53) 台灣文藝復興運動，自立晚報， 83.1.5 ，陳銘城報導。

(54) 自立晚報， 84.1.9 。

(55) 自立早報 77.3.1 。

(56) 參見戰後台灣史記 P.386 ，許介鱗著，文英堂出版社， 85.9 月。

(57) 新新聞周刊 58 期 P.57 ， 77.4.18 。

(58) 自立早報 77.4.7 。

(59) 自立早報 77.7.23 。

(60) 自立早報 77.9.3 。

(61) 自立早報 77.9.3 。

(62) 自立早報 77.9.4 。

(63) 參見自立早報 77.5.1 。

(64) 參見台灣人權報告書（ 1949 ～ 1995 ） P.86 、 87 、 102 ，魏廷朝著，文英堂出版社， 1997 年 4 月。

(65) 參見台灣人權報告書（ 1949 ～ 1995 ） P.90 、 91 ，魏廷朝著，文英堂出版社， 1997 年 4 月。

(66) 參見台灣人權報告書（ 1949 ～ 1995 ） P.163 ，魏廷朝著，文英堂出版社， 1997 年 4 月。

(67) 中國時報 77.1.14 。

(68) 中國時報 77.1.14 。

69　參見自立早報 77.5.27。

70　參見自立早報 77.5.26。

71　伸根 2 週刊 P.35,74.11.30。

72　參見出土政治冤案 P.60，林樹枝著。

73　縱橫週刊 31 期，P.38，74.12.21。

74　伸根 2 週刊 P.26,74.11.30。

75　參見自立早報 77.5.15。

76　參見自立早報 77.5.15。

77　自立晚報 77.3.5。

78　白立晚報 77.3.5。

79　美麗島第一卷二期，68.9.25。

80　參見自立早報 77.5.1。

81　民主年代系列總號 105，P.56，77.2.10。

82　自立晚報 77.1.5。

83　民進週刊 49 期，P.53，77.1.22。

84　公論時代週刊，209 期，P.74，77.1.30。

85　自立早報 77.4.28。

86　自立早報 77.3.30。

87　民主年代 65 期 P.36。

88　參見民主年代 105 期，P.50，77.2.10。

89　公論時代週刊，208 期。

90　新新聞周刊 46 期，P.28。

91　自立早報 77.3.16。

92　參見民眾日報 77.3.30。

(93) 參見新新聞周刊 46 期，P.25 ，77.1.25 。

(94) 參見自立早報 77.3.16 。

(95) 新新聞周刊 58 期，P.34 ，77.4.18 。

(96) 台灣要獨立（上册）P.3-9 陳水扁、吳淑珍合著。

(97) 美麗島第一卷第三期 P.14 。

(98) 自立早報 77.2.25 。

(99) 新觀點叢書，P.8 ，76.11.1 。

(100) 參見民主年代 105 期 P.3 。

(101) 中國時報 77.3.1 。

(102) 民衆日報 77.3.13 。

(103) 自立早報 77.2.27 。

(104) 參見自立早報 77.2.27 。

(105) 美麗島第一卷，第一期 P.20 。

(106) 自立早報 77.3.7 。

(107) 民進時代週刊，52/53 期 P.26 ，77.2.12-25 。

(108) 新新聞週刊 5 期。

(109) 自立早報 77.4.15 。

(110) 參見民進週刊，52/53 期 P.29 ，77.2.12-25 。

(111) 民進時代週刊 46 期，P.10 ，77.1.1-7 。

(112) 參見進步婦女聯盟的「反退職金運動」聲明。

(113) 新新聞週刊，35 期，76.11.9-15 。

(114) 參見美麗島第一卷，第一期，P.44 ，68 年 8 月。

(115) 美麗島第一卷，第一期 P.46 ，68 年 8 月。

(116) 政治革新的迴響與地方自治面面觀系列三，中時 77.1.6 。

⑪⑦　康寧祥爲地方自治法制化致兪院長書，自立晚報 77.3.11。

⑪⑧　參見美麗島第一卷，第四期，P.10，68.8 月。

⑪⑨　自立晚報 77.3.12。

⑫⓪　陳芳明的評「楊亮功調查二二八事件報告」，自立晚報 77.3.12。

⑫①　時代週刊第 208 期，P.71，1988.1.23。

⑫②　新聞時代週刊，213 期，P.76，77.2.27。

⑫③　民進時代週刊 55 期，P.37，77.3.4-10。

⑫④　黃武東回憶錄，1986 年美國出版中。

⑫⑤　時代週刊第 214 期，P.71，77.3.5。

⑫⑥　公論時代週刊 209 期，P.30，77.1.30。

⑫⑦　民進時代週刊 55 期，P.3、35，77.3.4。

⑫⑧　參見民進時代週刊 54 期，P.52，77.2.26，新聞時代週刊，214 期，P.67，77.3.5。

⑫⑨　參見民進時代週刊 55 期，P.34，77.3.4；時代週刊 214 期，P.71，77.3.5；中國時報 77.3.1。

⑬⓪　參見時代週刊 214 期，P.68，77.3.5；民進時代週刊 55 期，P.37、39，77.3.4；時代週刊 213 期，P.78，77.2.27；民衆日報 77.2.27。

⑬①　民進時代週刊 54 期，P.52，77.2.26；時代週刊 214 期，P.69，77.3.5。

⑬②　參見民進時代週刊 55 期，P.3，77.3.4；時代週刊 214 期，P.65，77.3.5。

⑬③　參見民進時代週刊 55 期，P.37，77.3.4。

⑭　聯合晚報 78.2.28 。

⑮　時代週刊 266 期， P.32 ， 78.3.4 。

⑯　中時晚報 78.2.27 。

⑰　聯合晚報 78.2.28 。

⑱　參見中時晚報 78.2.28 。

⑲　聯合晚報 78.2.28 。

⑭　中時晚報 78.2.28 。

⑭　中國時報 78.3.1 。

⑭　自立晚報 78.2.28 。

⑭　中時晚報 78.2.28 。

⑭　中國時報 78.2.28 。

⑭　自立晚報 78.2.28 。

⑭　自立早報 77.5.10 。

⑭　民進時代週刊 52/53 ， P.32 ， 77.2.12-25 。

⑭　聯合報 77.7.29 。

⑭　新聞時代週刊， P.63 ， 77.2.27 。

⑮　參見中國時報 77.4.13 。

⑮　聯合報 77.8.10 。

⑮　自立早報 77.7.27 。

⑮　參見中時晚報 77.7.29 。

⑮　自立早報 77.7.29 。

⑮　中時晚報 77.7.29 。

⑮　參見聯合報 77.7.29 。

⑮　自立早報 77.8.10 。

⑮　自立晚報 77.8.18。

⑯　參見聯合報 77.8.19。

⑯　聯合報 77.8.22。

⑯　自立早報 77.8.22。

⑯　台灣人權報告書（ 1949 ～ 1995 ）P.254 ，魏廷朝著，文英堂出版社， 1997 年 4 月。

⑯　參見領先叢刊 7 期 P.52 ， 76.1.17。

⑯　自立早報 77.5.30。

⑯　領先叢刊七期，P.59 ， 76.1.17。

⑯　自立晚報 77.4.16。

⑯　領先叢刊第七期 P.59 ，自立晚報 77.3.12 及 26 ，自立早報 77.3.5 及 14 ，中時 77.2.27。

⑯　中時晚報 77.9.2。

⑯　新聞時代週刊 P.27 ， 77.2.13。

⑰　對一黨專政開火 P.117 、 118 ，傅正著 1989 年 9 月初版。

⑰　戰後台灣史記 P.255 ，許介鱗著，文英堂出版社， 85.9 月。

⑰　自立早報 77.4.21。

⑰　自立早報 77.5.13。

⑰　民主年代 105 ，P.61 ， 77.2.10。

⑰　參見新台叢書 39 期，P.26 ， 77.1.1。

⑰　自立早報 77.2.6。

⑰　參見民眾日報 77.8.25。

⑰　自立早報 77.5.9。

⑰　自立晚報 77.9.14 。

⑱　新新聞周刊 P.38 ， 76.12.7 。

⑱　參見時報新聞周刊 P.1 ， 76.12.8 。

⑱　時報新聞周刊 P.1 ， 76.12.8 。

⑱　參見新新聞周刊 P.36 ， 76.12.7 。

⑱　參見自立早報 77.4.26 。

⑱　自立早報 77.4.25 。

⑱　自立早報 77.2.2 ，高天生報導。

⑱　自立晚報 78.1.25 。

⑱　自立晚報 78.1.25 。

⑱　自立早報 78.1.22 。

⑲　中國時報 77.4.7 。

⑲　自立晚報 77.2.2 。

⑲　參閱台灣獨立聯盟美國總部「台獨」三一號， 1974.9.28 。

⑲　爲中國民主黨、民主進步黨戰鬥， P.173-177 傅正著
　　1989.9 月。

⑲　經營大台灣 P.45 、 46 李登輝著，遠流出版社， 85.1.15
　　初版。

悲情島國四百年／曾逸昌編著 .--初版 ,--
　臺北市：曾逸昌，民 86
　　面；　公分
ISBN 957-97206-9-X（平裝）

1. 政治—臺灣　　2. 臺灣—歷史

673.22　　　　　　　　　　　　　86003522

內政部著作權登記：臺⑻內著字8603691號

悲情島國四百年

出 版 者：曾　逸　昌
編 著 者：曾　逸　昌
地　　　址：臺北市杭州南路一段71巷3-5號3樓
電　　　話：(02)2341-7811
法律顧問：曾　肇　昌
初　　　版：中華民國86年11月11日
再　　　版：中華民國87年4月4日
定　　　價：420元